KU-456-435

SCIENCE FICTION

Herausgegeben
von Wolfgang Jeschke

Von Alan Dean Foster erschienen in der Reihe
HEYNE SCIENCE FICTION & FANTASY:

Die mit * gekennzeichneten Romane und Erzählungen spielen in Alan
Dean Fosters Homanx-Commonwealth.

ALAN DEAN FOSTER

Die Fahrt der Slander-scree

Dritter Roman
der Eissegler-Trilogie
im Homanx-Zyklus

Deutsche Erstausgabe

Science Fiction

WILHELM HEYNE VERLAG
MÜNCHEN

HEYNE SCIENCE FICTION & FANTASY
Band 06/4618

Titel der amerikanischen Originalausgabe
THE DELUGE DRIVERS
Deutsche Übersetzung von Ralph Tegtmeier
Das Umschlagbild schuf Dariusz Chajnacki

Redaktion: Wolfgang Jeschke
Copyright © 1987 by Alan Dean Foster
Copyright © 1989 der deutschen Übersetzung
by Wilhelm Heyne Verlag GmbH & Co. KG, München
Printed in Germany 1989
Umschlaggestaltung: Atelier Ingrid Schütz, München
Satz: Schaber, Wels
Druck und Bindung: Elsnerdruck, Berlin

ISBN 3-453-03489-9

In Erinnerung an Judy-Lynn Benjamin del Rey:
Das Schicksal ist ein unbarmherziger Redakteur.
Doch der Dschinn ist nun endlich befreit aus der Flasche.
Steig auf!

1

DAS SCHLIMMSTE WAR NICHT, daß Fortune sich zu Tod fror. Das Schlimmste war, daß er es freiwillig tat.

Bei den dichtbepelzten Tran war Nacktheit nicht gerade beliebt; für einen Menschen grenzte es an Wahnsinn, nackt auf Tran-ky-ky herumzustehen – doch Ethan versuchte durchaus nicht, Selbstmord zu begehen. Man erwartete von ihm, daß er feierte, doch es war schwierig vorzugeben, man amüsiere sich, wenn man blau anlief, wenn Gänsehaut Arme und Beine überzog und andere Teile der Anatomie kurz davor standen, zu einem bleibenden Teil der Epidermis zu werden.

Daß er in seinem Unglück Gesellschaft hatte, war kein Trost. Skua September war es genauso kalt, bis auf jene Teile von Gesicht und Hals, die von einem dichten grau-braunen Bart bedeckt waren. Der alte Hüne hatte beide Arme eng um die Rippen geschlungen.

Dazu kam noch der Umstand, nicht nur den Elementen, sondern auch neugierigen Blicken ausgesetzt zu sein. Es war dämlich, verlegen zu sein, sagte Ethan sich. Er und Skua waren die einzigen menschlichen Wesen im Hofsaal von Asurdun. Es war nur allzu verständlich, daß ihre nackten Gestalten Aufmerksamkeit erregten – mit ihren flachen Füßen, die nicht über die schlittschuhähnlichen Chiv verfügten, ihren langen Armen und ihren im wesentlichen pelzlosen Körpern.

Mousokka, der zweite Maat des Eisseglers *Slanderscree,* ließ sie wissen, er halte die subtile Veränderung ihrer Hautfarbe für sehr kleidsam. Die wütenden Blicke, die ihm diese Bemerkung einbrachte, überzeugten ihn, daß die Veränderung durchaus nicht freiwillig war, und er erwähnte sie nicht mehr.

Am schwierigsten war es, einfach stumm zu bleiben. Zittern war zwar gestattet – Murmeln und das Hervorbringen anderer Geräusche jedoch nicht. Skua beugte sich trotzdem zu seinem Kameraden hinunter, um ihm etwas zuzuflüstern:

»Es ist gar nicht so schlimm, Jungchen. Nach einer Weile verdrängt die Taubheit die Kälte.«

»Halt die Klappe! Halt einfach nur die Klappe, ja?«

Ethan beugte sich vor und sah an einem vor ihm stehenden Mitglied der Ehrenwache vorbei. »Sie sind doch wohl bestimmt gleich fertig, oder?«

Unter einer raffiniert geschnitzten Kuppel aus Stavanzer-Elfenbein intonierte ein Trio ältlicher Gelehrter aus Asurdun das traditionelle Vermählungsritual. Über ihnen schwangen sich Steinmauern zur Decke des Hofsaals Asurduns empor, jenes Inselstaats, dessen korrupter Landgraf kürzlich von Ethan, Skua und ihren Tranfreunden gestürzt worden war. Der neue junge Landgraf, Sef Gorin-Vlogha, hatte den Neuvermählten in spe seinen Segen gegeben und darauf bestanden, daß sie ihr Gelübde in Asurduns uralter Burg ablegten. Seiner uralten, unbeheizten Burg, sinnierte Ethan, während er versuchte, seine Zähne am Klappern zu hindern.

Die beiden Hauptpersonen dieses eisigen, romantischen Dramas waren Sir Hunnar Rotbart und Elfa Kurdagh-Vlata. Elfa war die Tochter und Erbin des Landgrafen von Soffold; Hunnar der erste Tran, mit dem Ethan und Skua nach ihrer Bruchlandung auf dieser Welt vor Äonen zu tun gehabt hatten. Ethan freute sich, an ihrem Glück teilhaben zu können. Doch er hätte alles dafür gegeben, seine Zustimmung zur Teilnahme an dieser Zeremonie rückgängig machen zu können.

Nicht, daß er und Skua in ihrer Nacktheit allein waren. Wachen wie Zuschauer hatten sich für die Zeremonie ebenfalls ihrer Garderobe entledigt. Einzig Braut und Bräutigam waren bekleidet. Aber die katzbärenartigen Tran hatten ihren dicken Pelz. Sie bemerkten die

Kälte in der Burg nicht. Ethan und Skua verfügten über keinen derartigen natürlichen Schutz.

»Sieh mal Ethan«, flüsterte Skua, »als ich die Einladung zu dieser kleinen Festivität für uns annahm, hatte ich keine Ahnung, daß ein Striptease zur Tradition gehört. So wie es der Hauptmann der Wache erklärt hat, bringen wir durch unser unbekleidetes Erscheinen vor den Liebenden zum Ausdruck, daß wir ihnen unsere Freundschaft und Zuneigung ohne irgendwelche Vorbehalte geben. Man hält nichts zurück. Es ist ein Zeichen des Respekts für das glückliche Paar. Man verbirgt nichts in seiner Gegenwart.«

»Das ist verdammt wahr«, brummte Ethan.

»Hat nebenbei auch seine praktischen Aspekte«, bemerkte Skua versonnen. »Unser Freund Hunnar da drüben wird eines Tages Landgraf sein, Herrscher von Wannome. Wenn alle feiern und in ausgelassener Stimmung sind, ist das für einen potentiellen Meuchelmörder eine gute Zeit zum Zuschlagen – ist aber ziemlich schwierig, eine Waffe einzuschmuggeln, wenn man nichts hat, worunter man sie verbergen kann.«

»Ist auch verdammt schade. Wenn ich eine hätte, wüßte ich nämlich, was ich damit täte.«

Skua breitete seine mächtigen Hände aus. »Was hätte ich denn tun sollen, Jungchen? Die Einladung zur Hochzeit unserer Freunde ausschlagen? Eine königliche Einladung zudem, und wir kurz davor, diesen Eisball auf immer und ewig zu verlassen. Gibt keinen Grund für uns, hier noch länger rumzuhängen. Mit Sofold und Asurdun im Norden und Poyolavomaar und Moulokin im Süden sind die Tran auf dem besten Weg, aus ihrem feudalen Stadtstaat-Zyklus auszubrechen und eine planetarische Regierung zu gründen. Die anderen unabhängigen Staaten werden mitmachen müssen – es gibt keine Möglichkeit, dieser Kraft zu widerstehen.«

Einer der anderen Zuschauer, offensichtlich ein asurdunischer Edler, ermahnte sie mit einem Blick, still zu sein. Es war respektlos, sich während der heiligen Augenblicke der Zeremonie zu unterhalten, ob man nun Held, Gemeiner oder Außenweltler war. Waren sie sich denn nicht der einzigartigen Ehre bewußt, die ihnen erwiesen worden war? Trotz der Anwesenheit des wissenschaftlichen Außenpostens des Commonwealths am Westufer Asurduns war dies das erste Mal, daß es Nicht-Tran gestattet wurde, Zeuge der ehrwürdigen, traditionellen Riten zu werden, die männliche und weibliche Tran im Ehestand vereinten.

Ein Vergnügen, auf das Ethan hätte verzichten können.

Er schwieg um Hunnars und Elfas willen. Die Vermählungsprozedur bestand aus einer Menge ruckhafter Bewegungen, viel Gestöhne und viel zu viel Gerede. Wären die beiden Brautleute nicht seine Freunde gewesen, er hätte sein Mißbehagen allen und jedem kundgetan und sich den Teufel um die Konsequenzen geschert. Er versuchte sich einzureden, daß er nicht fror, aber sein Körper nahm ihm das nicht ab. Also konzentrierte er sich statt dessen auf die angenehmeren und erfreulicheren Aktivitäten, die diesem ausgedehnten Unbehagen vorausgegangen waren: die Prozession durch die Stadt, der Einzug in die Burg, die Eideszeremonie der Edlen, sogar die formelle Entblößung, die außerhalb der Halle stattgefunden hatte; die Kleider türmten sich zu zwei Haufen, zwischen denen die Hochzeitsprozession hindurchgeschritten war.

Wäre es wirklich Blasphemie gewesen, wenn er seine Unterwäsche anbehalten hätte?

Eigentlich sollte er dankbar sein. Was, wenn die Tradition verlangt hätte, daß die Zeremonie nicht in der Burg, sondern auf den ungeschützten Ebenen Asurduns stattfand? Im Innern bewegte sich die Temperatur nahe am Gefrierpunkt. Draußen, unter freiem Himmel, sank sie weit unter den Punkt, an dem Wasser noch beweglich war. Nur einige wenige Feuer in Steinschalen hielten das arktische Klima draußen. Eines flackerte nicht weit entfernt. Seine nackte Rückseite – oder was das anging, irgendeinen anderen Teil seiner Anatomie – in die Nähe des heißen Steins zu strecken, hätte einen unverzeihlichen Bruch der Etikette bedeutet. Aber er würde sehr bald etwas tun müssen. Zittern und Gänsehaut waren noch halb Spaß; Erfrierungen schon nicht mehr.

»Ich halte das nicht mehr lange aus.«

»Konzentrier dich auf die Zeremonie, auf die Bewegungen! Wunderschön, oder?«

»Was ich davon neben dem Klappern meiner Zähne mitbekomme«, erwiderte Ethan.

»Und ist es nicht großartig, mitzuerleben, wie die beiden sich endlich einander versprechen?«

»Ja, ja, natürlich.« Vielleicht würde die Vermählung mit Elfa endlich Hunnars unbegründetem Verdacht ein Ende bereiten, sie fühle sich auf irgendeine perverse Art von Ethan angezogen. »Das erwärmt mein Gemüt, aber nicht meinen Arsch.«

»Ja, dann mach dir eben warme Gedanken.«

»Du hast gut reden.«

Skua bedachte ihn mit einem tadelnden Blick. »Nein, Jungchen. Hab ich gar nicht. Mir ist genauso kalt wie dir. Du strengst dich eben nur nicht genug an. Denk an was anderes. Denk an ...« – sein Blick wurde plötzlich sehnsüchtig – »denk an nächste Woche, wenn das planmäßige Versorgungsschiff kommt, und wir diese Welt verlassen können.«

Das war etwas, woran man denken konnte, sagte Ethan sich. Denk an die Rückkehr in die Zivilisation nach fast zwei Jahren unter wohlmeinenden, fremdrassigen Barbaren. Denk an eine moderne, saubere, warme Einzelkabine auf einem neuen KK-Schiff. Denk sogar an die Rückkehr zur Arbeit. Zeit, das Abenteuer hinter sich zu lassen und sich wieder den Alltagsgeschäften zu widmen. Das Gewöhnliche war längst überfällig.

Skua deutete auf die skandierenden Ältesten. »Ich glaube, sie kommen zum Ende, Jungchen.«

»Wieso?«

Der Hüne wies über die freie Zentralfläche. »Siehst du die älteren Tran da drüben? Die Ältesten der Hofdamen, denke ich. Die letzten dreißig Minuten haben sie dagestanden wie Bäume, und jetzt fangen sie an zu plappern.«

Septembers Mutmaßung traf zu. Eine letzte Einzelstimme steigerte sich in einen gutturalen Abschluß des aufsteigenden Gesangs, und die versammelten Edlen brachten drei laute Rufe aus. Sie stießen ihre Pranken in die Höhe und begannen zu winken – ihre Dan, die flügelähnlichen Membranen, die die Arme und Flanken miteinander verbanden, wurden hin und her bewegt. Was dazu führte, daß Wind und Worte auf das glückliche Paar einströmten. Glücklicherweise standen Ethan und Skua etwas abseits, so daß die künstliche Sturmbö sie nicht traf.

Die Ältesten verbeugten sich, und die Menge drängte vor, um den Frischvermählten zu gratulieren. Hunnar hob Schweigen gebietend die Arme.

»Neu gefundene Freunde und Verbündete: Ich danke euch für eure Freundlichkeit und eure Gastfreundschaft.« Er nickte den Ältesten zu. »Ich danke euch auch für die prächtige Zeremonie, die ihr für uns veranstaltet habt.« Jetzt wandte er sich dem jungen Gorin-Volga zu. »Seid versichert, daß gemäß dem neuen Vertrag zwischen unseren Völkern die Bürger Asurduns in unserer Heimat Sofold genauso willkommen sein werden wie in den Häfen unserer Mitverbündeten Poyolavomaar und Moulokin.« Er trat zurück, und Elfa kam nach vorne.

»Uns stehen große Zeiten bevor, meine Freunde«, begann sie, ihre kräftige Stimme hallte durch den Saal. »Wundervolle Dinge ereignen sich dank unserer Freunde, der Himmelsleute.« Sie deutete auf die beiden vor Kälte zitternden Menschen, und ein verblüffter Ethan gab sich die größte Mühe, unter den gegebenen Umständen so würdevoll wie möglich auszusehen.

»Wir haben erfahren, daß es andere Welten als unsere gibt, Welten so zahlreich wie die Stadtstaaten Tran-kykys. Um an ihrer Herrlichkeit, ihrer Macht und ihrem Wohlstand teilhaben zu können, müssen wir einige unserer überlieferten Gewohnheiten und Bräuche aufgeben. Nicht länger mehr können die Tran isoliert voneinander leben und die nichtigsten Unstimmigkeiten und Meinungsverschiedenheiten durch Kämpfe austragen. Wir müssen in Frieden zueinanderkommen, um Kraft und Stärke zu gewinnen, damit wir, wenn wir uns zwischen den Sternen zu unseren Freunden, den Himmelsleuten, gesellen, was wir eines Tages tun müssen, wie sie uns versichern, dies erhobenen Hauptes und mit weitgespreizten Dan tun können. Als Krieger und als ein Volk, das stolz auf das ist, was es ist, und nicht etwa als unselbständige Mündel eines größeren Staates. Wir verbinden und verbünden uns, um Gleichheit und Gleichberechtigung zu finden. Die Tran wollen und brauchen keine Almosen!«

Brausender Beifall stieg auf und hallte laut durch den Hofsaal. Elfa und Hunnar wurden von den Umarmungen und Umklammerungen fast erdrückt. Für Ethan klang das alles ziemlich deutlich nach Fütterungszeit im Zoo. Er folgte Skua, als der Hüne sich mit Hilfe seiner Körpermasse einen Weg durch die Menge bahnte.

»Ich habe auch etwas zu sagen, Sir Hunnar«, hörte Ethan ihn rufen.

»Ja, was gibt es denn, Freund Skua?«

Ethan fühlte sich inmitten der Masse der größeren und breiteren Tran zwergenhaft, aber nicht eingeschüchtert. Dazu kannte er sie zu gut. Außerdem wurde ihm durch all die pelzigen Körper, die sich um ihn herum aneinanderdrückten, langsam warm.

»Es ist wegen unserer Kleider.«

»Ach natürlich, im Gefühlsüberschwang des Augenblicks habe ich nicht daran gedacht. Ihr habt solange bei uns gelebt, daß ich manchmal vergesse, daß ihr unser Klima nicht angenehm findet. Die Zeremonie muß für dich und Ethan eine Strapaze gewesen sein.« Hunnar wies auf den kleinen Kleiderberg, der sich rechts neben dem Eingang häufte. »Ich glaube, ihr werdet eure Anzüge dort finden. Gewänder von Verwandten und engen Freunden werden immer steuerbord gestapelt. Kommt, wir werden euch helfen!« Elfa bei der Hand nehmend, führte er sie durch die gratulierende Menge.

»Ich fürchte, eure seltsame Kleidung liegt fast ganz unten«, bemerkte Elfa.

Ethan musterte den Haufen nichtmenschlicher Kleidung. »Das macht nichts. Ich suche gern danach. Es muß da drunter wärmer sein als hier draußen.«

Bis er und Skua wieder in ihrer Unterwäsche und den silbrigen Überlebensanzügen steckten, hatten viele der führenden Edlen und Ritter Asurduns den Frischvermählten bereits ihre Glückwünsche und Geschenke zukommen lassen und sich verabschiedet. In einem anderen Teil der Burg hatte das offizielle Festessen begonnen. Rufe und Bruchstücke halb gesungener, halb gefauchter Lieder drangen in den Hofsaal.

Ethan blieb zurück, während Skua sich fröhlich in die rauhe Feier stürzte. Sie konnten nicht in die Niederlassung des Commonwealth in Brass Monkey zurück, bis Hunnars Besatzung, die Matrosen und Soldaten des Eisklippers *Slanderscree*, ihr Gelage beendet hatte. Es war früher damit zu Ende, als er gedacht hatte. Es hätte ihn nicht überraschen dürfen – die Sofoldianer waren seit über einem Jahr nicht mehr in ihrer Heimatstadt Wonnome gewesen. Inzwischen mußten ihre vielen Freunde und Verwandten sich fragen, ob dem großen Eisschiff etwas zugestoßen war und seine Besatzung nur noch aus auf dem Eis verstreuten Knochen bestand. Ethan und Skua waren nicht die einzigen, die zu Hause überfällig waren.

Später am Abend, als das Fest sich seinem Ende näherte, zog Hunnar Ethan und Skua beiseite. Sie setzten sich mit Elfa an einen kleinen Tisch, der etwas abseits vom lärmenden Treiben der Hauptfeier stand.

»Ich wünschte, wir könnten euch und euren Freund Williams überreden, noch ein wenig bei uns zu bleiben. Es gibt immer noch so viel, was wir lernen müssen.«

»Milliken konnte zu seinem Bedauern nicht teilnehmen«, erwiderte Ethan, und beneidete im stillen ihren Freund, den Lehrer, um seine Entscheidung, die Hochzeit zu schwänzen und in Brass Monkey zurückzubleiben. »Ich bin sicher, daß es ihm genauso leid tut wie uns beiden, daß wir gehen müssen, aber wir sind einfach nicht dazu geschaffen, auf einer Welt wie Tran-ky-ky zu überleben.«

»Ich würde sagen, daß ihr gut überlebt habt. Ihr seid ebenso findig wie jeder Tran.«

September nippte an seinem Bierkrug und überließ hauptsächlich Ethan das Reden. »Du schmeichelst uns«, sagte Ethan zu Hunnar, »aber selbst wenn wir hier überleben könnten, möchten wir alle nach zu Hause zurück, genau wie deine Leute nach Wannome zurück möchten. Es ist an der Zeit. Ich bin kein berufsmäßiger Forscher und Abenteurer, weißt du. Diese ganze Geschichte, daß Skua, Milliken und ich auf eure Welt gekommen, bei eurer Stadt gelandet sind – das war alles ein Unfall.«

»Genauso ist es«, bestätigte Skua. »Er ist Handelsreisender, jawohl, und das ist einer der unabenteuerlichsten Berufe, dem jemand aus dem Himmelsvolk überhaupt nachgehen kann.«

»Du würdest alles aufgeben, was du unter uns erreicht hast?« Hunnar starrte Ethan aus weit geöffneten gelben Augen an. »Du könntest ein Edler meines Volks sein. Gewaltige Landstriche könnten dein sein. Die *Slanderscree* stünde dir auf den leisesten Wink zur Verfügung, um dich zu bringen, wohin immer du willst.«

Ethan lächelte freundlich. Nach Tranmaßstäben war Hunnars Angebot äußerst hochherzig, aber es war ein unzureichender Ausgleich für eine Zentralheizung.

»Danke, aber alles, was ich zur Zeit sehen möchte, ist eine große Stadt, strahlend vor verschwenderischem Licht und voll von naiven Käufern mit gut gefüllten Brieftaschen.«

»Was ist mit deiner Absicht, unter uns Geschäfte zu machen, zu denen du, wie du erzählt hast, hierher geschickt wurdest?«

»Nichts für ungut, aber ich habe irgendwie die Lust verloren, in dieser Gegend zu arbeiten. Ich werde irgendeinem anderen Repräsentanten meiner Gesellschaft diese Ehre überlassen. Ich gehe davon aus, daß ich immer noch angestellt bin, weißt du. Die meisten Handelshäuser sehen es allerdings nicht so gern, wenn ihre Angestellten sich ohne Erklärung ein paar Jahre frei nehmen.«

»Aber wenn du deinem …« – Elfa kämpfte um das richtige Wort – »Meister erzählst, was alles passiert ist, wird er doch bestimmt Verständnis haben und dich wieder aufnehmen.«

»Nicht Meister, einfach nur Handelsherr«, erwiderte Ethan gereizt; er hätte sich gern gekratzt, wollte aber nicht das Visier seines Anzugs öffnen. »Wenn ich allerdings mit dem großen Boß selbst sprechen könnte, wäre ich vielleicht imstande, ihn zu überzeugen. Bei meinem Bezirksleiter wird das nicht gehen, das weiß ich.«

Sie richtete ihren durchdringenden Blick auf das Gesicht seines Gefährten. »Und was ist mit dir, Freund Skua? Ein Krieger wie du könnte ganze Armeen befehligen. Es wird viele Kämpfe geben. Nicht alle werden durch süße Worte davon zu überzeugen sein, sich der Union anzuschließen. Unsere Generäle würden deine Fähigkeiten willkommen heißen.«

»Du bist ein Schatz, Elfa.« Ethan verspannte sich, aber Hunnar bleckte nur grinsend die scharfen Eckzähne. September hatte kräftig dem hiesigen Schnaps zugesprochen. »Aber ihr braucht mich nicht. Mit euren vereinten Kräften seid ihr imstande, auch den mächtigsten unwilligen Stadtstaat zu besiegen. Braucht mich nicht, um ihnen Vernunft beizupuhlen. Ich wär einfach nur im Weg und würde irgendeinem ehrgeizigen Tran-Krieger den Ruhm stehlen. Möchte nicht der Karriere von jemand im Wege stehen. Hab das schon mal gemacht, und es verfolgt mich immer noch. Außerdem habe ich auch meine eigenen Angelegenheiten, um die ich mich kümmern muß.«

Ethan warf ihm einen scharfen Blick zu. »Welche Angelegenheiten? Du hast mir nie was von irgendwelchen Angelegenheiten erzählt, zu denen du zurück mußt.«

»Was hast du denn geglaubt, was ich vorhab, Jungchen? In Rente gehen?« Er zwinkerte. »Da ist diese alte Freundin, der ich das Versprechen gegeben hab, sie bei ihren Studien auf einer dieser kürzlich entdeckten Welten am Ende des Spiralarms zu unterstützen. Fuspin – nein, Alaspin heißt der Planet. Sie ist Archäologin. Sitzt mir seit Jahren im Nacken, daß ich ihr bei einem ihrer Projekte zur Hand gehe. Müßte immer noch da draußen sein, in fremden Überbleibseln herumstochern und sich die hübschen Fingernägel schmutzig machen. Hat mir erzählt, daß dieses Alaspin eine Dschungelwelt ist. Und nach den hiesigen Einschränkungen, da bin ich durchaus reif für ein bißchen Schwitzen und Schwüle. Also werde ich mich so schnell wie möglich dahin aufmachen, sobald wir hier wegkommen.« Er lächelte Elfa an.

»Noch mal: Nimm's nicht persönlich. Eure Welt hat durchaus ein belebendes Klima, aber für uns Menschen schon ein bißchen zuviel davon. Ihr werdet also verstehen, warum wir uns verabschieden.«

»Wir bemühen uns.« Sie legte September die warme Tatze auf den Unterarm. »Wir können euch viel bieten, aber keinen Ersatz für die Heimat.«

Heimat, dachte Ethan. Hatte er eine Heimat? Andere Nächte, andere Städte, auf anderen Welten, immer und immer wieder. Wenn irgend etwas Heimat war, dann lange Leere zwischen den Sternen. Das Nichts ist meine Heimat, sinnierte er und versuchte schnoddrig darüber hinweg zu gehen, mußte aber feststellen, daß er begann, sich unwohl zu fühlen, als er ernsthaft über die Sache nachdachte. Reisen, einen Vertrag unterzeichnen, weiterreisen. Selbst an seine Ursprungswelt erinnerte er sich nur schwer.

Und was, wenn er seinen Job los war und nicht zurück bekam? Was dann? Zur nächsten zivilisierten Welt und eine neue Anstellung suchen?

Nein, noch hatte er einen Job, noch war er Verkaufsrepräsentant des Hauses Malaika. Er mußte von dieser Voraussetzung ausgehen. Das war alles, was ihm an Sicherheit noch verblieben war. Vielleicht hatte Elfa recht. Vielleicht würden seine Vorgesetzten Verständnis haben. Eins war sicher: So eine Entschuldigung für lange Abwesenheit hatten sie noch nie gehört.

Er fragte sich, ob seine Muster immer noch im Lagerhaus des Zolls aufbewahrt wurden, als die *Slanderscree* wieder im Hafen von Brass Monkey festmachte. Der Eisklipper würde warten, bis seine geehrten menschlichen Passagiere in einem ihrer Himmelsboote zurück zu den Sternen fuhren. Außerdem mußten die Vorräte des großen Schiffs für die lange Heimreise aufgefrischt werden.

Eins hatte Ethan schon beschlossen: Sollte er seinen Job tatsächlich los sein, würde er seine einfachen Handelsgüter an sich nehmen und sie Hunnar und Elfa geben. Mochte die Gesellschaft ihn doch verklagen – wenn sie ihn finden konnte. Ein moderner Trägheitselement-Raumheizer war für Tran ein kleines Vermögen wert.

Während ihrer vergangenen, langen Reise hatten die

Techniker des Außenpostens eine Tiefraumstrahl-Anlage erhalten und installiert. Zum ersten Mal seit der Errichtung des Außenpostens waren seine Bürger imstande, direkt mit dem übrigen Commonwealth zu kommunizieren, ohne auf das monatliche Versorgungsschiff warten zu müssen. Die Schwierigkeit, der sich Ethan bei dem Versuch der Kontaktaufnahme mit seinen Vorgesetzten gegenüber sah, lag darin, daß der Strahl von Bürokraten und Forschern, die lange gelitten und geschwiegen hatten, auf Monate ausgebucht war. Nachdem ihnen eine normale Kommunikation mit dem Rest der Zivilisation via Null-Raum verwehrt gewesen war, glichen sie die verlorenen Jahre aus, indem sie den Sender rund um die Uhr nutzten. Dem Anschein nach handelte es sich dabei um offizielle Angelegenheiten, in Wirklichkeit aber wollten sie einfach nur reden.

Die Lösung für das Problem des Zugangs war nicht vom Problem der Kosten zu trennen. Löste er es nicht, konnte er gar nicht daran denken, den Hauptsitz der Gesellschaft anzurufen.

Skua begleitete ihn zu der glitzernden, unterirdischen Kommunikationszentrale. Gemeinsam betrachteten sie die Traube der Regierungsfunktionäre und Wissenschaftler, die vor der Sendekonsole versammelt waren. Der eigentliche Bildschirm und die dazugehörigen Instrumente waren in einer Blase aus rauchigem Acryl eingeschlossen. Sobald jemand seine oder ihre Kommunikation beendet hatte, betrat jemand anderes die Blase. Ständig trafen Neuankömmlinge ein. Die Zahl der Wartenden stieg und fiel, sank aber nie unter ein Dutzend.

Skua besah sich die Reihe der hoffnungsfrohen Bittsteller. »Wie willst du dich dazwischen drängeln? Und wenn dir das gelingt, wie willst du dafür bezahlen? Mit deinem Pensionsanspruch? Das ist kein Anruf bei deiner Tante Tilly, weißt du.«

Ethan lächelte zuversichtlich. »Du hast in beiden

Punkten recht, aber ich werde es hinkriegen. Glaube ich wenigstens.«

Er schob sich, September im Schlepptau, mit den Schultern und häufigen Entschuldigungen an verärgerten und neugierigen Angehörigen des Außenpostens vorbei, bis sie direkt vor dem Eingang der Sendeblase standen.

»He du«, schrie einer der Wartenden, »stell dich gefälligst hinten an!«

»Entschuldigung.« Ethan ließ sein überzeugendstes Lächeln aufblitzen. Es war ein Vertreterlächeln, ein professionelles Lächeln; gut einstudiert, und unendlich oft geübt, von subtiler Wirksamkeit. »Vorrangsverbindung Stufe Eins.«

Ein süffisantes Grinsen zeigte sich auf dem Gesicht des Bürokraten, der als nächster an der Reihe gewesen wäre. »Vorrangstufe eins? Ich kenne Sie nicht. Sie gehören nicht zur Verwaltung oder zur Forschung. Haben Sie auch nur eine Ahnung, was Vorrangsstufe Eins kostet? Das Jahresgehalt der kompletten Küchenmannschaft würde dafür nicht reichen.« Er bedachte sie beide mit einem zweifelnden Blick. Mit ihrer durch die Zeit auf dem Eis mitgenommenen Kleidung, mußte Ethan zugeben, sahen er und September wohl nicht so aus, als könnten sie sich irgend etwas leisten.

Er lächelte den Mann einfach an. »Wir werden sehen. Wenn Sie recht haben, sind wir in weniger als einer halben Minute da drin und wieder draußen, stimmt's?«

Der Bürokrat vollführte eine übertriebene Verbeugung, wies mit einer großartigen Geste auf die Blase. »Dann wollen wir nicht unnötig Zeit verschwenden, ja?« Die hinter ihm stehende Frau drehte sich zu ihrer Freundin um und kicherte.

Sobald der Funktionär im Innern fertig war, traten Ethan und September ein. Einige der weiter hinten Stehenden wären vielleicht geneigt gewesen, Ethan das Recht zu bestreiten, sein Glück zu versuchen, aber niemand schien geneigt, einen Streit mit jemand vom Zaun zu brechen, der die Statur Septembers hatte, und genau deshalb hatte Ethan ihn mitgenommen.

Der Vermittlungstechniker war müde, kurz vor dem Ende seiner Schicht, aber nicht zu müde, um die Neuankömmlinge unsicher zu mustern. Er war blond und hellhäutig; Ethan kam zu dem Schluß, daß seine Vorfahren auf Tran-ky-ky weit heimischer gewesen wären als alle anderen Menschen.

»Zu welcher Abteilung gehört ihr zwei? Ich sehe keine Abzeichen.«

»Keine Abteilung.« Ethan ließ sich in den Sendestuhl gleiten, als gehöre er ihm und versuchte gleichzeitig seine Nervosität zu verbergen. »Ich möchte eine private Verbindung. Vorrangstufe Eins.«

Der Techniker strich sich über seinen goldenen Bürstenschnitt. Ein einzelner langgezogener Ring baumelte an seinem durchlöcherten rechten Ohrläppchen. »Eine *private* Verbindung? Vorrangstufe Eins? Das heißt, daß alle Kanäle zwischen hier, und wo immer sie anrufen wollen, freigemacht werden müssen.«

»Ich bin mir dessen bewußt.«

»Und Sie wissen, was das kostet? Die dazu nötige Zeit und Energie? Selbst wenn es Drax IV ist, und das ist die nächste Welt mit einer Empfangsstation, ist die Zahl der nötigen Relais ...«

»Ich möchte nicht mit Drax IV sprechen. Ich möchte über eine geschlossene Leitung mit dem Haus Malaika sprechen, das in der Stadt Drallar auf Moth beheimatet ist. Können Sie das bewerkstelligen?«

Der Techniker wirkte leicht beleidigt. »Ich kann alles bewerkstelligen – wenn Sie es bezahlen können. Bis nach Santos V und Dis und weiter bis nach Terra. Sie sprechen von einer Menge Parsecs, Freund.«

»Zum Teufel mit den Parsecs! Stellen Sie die Verbindung her!«

Der Techniker schüttelte den Kopf. »Ich berühre keinen einzigen Knopf, ehe nicht irgendwie die Finanzierung geklärt ist.« Eine Hand schwebte über Instrumenten, die nichts mit der Bedienung des Senders zu tun hatten.

Ethan schluckte. »Geben Sie Code Zweiundzwanzig Doppel-R CDK ein.«

Argwöhnisch gab der Mann die Kombination ein. »Mächtig kurzer Code. Das soll doch nicht irgendein übler Scherz sein, oder?«

Einige Augenblicke verstrichen, bevor die Worte UNBEGRENZTER KREDIT auf dem kleinen 3D-Schirm in Ellbogenhöhe des Technikers erschienen. Die Augenbrauen des Mannes wanderten nach oben. Er starrte seine beiden Besucher mit offenem Mund an, doch auf dem Monitor war nicht mehr zu sehen, keine weiteren Details, keine Erklärung. Nur die zwei Worte.

»Wie haben Sie Zugang zu so einem Konto bekommen?«

September legte gerade genug tranhaftes Grollen in seine Stimme, um drohend zu wirken. »Sind Sie Bulle oder Kommunikationstechniker?«

Der Mann zuckte die Achseln und wandte sich seinen Instrumenten zu. »Verdammt lange Strecke«, brummte er. »Muß mindestens fünfzig Stationen zusammenschalten.«

»Sie können alles bewerkstelligen, oder wie war das?« zog Ethan ihn freundlich auf.

September beugte sich zu ihm herunter und flüsterte: »Und wie *bist* du an so einen Code gekommen?«

»Collette du Kane«, erinnerte Ethan seinen riesenhaften Begleiter. »Sie hat mir gesagt, ich solle diesen Code benutzen, wenn ich je etwas brauche.«

»Eine Frau, ganz nach meinem Herzen.« September hatte die übermollige Industriellentochter nicht vergessen, die zusammen mit ihnen auf Tran-ky-ky notgelandet war. Sie hatte Ethan die Ehe angeboten und war abgewiesen worden.

»Machen wir in ihrer Abwesenheit keine Witze über sie«, tadelte Ethan seinen Freund. »Besonders da sie für das hier bezahlt.«

Entgegen seiner Prahlerei brauchte der Techniker zehn Minuten, um die Verbindung herzustellen. Außerhalb der Blase standen sich die Funktionäre, die Ethan verspottet hatten, die Beine in den Bauch und versuchten vergeblich, durch die milchige Kunststoffkuppel zu spähen.

Der statische Schnee auf dem Schirm vor Ethan klärte sich langsam und die ersten Töne wurden hörbar. Sie waren verzerrt und unverständlich, was bei der zurückgelegten Entfernung keine Überraschung war. Der Techniker fluchte leise vor sich hin, als er seine Instrumente justierte.

Tiefraumstrahlen reisten durch jenen mysteriösen Bereich, der als Null-Raum bekannt war, wohingegen KK-Schiffe sich ihren Weg durch den Plus-Raum pflügten. Dazwischen eingekeilt, in dem Bereich, der Normalraum genannt wurde, befanden sich Sonnen, Sternnebel und Lebewesen. Großer Ruhm und ein Leben ohne Sorgen erwarteten den Physiker, der einen Weg fand, Schiffe durch den Nullraum zu bewegen – was die Reisezeit zwischen den Sternen von Wochen auf Minuten reduzieren würde. Unglücklicherweise kehrte alles, was sich in diese irre Dimension wagte, völlig verdreht und vermatscht aus ihr zurück. Versuchstiere, die durch den Nullraum geschickt wurden, erreichten ihr Ziel als Brei. Das dämpfte den Enthusiasmus potentieller intelligenter Nachfolger. Bisher waren Bilder und Töne alles; was die Wissenschaftler des Commonwealth wieder zusammenzusetzen wußten.

Das Bild wurde deutlicher und zeigte einen Mann hinter einem Hartholzschreibtisch, der ebenso massig war wie September, aber keinesfalls so groß. Seine Haut war ebenholzschwarz und sein Bart ergoß sich über seine Brust wie Wellen über einen Strand. Obwohl sein

Körper den größten Teil des Bildes ausfüllte, konnte Ethan ein paar Details erkennen. Da war der Schreibtisch mit den Intarsien aus seltenen, edlen Hölzern, eine Glaswand und in der Ferne dahinter eine im Lichterglanz erstrahlende Stadt: Drallar. Bis jetzt nur ein Name auf Dokumenten der Gesellschaft. Es gab keinen Grund für Außendienstler, Moth zu besuchen. Tatsächlich handelte es sich, wie er gehört hatte, um eine etwas hinterwäldlerische Welt, größtenteils unbevölkert und nur aufgrund ihrer extrem freizügigen Handelspolitik so erfolgreich. Ein Ergebnis davon war, daß eine beträchtliche Zahl der führenden Handelshäuser sie zu ihrem Hauptsitz gemacht hatte, wozu auch das Haus Malaika zählte.

Maxim Malaika musterte seinen Anrufer über eine Distanz von mehreren hundert Parsec. Der ehrfurchtgebietende Abgrund reduzierte seine dröhnende Stimme zu einem Flüstern.

»*Faida*, das ist wirklich eine Überraschung. Ich nehme gewöhnlich keine Anrufe von untergeordneten Verkaufsrepräsentanten entgegen, aber sie rufen gewöhnlich auch nicht über solche Entfernungen an.« Er hielt inne, um auf einen Monitor zu blicken, der nicht im Erfassungsbereich der Kamera lag. »Tran-kii-kii, richtig?«

»Tran-ky-ky«, verbesserte Ethan taktvoll die Aussprache.

»Und ich bekomme *nie* Anrufe von untergeordneten Verkaufsrepräsentanten, für die sie selbst bezahlen. Ich bin beeindruckt, Mr. Fortune. Was veranlaßt Sie zu einer so außergewöhnlichen Kommunikation? Sie müssen eine oder zwei beträchtliche Transaktionen abgeschlossen haben, um so eine Verbindung zu rechtfertigen.«

»Tatsächlich, Sir, habe ich in fast zwei Jahren nicht das geringste verkauft.« Malaika sagte nichts, sein Gesicht blieb unverändert. Er war daran gewöhnt, Erklärungen entgegenzunehmen. Nun erwartete er eine.

Ethan erzählte ihm, wie er auf dem langen Weg von Santos V nach Staubdüne gewesen und in die Entführung der Konzernerbin Colette du Kane und ihres Vaters gestolpert war; wie sie sich der Entführer angenommen hatten, aber auf dem Planeten Tran-ky-ky schiffbrüchig geworden waren; wie es ihnen nach und nach gelungen war, mit einigen der Eingeborenen eine freundschaftliche Beziehung herzustellen; und wie sie das vergangene Jahr und mehr einfach nur damit verbracht hatten zu überleben.

Mehr als zu überleben: Sie hatten die Vereinigung eifersüchtig unabhängiger Stadtstaaten in Gang gebracht, und so die Tran auf den Weg zur Bildung einer planetarischen Regierung geführt, die notwendig war, um den assoziierten Status im Commonwealth zu beantragen. Die Tran hatten sich als intelligent erwiesen, als lernbegierig und willens, neue Ideen aufzunehmen. Solange korrupte Beamte wie der kürzlich verstorbene Jobius Trell von ihnen ferngehalten werden konnten, würden sie sich rasch entwickeln.

»Ich bin froh, das zu hören«, erklärte Malaika beifällig. »Eine sich entwickelnde Rasse ist eine konsumierende Rasse.«

Ethan zögerte. »Dann habe ich immer noch meinen Job?«

»Immer noch Ihren Job? Natürlich haben Sie noch Ihren Job! Sie haben getan, was Sie tun mußten. Ich bin sicher, daß Sie nicht absichtlich auf dieser Welt abgestürzt sind. Ich feuere keine kompetenten Mitarbeiter, weil sie in Umstände verwickelt wurden, die außerhalb ihrer Kontrolle lagen. Ich bin beeindruckt von Ihrem Einfallsreichtum, Ihrer Findigkeit und Geschicklichkeit beim Überleben. Ich bin so beeindruckt, daß ich nicht einmal Ihr Grundgehalt für die vergangenen zwei Jahre kürze. Natürlich haben Sie während dieser Zeit keine Provision bekommen, aber daran können wir beide nichts ändern.«

Ethan war sprachlos. Das war mehr, als er im Entferntesten rechtmäßig zu erwarten hatte.

Malaika beugte sich vor, und sein Gesicht füllte den Bildschirm. »Und wer ist der Gentleman mit der beeindruckenden Gestalt neben Ihnen?«

»Ein Freund. Skua ...«

»Davis«, fiel September ein. »Skua Davis.«

»Freut mich, Sie kennenzulernen, Mr. Davis.« Malaika zog die Brauen zusammen. »Dieses Gesicht. Ich habe dieses Gesicht schon einmal gesehen. Hatten Sie immer einen Bart, mein Freund?«

»Nicht immer.« September trat ein paar Schritte zurück und verließ so den Schärfebereich der Kamera.

Ethans Miene änderte sich kaum merklich. Sein Freund hatte bereits bei mehreren Gelegenheiten Hinweise auf eine wechselvolle Vergangenheit gegeben. Ethan hatte ihn um Einzelheiten bedrängt, ohne je welche zu erhalten. Nun, Skua hatte ein Recht auf seine persönlichen Geheimnisse, und als sein Freund war Ethan verpflichtet, das zu respektieren.

»Ich kann Ihnen gar nicht genug danken, Sir.«

»Ja, nicht der Rede wert.« Malaika wandte seine Aufmerksamkeit widerwillig seinem Angestellten zu. »Für das Haus Malaika zeichnen sich große Dinge ab, junger Mann, große Dinge. Das vergangene Jahr war des Ungewöhnlichen reich. Ich habe selbst einige Reisen unternommen, neue Märkte erschlossen, die Expansion der Gesellschaft überwacht. Bin auch diesem ungewöhnlichen Kind begegnet, einem jungen Erwachsenen eigentlich, der in mancher Hinsicht weiser ist, als seinen Jahren angemessen scheint, in manch anderer hingegen ein Muster an Naivität.« Er zuckte die Achseln. »Aber warum soll ich Sie mit den Details meines Lebens langweilen, wenn Ihr Leben offensichtlich weit interessanter war.«

»Ich habe es mir nicht ausgesucht, Sir.«

»Ich verstehe.«

»Danke. Ich denke, das wäre dann alles, Sir. Die *Spindizzy* wird nächste Woche hier erwartet, und ich werde mich auf ihr einschiffen. Ich werde sobald wie möglich Kontakt mit meinem Distrikt-Repräsentanten aufnehmen. Ich glaube, es wäre keine gute Idee, mit zwei Jahren Verspätung meine alte Route dort wieder aufzunehmen, wo ich sie unterbrochen habe. Meine Muster müssen mindestens ein Jahr überholt sein. Ist Langan Ferris immer noch mein Vorgesetzter für diese Gegend?«

»Ja, Ferris ist immer noch für Sie zuständig«, erwiderte Malaika. »Aber warum die Hast? Warum haben Sie es so eilig abzureisen?«

»Warum ich es eilig habe?« Einen Moment lang vergaß Ethan, mit wem er sprach. »Sir, ich sitze seit über einem Jahr auf diesem Eisball fest. Ich möchte zurück in die Zivilisation. Ich möchte mich in Terranglo unterhalten anstatt in Tran und ein wenig zivilisierte Gesellschaft genießen.«

»Bedenken Sie, welche Position Sie sich erarbeitet haben, Fortune. Bedenken Sie das! Nach dem, was Sie mir berichtet haben, sind Sie auf unvergleichliche Art mit den Eingeborenen und ihrer Lebensweise vertraut. Mit ihrer Kultur, ihren Wünschen und Bedürfnissen. Sie sind bestens qualifiziert, den neuen Ständigen Beauftragten dahingehend zu beraten, wie mit diesen Tran umzugehen ist.

Wenn diese Föderation oder Union oder was immer weiter wächst und reift, werden diese Tran beim Commonwealth bald einen assoziierten Status beantragen können. Werden sie akzeptiert, bedeutet das, daß ihre Welt aus der eingeschränkten Klasse IVB in Klasse IVA eingestuft wird. Vielleicht qualifizieren sie sich sogar für eine Sonderklasse II. Das bedeutet, daß ihnen der Zugang zu ziemlich hochentwickelten Waren und Dienstleistungen gestattet würde. Waren und Dienstleistungen, die anzubieten andere, fremde Unternehmen sich bemühen würden.« Ethan versuchte Widerspruch anzumelden, doch Malaika hob eine Hand und fuhr schon fort.

»Sie haben das Vertrauen dieser Leute erworben. Ich muß Ihnen nicht sagen, wie wichtig Vertrauen ist, wenn man versucht, jemandem etwas zu verkaufen. Sie kennen die Eingeborenen und wissen, welche Wünsche sie haben könnten. Sie könnten den neuen Planetarischen Kommissar entsprechend beraten.«

»Bitte, Sir.« Ethan bemerkte, daß er zu schwitzen begann. Es war klar, worauf Malaika hinaus wollte, und Ethan suchte verzweifelt nach einem Ausweg. »Jeder Verkaufsrepräsentant könnte tun, was ich getan habe. Ich werde gerne jeden einweisen, den Sie hierher schikken. Ich selbst aber freue mich, zu meiner alten gewohnten Arbeit zurückkehren zu können.«

»Alte, gewohnte Arbeit, das definiert sich selbst.« Malaika lehnte sich zurück. »Das ist etwas für durchschnittliche einigermaßen kompetente, phantasielose Handelsreisende.«

»Aber Sir, das *bin* ich doch.«

»Ihre Bescheidenheit ehrt Sie, Fortune. Ich kann von einem Mann wie Ihnen, der erlebt hat, was Sie erlebt haben, der zustande gebracht hat, was Sie zustande gebracht haben, nicht verlangen, daß er in die langweilige, stumpfsinnige Tretmühle zurückkehrt und dieselben alten Orte aufsucht, um mit denselben alten Kunden zu sprechen. Ich käme nicht im Traum darauf, Sie darum zu bitten.«

»Bitten Sie mich darum, bitte!«

Malaika fuhr fort, als habe er das nicht gehört, vielleicht hatte er es auch nicht, doch Ethan zweifelte daran. Der Chef des Hauses hatte schließlich auch nichts anderes überhört.

»Ich beneide Sie, Fortune; ja, das tue ich. Erfahrungen genossen zu haben wie Sie und klüger und weiser daraus hervorgegangen zu sein, das ist etwas, wovon wir anderen, die wir an unsere Computer gekettet sind, nur träumen können. Das Leben eines Handelsreisenden ist eindeutig nichts für Sie, nein, ganz eindeutig nicht.«

»Verzeihen Sie, daß ich Ihnen widerspreche, Sir, aber ich habe nicht die geringste abenteuerliche Ader. Alles, was passiert ist, war Zufall, und ich bin es leid, vom Zufall zu leben.«

Malaika nickte. »Ich verstehe, wahrhaftig, das tue ich, Fortune. Sie sind es leid, ziellos umherzuwandern, Sie sind es leid, auf einem unentwickelten, primitiven Planeten herumgestoßen zu werden. Sie wünschen sich ein wenig Beständigkeit, möchten wissen, was Sie von einem Tag auf den nächsten erwartet. Sie möchten wieder ein geregeltes Leben, möchten die Gewißheit, daß die morgige Arbeit feststeht und sich nicht radikal von der unterscheidet, die Sie heute getan haben.«

Ethan entspannte sich ein wenig. Eine Zeitlang hatte er gefürchtet, seinen Standpunkt nicht klarmachen zu können. »Ja, das ist genau das, was ich möchte, Sir. Wenn das nicht zuviel verlangt ist.«

»Natürlich nicht. Dann sind wir uns also einig.«

Ethan setzte sich abrupt auf. »Sind wir?«

»Selbstverständlich. Unter Berücksichtigung all dessen, was Sie mir berichtet haben, habe ich gar keine andere Wahl und muß Sie zum ständigen, vollberechtigten Substituten des Hauses Malaika auf Tran-ky-ky ernennen. Sie werden Gründung und Aufbau eines ausgewachsenen Handelsunternehmens unter sich haben. Mit dem einzigartigen Wissen und der Erfahrung, über die Sie verfügen, werden wir faktisch das Handelsmonopol bei den Eingeborenen haben, bevor ein anderes der großen Häuser auch nur Wind von den dortigen Möglichkeiten bekommt. Es *gibt* doch Möglichkeiten, wenn ich es recht verstanden habe?«

»Ja Sir, aber was die Notwendigkeit eines ständigen Repräsentanten angeht ...«

»Jede Welt, gleichgültig, wie kurz ihre Öffnung her

sein mag, braucht einen ständigen Repräsentanten. Ich bin in der glücklichen Lage, bereits jemand mit hervorragenden Qualifikationen zur Stelle zu haben!«

Wieder setzte Ethan zum Widerspruch an, und wieder erstickte Malaika jeden Protest im Keim.

»Natürlich ist eine derartige Beförderung und Zunahme an Verantwortung mit einer kräftigen Gehaltssteigerung verbunden. Sie können sich auf einen angenehmeren und früheren Ruhestand freuen, Fortune. Sie werden Untergebene haben, die Sie beaufsichtigen. Keine Sorgen mehr wegen entgangener Provisionen und unregelmäßiger Einkünfte.«

»Trotzdem, Sir, ich ...«

»Danken Sie mir nicht, danken Sie mir nicht. Sie haben es verdient. Es ist eine Gelegenheit, die sich selten für jemanden Ihres Alters ergibt. Normalerweise tut man zwanzig oder dreißig Jahre seinen Dienst, bevor man zum Substituten ernannt wird. Und nachdem Sie unser Monopol abgesichert und einen soliden Kern fähigen Personals ausgebildet haben, würde das Haus darüber nachdenken, Sie auf eine andere Welt zu versetzen. Paris zum Beispiel oder New Riviera.«

Ethan zögerte. Die Beförderung und die Erhöhung des Gehalts reichten für sich genommen nicht aus, daß er zu bleiben erwog, aber die Möglichkeit, beides zu bekommen und dann mit zu einer der Paradieswelten zu nehmen, das war etwas, über das nachzudenken sich lohnte. Mehr noch: das Angebot war verführerisch. Ein Substitut auf einer Welt wie New Riviera konnte eine enorme Menge Geld machen, während er in einer der angenehmsten Umgebungen arbeitete, die das Commonwealth zu bieten hatte.

Trotzdem, die Erinnerungen an die beißende Kälte, den nie endenden Wind und die alltäglicheren Gefahren Tran-ky-kys waren frischer in seinem Gedächtnis als die Bilder warmer Strände von Welten, auf denen er noch nicht gewesen war.

Es war nicht so, daß er keine Wahl hatte. Er konnte die Beförderung akzeptieren und zusagen, oder er konnte kündigen und das nächste Schiff nach Drax IV nehmen und sich nach einem neuen Job umsehen. Drax IV war eine angenehme zivilisierte Welt, aber keine bedeutende. Es mochte dort nicht so einfach sein, an Jobs heranzukommen.

»Danken Sie mir nicht«, wiederholte Malaika. »Ich werde unter dem Namen der Gesellschaft ein Konto eröffnen lassen, auf das Sie zugreifen können. Innerhalb, nun, sagen wir: einiger Wochen, erwarte ich einen umfassenden Bericht über unsere Aussichten dort. Ich muß wissen, wie wir die Sache Ihrer Meinung nach angehen sollen, welche personelle Unterstützung Sie benötigen, welche Art von Büroausstattung, welche Handelsgüter beim gegenwärtigen Status des Planeten zulässig sind, und so weiter. Ich habe das vollste Vertrauen, daß Sie Ihre Arbeit sorgfältig, gründlich und effizient machen werden. Die Erhöhung Ihrer Vergütung wird augenblicklich in die Computer der Gesellschaft eingegeben.«

Er streckte einen Arm aus, um die Verbindung zu unterbrechen, hielt dann aber inne.

»Eins noch: Wie haben Sie es überhaupt geschafft, für diese Übertragung zu bezahlen?«

»Das Geschenk eines Freundes«, murmelte Ethan benommen.

»Ah. Ein sehr guter Freund, wirklich. Nun, ich habe unseren kleinen Plausch außerordentlich genossen, ja, außerordentlich. Vielleicht werden es die Umstände eines Tages gestatten, daß Sie Moth aufsuchen, so daß wir einander persönlich begegnen können. Hübscher Planet, Moth. Alle Annehmlichkeiten ohne die üblicherweise damit verbundenen Einschränkungen und eine Menge Platz, um Beine und Geist auszustrecken.«

»Natürlich.« Du möchtest nicht riskieren, daß du dir deinen kostbaren Arsch abfrierst, indem du *selbst* hierher kommst, dachte Ethan. Hätte er Maxim Malaika besser gekannt, wäre ihm dieser Gedanke nicht gekommen. Vielleicht aber doch: Er war wütend – auf Malaika und auf sich selbst.

»Dann leben Sie wohl, Fortune. *Kwa heri*. Ich bin gespannt auf Ihren Bericht.«

Auf dem Schirm breitete sich flimmernd statischer Schnee aus, dann wurde er dunkel. Der Techniker fummelte an ein paar Instrumenten herum, wirbelte dann auf seinem Drehsessel zu ihnen herum. »Übertragung auf der anderen Seite unterbrochen. Sonst noch was?«

Unfähig, etwas zu erwidern, schüttelte Ethan nur den Kopf, als er aufstand. Und er hatte geglaubt, *er* sei ein wirklich guter Verkäufer. Der Techniker öffnete die Blase und ließ sie hinaus. Die wartenden Bürokraten starrten die beiden an, als sie schweigend in den Korridor hinausgingen.

»Na siehste du, Jungchen, alles wendet sich zum besten.« September legte Ethan begütigend den Arm um die Schultern.

»Sicher, natürlich. Für Malaika.«

»Was ist mit dem Geld?«

»Mit Geld kann man kein Glück kaufen, Skua.«

»Nun ja, Jungchen, es scheint, daß wir in der Hinsicht unterschiedliche Philosophien haben. Du mußt deinen Boß bewundern. Ließ die ganze Sache so aussehen, als sei sie ebenso deine Idee wie seine. Er hat dir keinen Augenblick die Wahl gelassen.«

Sie bogen um eine Ecke des Gangs. »Die Beförderung und die Gehaltserhöhung sind erfreulich, sicher. Ich wünschte nur, sie würden für eine etwas angenehmere Welt gelten.« Ethan wies mit dem Kopf zu einem der Isolationsfenster und der ewigen Eislandschaft auf der anderen Seite.

»Was denn? Erlischt etwa deine Zuneigung zum guten alten Tran-ky-ky? Ich dachte, du würdest dich hier inzwischen richtig zu Hause fühlen, Jungchen. Es ist doch nicht so, daß du für die nächsten paar Jahre mit der *Slanderscree* übers Eis schlittern mußt. Du wirst Untergebene haben, die den Außendienst für dich machen müssen, während du dich hier in deinem netten, warmen Büro zurücklehnst, dir die Drei-D-Videos ansiehst und gute Bücher liest. Und mit dem inzwischen eingerichteten Tiefraumstrahl mußt du dich nicht vom übrigen Commonwealth abgeschnitten fühlen. Es wird Nachrichten geben und neue Besucher – vielleicht kannst du ein paar fähige junge Damen einstellen, die dich unterstützen –, und in ein paar Jahren, wenn alles gut geht, arbeitest du dich nach Paris oder irgendeinem anderen angenehmen Planeten hoch.«

»So, wie du das sagst, klingt das alles vernünftig und einladend. Du arbeitest nicht zufällig nebenbei für Malaika?«

»Kaum. Und wenn die Tran sich für den assoziierten Status qualifizieren, wirst du einen Skimmer benutzen können, wenn du deine Leute im Außendienst kontrollierst. Deine Beförderung wird für dich gut sein und gut für deine Freunde.«

»Wenn das alles so wunderbar ist, warum rufst du dann nicht Malaika an und bietest ihm an, den Job zu übernehmen?«

September riß die Augen auf. »Was – glaubst du, ich bin verrückt? Ich bin mit dem nächsten Schiff von hier weg!«

2

Jedes Gebäude des Aussenpostens, bei dem zu erwarten war, daß in ihm Menschen und Tran zusammentrafen, war mit einem Übergangsraum ausgestattet, einer Kammer, in der die Temperatur gerade über den Gefrierpunkt gesenkt war. Er ermöglichte es den Menschen, unbelastet von Überlebensanzügen zu sprechen, während die Tran ihn noch als erträglich tropisch empfanden; ein Klima, in dem unterschiedliche Rassen mit unterschiedlichen Temperaturbedürfnissen zusammenkommen konnten. Sie wollten sich dort mit Hunnar Rotbart treffen. Sie warteten im Gang auf das Eintreffen der Tran.

Vielleicht hatte Skua recht. Die Entscheidung mußte getroffen werden. Trübsal blasen und sein Schicksal bejammern brachte nichts ein. Es gab eine Menge Leute, die froh gewesen wären, mit ihm zu tauschen. Und falls er es sich doch noch anders überlegte, konnte er ja immer noch jederzeit kündigen. Sicher, das konnte er. Einfach seinen Job wegwerfen, seine Karriere, seine Dienstjahre im Haus und – wie Malaika es so unwiderstehlich dargelegt hatte – eine einmalige Chance für jemanden seines Alters.

»Zumindest werde ich einen alten Freund haben, der mir Gesellschaft leistet.«

»Oh, du wirst hier eine Menge Freunde gewinnen«, bemerkte September eilfertig. »Sie sind nicht alle so stur und verbohrt wie die Bande im Kommunikationszentrum. Du wirst alle möglichen Freundschaften aufbauen, sobald du die normale Belegschaft kennenlernst.«

»Ich habe nichts über neue Freundschaften gesagt.«

»Was denn?« Der Hüne beäugte ihn mißtrauisch.

»Langsam, langsam, Jungchen! Das müßte dir doch klar sein. Wenn die *Spindizzy* in den Orbit geht, bin ich auf und davon nach Alaspin, das bin ich. Nach Alaspin, einem warmen Klima und dem Verständnis einer lieben Freundin.«

»Und was war das alles über Tran-ky-ky, seine wundervollen Möglichkeiten und seine reizenden Bewohner?«

»Alles wahr, alles wahr, Jungchen, und denk nur an das große Stück, das du dir von diesem Kuchen abschneiden wirst. Ich würde wirklich gern bleiben und dir Gesellschaft leisten, wären da nicht meine älteren, vordringlichen Verpflichtungen.«

»Welche Verpflichtungen? Ein zwei Jahre altes halbes Versprechen, einer Archäologin auf einem fernen Planeten zu helfen? Die hat dich doch wahrscheinlich längst vergessen.«

»Nun, nun, Jungchen, da irrst du dich. Wer dem alten Skua begegnet ist, vergißt ihn nicht so schnell, und ein Versprechen ist ein Versprechen, selbst wenn ich es ein wenig verspätet erfülle.«

Ethan nickte entrüstet. »Das wär's dann also? Du läßt mich einfach im Stich?«

»Na, na, Jungchen!« September sah ihn verletzt an. »Ich lasse dich nicht im Stich. Du hast die Wahl gehabt und entschieden, daß du hier bleiben willst. Du kannst immer noch mit mir abreisen.«

»Sicher kann ich.«

»Genau, du sagst es. Und möchtest du mir wirklich die Wahl versagen, die du dir selbst versagst? Schließlich habe ich hier nicht mal einen Job.«

»Ich kann dir einen geben. Denk dran, ich bin jetzt dazu befugt. Du könntest mein persönlicher Assistent sein. Ich bin sicher, daß ich ein ordentliches Gehalt für dich durchsetzen könnte.«

»Nicht ordentlich genug, Jungchen. Der alte Skua ist nicht geschaffen für einen geregelten Job. Ich bin immer gerne irgendwie in Bewegung, wenn du verstehst, was ich meine.«

Ethan wandte sich von ihm ab. »Schon gut, dann geh doch, verschwinde, vergiß es! Und vergiß mich gleich mit, ist mir doch egal.«

»Ich hatte gehofft«, erwiderte September leise, »unsere endgültige Trennung würde, wenn es zu ihr kommt, unter angenehmeren Umständen stattfinden. Wir haben in den letzten Monaten doch wirklich zuviel durchgemacht, um uns ohne ein freundliches Lächeln zu verabschieden, Jungchen.« Ethan erwiderte nichts. »Drücken wir es anders aus: Würdest du irgend jemand anderen bitten zu bleiben, wenn er oder sie nicht müßte?«

Der jüngere Mann lehnte sich mit der Schulter an die Wand und dachte nach. »Nein. Nein, du hast recht, verflucht. Es ist nicht richtig, von dir zu erwarten, daß du bleibst, damit es für mich einfacher ist. Du schleppst genug emotionales Gepäck mit dir herum, da muß ich dir nicht noch zusätzliche Schuldgefühle aufbürden.« Er rang sich ein Lächeln ab. »Vielleicht hilft es, wenn ich mir einen von uns beiden vorstelle, wie er es sich im Sonnenschein gut gehen läßt.«

»Ich glaube, du machst dir eine falsche Vorstellung von Archäologie, Jungchen. Soviel ich gehört habe, ist dieses Alaspin denkbar primitiv. Sie haben bisher nicht mal einen Tiefraumstrahl da. Aber wenn Wärme telepathisch übermittelt werden kann, werde ich mein Bestes geben, sie mit dir zu teilen. Vielleicht begegnen wir uns eines Tages unter angenehmeren Umständen wieder.« Er sah an Ethan vorbei durch eine der transparenten Wände, die den Übergangsraum an zwei Seiten begrenzten.

»Vergessen wir erstmal getroffene Entscheidungen. Da kommen unsere Freunde.«

Ethan drehte sich um. Draußen näherte sich Hunnar mit seinen beiden Junkern Suaxus-dal-Jagger und Budjir. Sie hielten am Eingang der Kammer inne, traten dann ein und winkten ihren Menschenfreunden zu. Sie mußten dort bleiben, bei der Temperatur im Innern des Außenpostens wären sie innerhalb von fünzehn Minuten durch einen Hitzschlag niedergestreckt worden.

Als Ethan und Skua in den Begegnungsraum traten, biß die kalte Luft in ihre ungeschützte Haut. Es war immer ein Schock, die Behaglichkeit des Außenpostens zu verlassen, und dabei war man hier noch nicht wirklich draußen. Dort, auf dem Eis, lag die Mittagstemperatur zwischen 20 und 30 Grad unter Null – an sonnigen Tagen. In der Nähe der Pole war es so kalt, daß ohne die Strömungen innerhalb der Atmosphäre die Luft selbst ausgefroren wäre.

Hunnar wirkte etwas schwerer als sonst, dachte Ethan. Die Ehe zeigte bereits ihre ersten Wirkungen. Grüße wurden ausgetauscht.

»Nun, Freund Ethan, war es dir möglich, durch die Nacht mit deinem Landgrafen zu sprechen?« Als er den Ausdruck auf Ethans Gesicht sah, fuhr der Tran in besorgtem Ton fort: »Und ging es schlecht aus?«

»Nein, nicht schlecht. Es ist nur, daß ... nun, es wurde beschlossen, daß ich hierbleibe und meine Arbeit fortsetze.«

»Hierbleiben?« Suaxus spitze Ohren zuckten nach vorn. »Bei uns? Aber das ist doch eine wunderbare Nachricht, Sir Ethan!«

»Ja, sehr gut«, pflichtete Hunnar ihm bei. »Ich verstehe, wenn du nicht mit uns zurück nach Sofold kommen kannst. Aber da wir jetzt die *Slanderscree* haben, werden wir dich leicht besuchen können.«

»Ja, und eines Tages wird es mir möglich sein, mit einem Skimmer zu reisen.« Entgegen dem, was Malaika über die Angestellten gesagt hatte, die den Außendienst erledigen würden, wußte Ethan, daß er kaum ein Häufchen argloser Unwissender ohne persönliche Überwachung auf Tran-ky-ky loslassen konnte. Sie würden keinen Monat durchhalten. Die Tran würden ihnen das Fell über die Ohren ziehen, möglicherweise sogar im wahrsten Sinn des Wortes.

»Mir ist klar, daß dir unser Klima und einige unserer Leute nicht besonders gefallen«, bemerkte Hunnar scharfsichtig, »und daß du vielleicht immer noch nach Hause möchtest. Doch wann und wo immer möglich, werden wir uns anstrengen, daß du dich hier unter uns zu Hause fühlst.«

»Es wird schon nicht so schlimm werden«, sagte Ethan und sprach dabei ebenso zu sich selbst wie zu seinen Freunden. »Für einen Handelsreisenden ist sein Zuhause dort, wo er sein Bestellterminal einstöpselt.« Und er hatte hier schon Freunde, überlegte er. Hatte man mit Tran Freundschaft geschlossen, blieben sie, anders als Menschen, Freunde fürs Leben. Er schlug Hunnar kameradschaftlich auf den Arm und spürte den dichten, struppigen Pelz durch den sensitiven Handschuh seines Überlebensanzugs. »Sehen wir mal nach, wie es mit den Reparaturen der *Slanderscree* vorangeht. Da ich hier jetzt eine offizielle Position innehabe, werde ich euch weit mehr helfen können. Alles, was Kapitän Ta-hoding an Spanten, Balken oder Leim braucht, werde ich aus den Vorräten des Außenpostens anfordern und das Konto der Gesellschaft damit belasten können.« Er zog sich die Kapuze über, schloß das Visier aber nicht. Er konnte sich vielleicht nicht selbst helfen, seinen Freunden aber dafür verdammt gut.

»Das ist der rechte Geist, Jungchen.« September blieb zurück. »Während ihr euch die alte *Slanderscree* anseht, werde ich zusammentragen, was ich an persönlichem Besitz habe. Das Shuttle der *Spindizzy* müßte jetzt sehr bald eintreffen, und ich möchte nicht zu spät kommen.«

Ethan drehte sich im Ausgang um und grinste seinen Freund an. »Du kennst diese kommerziellen Shuttles. Einige davon sind ziemlich klein.« September war zwei Meter zehn groß und gebaut wie ein Panzerschrank.

»Was, wenn sie keinen Sitz haben, der breit genug ist?«

»Nun, in dem Fall, Jungchen, lasse ich den Substituten des Hauses Malaika einen speziellen Verschlag für mich ordern und versende mich als Frachtgut.« Er blinzelte. »Zufälligerweise kenne ich den Substituten persönlich, und so, wie's aussieht, schuldet er mir noch den einen oder anderen Gefallen.«

Tatsächlich war September noch lange nicht reisefertig, als Ethan seinen Daumen auf den Türsummer des kleinen Apartments drückte, das dem Hünen zugewiesen worden war. Mehrere Tage waren verstrichen; das Shuttle der *Spindizzy* ruhte im Hangar des Außenpostens und nahm immer noch Fracht und wissenschaftliches Material auf.

Die Tür glitt beiseite und enthüllte einen respektgebietenden Anblick, den bisher nur wenige Menschen gesehen hatten oder sehen wollten: Skua September in Unterwäsche.

»Komm rein, Jungchen, komm rein! Schon bald bin ich auf und davon, und dann ist nur noch Zeit, sich der Dinge zu erinnern, die du mir noch sagen wolltest und nicht gesagt hast.« Er legte eine Hand auf die Schließkontrolle. Ethan blieb draußen stehen.

»Ich hoffe, du willst nicht in diesem Aufzug reisen.«

»Nicht auf dieser Welt, wirklich nicht. Warum kommst du nicht rein, bevor wir irgendeinen Technokraten schockieren?«

»Ich fürchte, ich kann nicht, Skua. Du wirst schon heraus kommen müssen.«

Die mächtigen, buschigen Brauen des Hünen zogen sich zusammen. »Sprich nicht in Rätseln zu mir, Jungchen! Nicht jetzt. Es gibt hier nichts, das meine Anwesenheit verlangt.«

»O doch.«

»Und was sollte das sein?«

»Die neue Planetarische Kommissarin.«

»Warum das?« fragte September, und seine Brauen zogen sich noch weiter zusammen. »Wenn sie irgendeine Zeugenaussage oder eine Stellungnahme von mir brauchen, können sie mich doch in Alaspin erreichen – falls sie Isislis Ausgrabungsstelle aufspüren können.«

»So einfach ist das nicht, Skua. Sie hat deinen Bordpaß storniert.«

»Großartig. Wenn irgendein Bürokratendämchen glaubt, sie könne mich von diesem Shuttle fernhalten, kommt was auf sie zu.«

»Völlig richtig. Du und ich.« Ethan warf einen Blick auf seine Uhr. »In zwanzig Minuten, um genau zu sein. In ihrem Büro.«

»Was soll das?« September gab sich keine Mühe, seine Erbitterung zu verbergen. »Wir haben doch schon alles, was außerhalb Moulokins passiert ist, offiziell zu Protokoll gegeben.«

»Reg dich nicht auf«, riet Ethan ihm. Ein aufgeregter September war etwas, das selbst dessen Freunde mieden. »Ich bin sicher, es handelt sich nur um irgendeine Formalität in letzter Minute. In fünf Minuten ist bestimmt alles erledigt und du bist auf dem Weg. Wir wissen noch nicht mal, warum sie mit uns sprechen will. Vielleicht nur, um Hallo und – in deinem Fall – Lebwohl zu sagen.«

»Sie will dich doch auch sprechen, oder?«

Ethan nickte. »Laß uns rübergehen und herausfinden, was sie will, bevor du dich noch ganz verrückt machst. Und außerdem: Bist du denn gar nicht neugierig, wen das Commonwealth als Ersatz für diesen Schmock Trell hergeschickt hat? Das ist entscheidend für die Zukunft der Tran.«

»Richtig. Aber nicht entscheidend für die Zukunft von Skua September.« Er seufzte resigniert. »Wenn sie meinen Bordpaß storniert hat, habe ich keine Wahl. Warte, bis ich mir was angezogen habe. Wenn sie jung und unerfahren ist, muß ihr der alte Skua vielleicht in einem privaten Plausch erklären, worum es in dieser Welt eigentlich geht.«

»Was ist mit deinem Shuttle?«

»Für die wichtigen Dinge im Leben muß immer Zeit sein, Jungchen.«

Das Büro der Planetarischen Kommissarin nahm die Spitze des dreieckigen Gebäudes ein, das den Hauptteil des Verwaltungsapparats des Commonwealth beherbergte. Von dort aus hatte man freien Blick auf den Außenposten Brass Monkey, die mittelgroße Tran-Gemeinde, die um ihn herum gewachsen war, und den fjordähnlichen Eishafen jenseits davon. Eisschiffe der Tran lagen vertäut an niedrigen Steindocks, suchten dort Schutz vor den stürmischen Winden, die heftig über den offenen Eisozean bliesen.

Ethans Vorahnung und Septembers Hoffnung erwiesen sich beide als unbegründet. Die neue Planetarische Kommissarin für Tran-ky-ky war eine freundliche, ansehnliche Frau Mitte Siebzig. Sie trug einen schmucklosen Frackanzug in Hellblau mit farblich darauf abgestimmten Commonwealth-Insignien. Zwei angedeutete Strähnen in exakt demselben Blau verliefen parallel in dem ansonsten silbrigen Haar. Sie vermittelte einen ganz und gar nicht großmütterlichen Eindruck, bewegte sich kontrolliert und sprach langsam. Ihr Name war Millicent Stanhope.

»Nehmen Sie Platz, Gentlemen!«

»Sehen Sie, Madam«, begann September ungefragt, »ich kann nicht lange bleiben. Ich habe auf der *Spindizzy* gebucht, wie Sie wissen, und ich möchte sie nicht verpassen. Ich sitze jetzt schon viel zu lange auf dieser Welt fest.«

»Nur ruhig, Mr. September. Ich habe Ihre offiziellen Berichte gelesen. Ich weiß, daß Sie sich so schnell wie möglich auf den Weg machen möchten. Ich werde Sie nicht lange aufhalten.« Ihr Blick zuckte hinüber zu Ethan. »Und Sie, Mr. Fortune, werden, wie ich höre, noch eine Weile bei uns bleiben. Das ist gut. Ich habe die Absicht, Ihren außergewöhnlichen Erfahrungsschatz zu nutzen.«

»Ich helfe gern, wann immer ich kann«, versicherte Ethan ihr, während ihm gleichzeitig die Wahrheit von Maxim Malaikas Behauptungen bewußt wurde.

September war nicht in der Stimmung, sich Honig um den Bart schmieren zu lassen. »Wenn Sie unsere Berichte gelesen haben, warum dann dieses Zusammentreffen?«

»Bitte versuchen Sie sich zu entspannen, Mr. September, auch wenn es Sie sehr anstrengen mag. Ich verspreche, daß Sie Ihren Flug nicht verpassen werden.«

September lehnte sich in den mächtigen Sessel zurück, sah aber weiterhin betont auf die Wanduhr, obwohl noch ausreichend Zeit bis zum geplanten Start des Schuttles war.

»Da ist die Angelegenheit des Todes meines Vorgängers, Mr. Jobius Trell.« Ethan rutschte unbehaglich auf seinem Sessel hin und her. »Ihrem Bericht zufolge wurde er getötet, als er Gebrauch von hochentwickelten Waffen machte, um ein illegales, die Eingeborenen übervorteilendes Handelsmonopol durchzusetzen.«

»Das ist richtig«, erwiderte Ethan.

»Ihre Beschreibung seiner Todesumstände ist etwas ungenau, was die Details angeht. Ich habe mich gefragt, ob Sie etwas genauer werden könnten.« Ethan sah September an, der wiederum mit ungeteilter Aufmerksamkeit die Decke betrachtete. Die peinliche Stille dehnte sich.

»Sehen Sie, meine Herren, ich habe Grund zu fragen«, sagte Stanhope schließlich. »Ich habe dreiundvierzig Jahre im diplomatischen Dienst verbracht. In sechs Monaten nehme ich meinen Abschied, und ich möchte keine, und damit meine ich absolut keine, dunklen Punkte in meiner Akte. Ich suche weder nach Sündenböcken noch nach Mördern. Ich möchte nur einfach keine Überraschungen erleben. Mehr nicht. Ich verspreche Ihnen, daß alles, was Sie mir sagen, vertraulich bleiben und nicht über unseren Kreis hinausdringen wird, aber wenn ich die Eingeborenen klug und angemessen behandeln soll, muß ich alles wissen, was passiert ist.«

Septembers stummen Protest ignorierend, enthüllte Ethan die Ereignisse, die zum Tod des vormaligen Planetarischen Kommissars geführt hatten, informierte Stanhope über dessen verräterische Allianz mit dem ehemaligen Landgrafen von Asurdun, und wie er den ehemaligen Landgrafen von Poyolavomaar manipuliert hatte. Als er mit der Geschichte fertig war, lehnte Stanhope sich zurück und nickte anerkennend.

»Vielen Dank, Mr. Fortune. Ich weiß Ihre Offenheit zu schätzen. Das ist eine Tugend, wie man sie im diplomatischen Corps nur selten findet.«

»Sechs Monate, sagten Sie«, bemühte Ethan sich, das Thema zu wechseln. »Ich hoffe, es macht Ihnen nichts aus, wenn ich das so sage, aber ich bin überrascht, daß man jemanden wie Sie, dessen Ruhestand so kurz bevorsteht, an einen Ort wie diesen geschickt hat.«

Sie lachte leise. »Ach, ich habe doch um diesen Posten gebeten.«

Das brachte September aus seiner Schmollecke. »Sie haben darum *gebeten*, hierher versetzt zu werden?«

»Genau das. Dies ist eine vorgeschobene Grenzwelt, nicht einmal eine reguläre Kolonie, von so niedriger Klassifikation, daß sie jemandem mit meinem Dienstalter gerade noch angemessen ist. Nichts passiert hier. Einmal im Monat macht das KK-Schiff, das zwischen Santos V und Drax V verkehrt, hier Halt. Das ist alles. Für einen Diplomaten ist Tran-ky-ky ein trübseliger, langweiliger Ort ohne jedes Prestige, und das ist genau der Grund, warum ich hierher wollte.« Ihre Stimme wurde etwas dunkler – Stahl hinter dem Lächeln.

»Sechs Monate, meine Herren. Sechs Monate habe ich noch. Ich möchte, daß sie so ruhig und ungestört verlaufen, als hätte es sie nie gegeben. Ich kam hierher, um für ein halbes Jahr vergessen zu werden. Dann kann ich zu meinem Modular auf Praxiteles zurückkehren und mit meinem Laserstichel arbeiten.«

»Was werden Sie in Hinblick auf die Tran unternehmen?« fragte Ethan.

»Eigentlich finde ich sie ganz nett und reizend, Ihre Tran.«

September lachte laut auf. »So nett und reizend wie Kannibalen auf Schlittschuhen.«

»Das mag sein. Aber da sie sich, dank Ihrer philantropischen Bemühungen sehr gut aus eigenen Kräften fortzuentwickeln scheinen, schlage ich vor, absolut nichts zu unternehmen. Ich werde ihnen nicht im Weg sein. Ich werde niemandem im Weg sein, hoffentlich. Falls es irgend etwas gibt, das meine Aufmerksamkeit erfordert, erwarte ich von meinen Helfern und Helferinnen, sowie den betroffenen Zivilpersonen, wie zum Beispiel Ihnen, Mr. Fortune, daß sie mich entsprechend in Kenntnis setzen. Als Gegenleistung für diese Unterstützung werde ich mein Bestes tun, um *Ihnen* nicht im Weg zu sein.

Ich weiß, daß Sie beabsichtigen, hier eine offizielle Niederlassung des Handelshauses Malaika zu gründen. Ich werde tun, was ich kann, um Ihre Arbeit mit so wenig Papierkrieg wie möglich zu belasten. Als Gegenleistung erwarte ich von Ihnen und Leuten in ähnlichen Positionen, daß Sie mir als Augen und Ohren unter den Eingeborenen dienen. Und was mich angeht, so werde ich meine Diensterfüllung hier als Erfolg zählen, wenn ich nie einen Schritt aus diesem Büro machen muß, außer um zu essen und zu schlafen. Ich hoffe, ich habe mich klar und verständlich ausgedrückt.«

Ethan nickte. »Völlig, Mrs. Stanhope.«

Sie sah September an. »Und von Ihnen erwarte ich, daß Sie zumindest während der nächsten sechs Monate nichts über unsere Schwierigkeiten hier herumerzählen, insbesondere, was den verstorbenen Mr. Trell angeht.«

September setzte eine würdevolle Miene auf. »Madam, ich versichere Ihnen, daß das Herzausschütten gegenüber Regierungsbeamten auf meiner Liste ständiger Prioritäten einen der letzten Plätze einnimmt. Ich bin auf dem Weg zu einer Welt, die diese hier fortschrittlich erscheinen läßt, so daß ich ein oder zwei Jahre in einem fremden Dschungel verloren gehen kann.«

»Dann stimmen wir alle überein, was unsere zukünftigen Entwicklungsrichtungen angeht. Gut.« Sie erhob sich. Das war die Verabschiedung. »Mr. Fortune, ich kann mir vorstellen, daß Sie eine Menge Arbeit vor sich haben. Mr. September, Sie werden vor Ihrem Abflug sicherlich noch einige letzte Vorbereitungen treffen wollen.«

September trat zum Tisch vor und ergriff ihre Hand. Sie verschwand in seiner massigen Pranke. »Gut zu wissen, daß die Zukunft Tran-ky-kys in so verständnisvollen Händen liegt, ein halbes Jahr lang wenigstens.«

»Mr. September, Sie sind galant.« Sie zog ihre Hand zurück und setzte sich wieder. »Wenn Sie beide mich jetzt entschuldigen wollen, ich habe eine Menge an Nichtigkeiten zu erledigen und brenne darauf, damit zu beginnen.«

September zeigte ein nachdenkliches Gesicht, als sie mit dem Fahrstuhl nach unten fuhren. »Interessantes altes Mädel. Wünschte, ich hätte sie vor zwanzig Jahren kennengelernt.«

»Ein wenig zu steif für meinen Geschmack«, meinte Ethan.

»Urteile nicht zu schnell, Jungchen. Bei diesen stahläugigen Typen weiß man nie. Ja, unter der harten Schale schlägt vielleicht ein Herz aus reinem Beton.«

Die Lifttüren teilten sich. Als sie hinaustraten, stolperten sie fast über einen geistesabwesenden Milliken Williams.

Wie Ethan und Skua war auch der kleine Schullehrer zur falschen Zeit am falschen Ort gewesen, als die Entführung der wohlhabenden du Kanes stattfand, und wie sie war er gegen seinen Willen nach Tran-ky-ky gebracht worden. Er erging sich ständig in Selbstherabsetzung und Entschuldigungen, außer wenn er so etwas machte, wie bei den Tran Schießpulver und Armbrüste einzuführen. Er sah besorgt aus, schien es Ethan. Doch das war Williams Normalzustand. Er machte sich immer Sorgen darüber, was als nächstes schiefgehen würde, und wenn nichts schiefging, machte er sich eben darüber Sorgen.

»Ich war gerade auf dem Weg zu euch.« Sein Blick zuckte zwischen ihren Gesichtern hin und her. »Glaubt ihr, ihr könntet einen Augenblick eurer Zeit erübrigen?«

September rollte die Augen. »Alle wollen sie einen Augenblick der Zeit des alten Skua. Mir gehen die Augenblicke aus, Milliken.«

»Bitte. Es ist schrecklich wichtig.«

»Was ist das nicht? Na gut.« Skua sah sich um und wies resigniert zur Cafetaria der Verwaltung. »Ich könnte etwas zu essen vertragen, bevor ich ins Shuttle steige.«

Es war keine Essenszeit, und der Raum war fast leer. Pelze und Tran-Kunsthandwerk schmückten die Wände und gaben dem ansonsten nüchternen Saal ein wenig Charakter. Eine Wand wurde von den automatischen Nahrungsmaschinen eingenommen. Der Wind malte mit Eispartikeln abstrakte Muster auf die Außenseite einer gewölbten Dreifachscheibe. Die drei bestellten Essen und Getränke und nahmen in einer Nische in der Nähe des Fensters Platz.

»Skua«, fragte Williams ernst, »wie entschlossen bist du, Tran-ky-ky zu verlassen?«

September blieb erst einmal stumm und starrte vor sich hin, um dann zu sagen: »Ist hier irgendeine Verschwörung am Werk, von der der alte Skua nichts weiß? Erst du, Jungchen, und nun unser übergebildeter kleiner Freund hier.«

»So etwas wie Übergebildetheit gibt es nicht«, erwiderte Williams steif. »Ich habe dir eine völlig offene und direkte Frage gestellt. Und da wir gerade dabei sind, Bemerkungen über Körpergröße zu machen, möchte ich feststellen, daß ich zehnmal lieber meinen Wuchs habe, als eine groteske Variante eines Makrozephalen zu sein, wie manche Leute, die ich kenne.«

»Du meinst Makrozerebraler«, sagte September. »Ach, schon gut. Du warst eben nicht der erste.«

»Was ist los, Milliken?« fragte Ethan.

»Es scheint da ein kleines Problem zu geben. Mehr als ein kleines, tatsächlich. Ein sehr bedeutendes Problem.«

»Was für ein Problem?« Ethan hatte Geduld mit dem Lehrer. Er hatte die Eigenart, um ein Thema herumzureden, anstatt direkt auf den Punkt zu kommen. Man mußte ihn entsprechend anstupsen, sollte das Gespräch nicht unter Belanglosigkeiten dahinsiechen.

»Es hat mit Tran-ky-ky zu tun.«

»Soviel hatte ich mir schon gedacht. Ich möchte nicht ungeduldig wirken, Milliken, aber Skua muß sein Shuttle erwischen.«

»Noch viel Zeit bis zum Start. Das weiß ich. Ich habe mir den Plan angesehen. Ich war mir nur nicht sicher, ob es euch etwas ausmachen würde, euch eine umfassende Erörterung des Problems anzuhören.«

»Alles, um die Sache endlich hinter uns zu bringen.« September vertilgte den Rest seiner Zwischenmahlzeit mit einem einzigen Schluck.

»Es hat mit Tran-ky-ky zu tun, sagtest du«, erinnerte Ethan den Lehrer. »In welcher Hinsicht?«

»Wir sind uns nicht sicher. Der ganze Planet könnte in Gefahr sein.«

Ethan nippte an seinem Glas. »Die Sonne wird doch wohl nicht zur Nova oder so was?«

»Nein, nein, nichts so Unmittelbares oder Dramatisches. Es ist einfach so ... – nun, es gibt da eine klimatische Anomalie, für die niemand eine vernünftige Erklärung hat, und sie treibt den meteorologischen Stab in den Wahnsinn. Die Mitglieder der hiesigen wissenschaftlichen Gemeinde wissen inzwischen von uns dreien und unseren Erfahrungen. Sie wissen, daß unsere Kenntnisse nicht nur theoretischer Natur sind, daß wir die Welt jenseits von Brass Monkey persönlich und handgreiflich kennengelernt haben.«

»Handgreiflich — nur zu wahr«, sagte September. »Ich wußte nicht, daß die Teilnahme am Verprügeln feindseliger Einheimischer uns zu wissenschaftlichen Experten macht.«

Williams rang sich nicht einmal ein Lächeln ab. »Das ist eine ernste Angelegenheit, Skua.«

»Der Himmel rette uns vor ernsten Angelegenheiten. Was du sagen willst, ist, daß ein paar Leute uns ein paar Fragen stellen wollen, richtig?«

Williams nickte.

»Milliken, du bist der einzige von uns, der etwas erhalten hat, das man eine wissenschaftliche Ausbildung nennen könnte. Du bist überall gewesen, wo Skua und ich gewesen sind. Warum sprechen sie nicht einfach mit dir?«

»Erstens, weil sich noch niemand sicher ist, daß es sich bei dieser Sache um ein rein wissenschaftliches Problem handelt und zweitens, weil einige der Metereologen sich ihrer eigenen Schlußfolgerungen nicht sicher sind. Sie suchen verzweifelt nach jeder denkbaren Art von Bestätigung. Sie fürchten, sich lächerlich zu machen. Da wir drei dort draußen gewesen sind und wissen, wie Tran-ky-ky wirklich ist, sind sie ziemlich sicher, daß wir uns nicht über sie lustig machen. Streiten und diskutieren ja, aber nicht lustig machen.«

September stemmte sich am Tisch hoch. »Da sollten sie sich nicht zu sicher sein. Bringen wir die Sache hinter uns!«

»Müssen wir dazu nach draußen?« Ethan starrte durch das Cafeteriafenster in den wirbelnden Schnee.

»Das Forschungszentrum ist über die unterirdischen Verbindungsgänge zu erreichen, aber wir wären schneller, wenn wir oberirdisch abkürzen.«

»Wir gehen die paar zusätzlichen Meter«, entschied Ethan.

3

WÄHREND IHRER KURZEN BESUCHE in Brass Monkey hatten weder Ethan noch September Grund gehabt, den Forschungskomplex zu betreten. Er bestand aus der ältesten Gebäudegruppe Brass Monkeys und war der eigentliche, ursprüngliche Grund für den Aufbau des Außenpostens. Zuerst Scouts, danach Wissenschaftler und schließlich Bürokraten. Genau wie der übrige Außenposten, war er größtenteils unter Eis und Dauerfrost begraben.

Der große Versammlungsaum, zu dem Williams sie führte, lag mehrere Stockwerke unter der Oberfläche Asurduns. Als sie eintrafen, wandte sich ihnen ein halbes Dutzend neugieriger Gesichter zu und musterte sie. Aus dieser Meute geballter Intellektualität löste sich eine Frau, die noch kleinwüchsiger war als der Lehrer.

Sie trug einen hellblauen Overall mit grün-weißen Insignien und Aufnähern. Ethan hatte einen weißen Laborkittel erwartet. Ihr Haar war glatt, glänzend schwarz und in gerader Linie direkt über den Schultern geschnitten. Sie hätte dreißig oder sechzig Jahre alt sein können. Ihr Händedruck war fest.

»Ich bin Cheela Hwang. Das dort sind meine Kollegen Krisenbeschwörer.« Sie stellte alle der Reihe nach vor. »Falls Milliken es Ihnen noch nicht gesagt hat, ich bin verantwortlich für die meteorologische Abteilung von Brass Monkey. Wie Sie sich als Kenner Tran-ky-kys vielleicht vorstellen können, stellen wir hier ein ziemlich großes Kontingent.«

»Das Wetter dürfte das einzige sein, was auf dieser Welt wert ist, studiert zu werden«, kommentierte September, »bis auf die Einheimischen natürlich.«

Sie hob den Kopf und versuchte seinen Blick zu erhaschen. »Milliken hat mich vorgewarnt, was Ihr Gebaren, Ihre Haltung und Ihren Humor angeht, Mr. September.«

Der Hüne grinste schwach. »Ich werde versuchen, mich zivilisiert zu benehmen und keinen von Ihren Untergebenen zu fressen.«

»Was ist denn nun dieses Problem, über das Sie sich alle so aufregen?« fragte Ethan.

»Hier hinüber, bitte.« Sie führte sie zur gegenüberliegenden Wand und fummelte an einer kleinen Fernbedienung herum, die sie aus einer der Tasche des Overalls gefischt hatte. Die Wand leuchtete auf. Sie war ein integrierter 3-D-Schirm, was erklärte, warum sie frei von Bildern, Fotografien und so weiter war.

»Vielleicht erkennen Sie das hier, Mr. Fortune.«

»Einfach Ethan, bitte.« Er betrachtete die von Wirbeln und Strudeln übersäte Wand. Die Farben waren kräftig, die Umrisse gleichmäßig. »Infrarotaufnahmen, aber wovon?«

»Der Boden, auf dem wir stehen, Jungchen.« September wies auf die Bildwand. »Der Klecks da oben, das ist Asurdun. Die kleineren Flecken stellen die Stadt des Landgrafen, Brass Monkey und so weiter dar.«

»Sie haben ein gutes Auge für geographische Informationen«, erklärte Hwang anerkennend.

September hob die Schultern. »Ich habe einige Erfahrungen, was das Identifizieren topografischer Merkmale aus dem Orbit angeht. Warum infrarot? Warum nicht einfach ein normales Satellitenfoto?«

Einer von Hwangs Kollegen meldete sich, er klang bitter: »Dies ist ein unbedeutender Außenposten. Wir haben keinen Anspruch auf einen voll ausgerüsteten Beobachtungssatelliten. Keine hochauflösenden Kameras. Nur einfache Instrumente.«

Ethan wollte seinen Freund fragen, woher er seine ›Erfahrungen, was das Identifizieren topografischer

Merkmale aus dem Orbit angeht‹ hatte, aber Hwang machte schon weiter und wies mit dem in ihre Fernbedienung eingebauten Lichtzeiger auf weitere Landschaftsmerkmale, als das Bild wechselte.

»Erkennen Sie das?« In der Mitte des Bildes leuchtete es intensiv orangefarben.

»Sieht aus wie Sofold«, riet Ethan. »Die Heimatinsel unserer Tranfreunde. Der Zentralvulkan ist unverwechselbar.«

»Das ist richtig. Und das hier?« Die beiden Männer starrten das Bild an, ohne etwas damit anfangen zu können. »Das ist nicht überraschend«, erklärte Hwang ihnen. »Sie können es gar nicht wiedererkennen, da Sie nie dort waren. Kein Mensch war je dort. Es liegt weit im Südosten von Asurdun.« Sie ließ eine rasche Folge ähnlicher Bilder über die Bildwand laufen.

»Dies ist ein Infrarotmosaik des großen Südkontinents.« Ihr Zeiger wanderte über die Bilder wie ein zweidimensionales Insekt. »Achten Sie auf diese Charakteristika. Diese großen Wolken und ...« — ihr Zeiger wies tiefer – »diesen Hitzeschatten auf dem Eisozean.«

»Was ist damit?« fragte Ethan.

»Sie sollten nicht da sein.« Das kam von Gerald Fraser, einem der Assistenten. »Das ist alles verkehrt. Wir studieren Tran-ky-kys Klima nun schon eine ganze Weile. Seit Jahren kartographieren wir, und das Klima ist seit Gründung des Außenpostens intensiv beobachtet worden. Es hat keine großen Überraschungen gegeben. Alles, was mit dem Wetter zusammenhängt, war ziemlich genau vorhersehbar und gleichbleibend. Und dann das.« Er wies zur Wand. »Das ist so, als würden sie ein Stück glühender Kohle in ihrer Eiskrem finden.«

»Gerry hat recht.« Hwangs Zeiger wanderte hin und her. »Diese Wolken und dieser Schatten auf dem Eis sind völlig verkehrt. Richtig für Kansastan vielleicht, aber nicht für Tran-ky-ky.«

»Es ist also verkehrt.« Ethan begann die Sache interessant zu finden. »Welche Bedeutung hat das? Worauf weist es hin?«

»Auf eine Veränderung im Klima.«

Ethan und Skua sahen sich an. »Ich verstehe nicht«, sagte Ethan. »Frostig oder nicht so frostig, was macht das schon?«

. »Dort ist es nicht frostig.«

Ethan kniff die Augen zusammen. »Wie bitte?« Er starrte erneut auf das Infrarotbild und versuchte Dinge zu erkennen, die nicht da waren. Hwangs Lichtzeiger huschte währenddessen weiter über die Wand.

»Dieser kleine Bereich weist einen extremen Temperaturunterschied zu seiner unmittelbaren Umgebung auf. Außer dem unerklärlichen Temperaturanstieg zeigt die spektroskopische Untersuchung auch eine extreme Änderung der atmosphärischen Zusammensetzung direkt über diesem Abschnitt des kontinentalen Sockels.«

»Vulkanismus«, meldete sich September sofort. »Tran-ky-ky ist voll davon. Ich begreife nicht, wo das Problem liegt.«

Hwang lächelte. »Sie sind voll von Überraschungen, Mr. September. Ja, es gibt viele Vulkane auf dieser Welt, und ein ausreichend kräftiger Vulkanismus könnte möglicherweise für das verantwortlich sein, was wir sehen, aber wir glauben nicht, daß Vulkanismus die Ursache ist. Hochauflösende Optik oder nicht, unser Satellit ist imstande, ziemlich kleine Details der Oberfläche darzustellen – nirgendwo in der Umgebung dieser Anomalie gibt es Anzeichen für Krater.«

»Was ist mit Schlotventilation?« fragte September. Ethan warf ihm einen überraschten Blick zu, und September lächelte. »Habe mich in früheren Jahren ein wenig mit Geologie befaßt, Jungchen.«

»Wir haben auch das erwogen. Wir haben sogar rein spekulative und abstruse Gründe in Betracht gezogen. Nichts davon paßt zu dem Ausmaß dessen, was wir beobachten. Hätten wir einen wirklich ordentlichen Satelliten mit hochauflösenden Kameras ...« Sie verstummte für einen Moment. »Aber den haben wir eben nicht. Unserer ist zur Unterstützung von Temperaturmessungen und Wettervorhersagen konstruiert. Wir haben bessere Ausrüstung angefordert, aber Sie können sich vorstellen, wie schwierig es ist, teure Instrumente zum Studium dieser entfernten, rückständigen Welten zu erhalten.«

»Lassen Sie Hunnar Rotbart nicht hören, daß Sie Tran-ky-ky rückständig nennen«, sagte Ethan. »Die Tran mögen nicht besonders kultiviert und intellektuell oder technisch hochentwickelt sein, aber sie sind auch nicht dumm oder lernunwillig, und sie sind höllisch stolz.«

»Gehen Sie doch nicht gleich in Verteidigungshaltung«, sagte einer der anderen Forscher. »Wir sind hier, weil wir versuchen wollen, diesen Leuten zu helfen, und nicht, um sie zu beleidigen.«

»Wir gehen von Vulkanismus aus«, fuhr Hwang fort, »weil wir keine bessere Hypothese haben. Wir wissen, daß die innere Hitze des Planeten sein Wetter steuert, da es keine offenen Wasserflächen gibt. Wir könnten die ganze Sache abschreiben, bis die neuen Instrumente eintreffen. Aber wir machen uns Sorgen.«

Ein hochgewachsener Geophysiker, der den ausgefallenen Namen Orvil Blanchard trug, wies mit schlaksiger Hand auf die Wand. »Bedenken Sie, daß wir nicht die geringsten natürlichen Ursachen für das finden können, was in dieser Region vor sich geht. Trotzdem nehmen die Veränderungen in der Atmosphäre beständig zu. Schlotventilation unterliegt heftigen Schwankungen. Sie nimmt nicht mit der stetigen, meßbaren Rate zu, wie diese Anomalie. Zumindest keine Schlotventilation, die mir je untergekommen ist. Es ist, als sei im Innern des Planeten ein Schalter umgelegt worden.«

Hwang schaltete den verborgenen 3-D-Projektor ab. »Wir könnten es trotzdem auf Vulkanismus zurückfüh-

ren, aber wir möchten sichergehen. Da unser mittelmä-
ßiger Beobachtungssatellit nicht in der Lage ist, dieses
Problem zur allgemeinen Befriedigung zu lösen, bleibt
uns nur eine direkte Ortsbesichtigung. Was uns vor ein
Problem stellt. Aufgrund der gesetzlichen Einschränkungen über die fortschrittliche Technik auf einem
Klasse IVB-Planeten wie Tran-ky-ky, können wir nicht
auf Fluggeräte oder Skimmer zurückgreifen. Man war
davon ausgegangen, daß wir alle Informationen, die wir
für unsere Forschung benötigen, durch den Satelliten
bekommen können. Normalerweise hätte das auch aus-
gereicht.

Die Hauptverwaltung hatte einen Skimmer für Not-
fälle, doch der wurde zerstört, als der vorige Kommissar
mit einigen unfreundlichen Einheimischen zusammen-
stieß. Das besagt jedenfalls Ihr Bericht – den hier übrigens jeder gelesen hat.«

»Ich habe am Rand des Außenpostens Eisgleiter gesehen. Wie steht es damit?« fragte Ethan.

»Viel zu geringe Reichweite«, antwortete Blanchard.
»Wir könnten zusätzliche Treibstoffzellen mitnehmen,
vielleicht sogar genug, um die Reise hin und zurück zu
bewerkstelligen, aber dann könnten wir praktisch nichts
anderes mehr transportieren. Und aufgrund dessen,
was wir über das Wetter auf dem Eisozean wissen,
könnte etwas so kleines wie ein Gleiter für jeden Kilometer, den er vorankommt, gut und gerne zwei zurück-
geblasen werden.«

»Dazu kommt«, fuhr Hwang ungeduldig fort, »daß
sich niemand von uns je weiter von Brass Monkey entfernt hat als bis zum Rand dieser Insel. Sie wurde bei
Gründung der Basis von Geologen umrundet und kartographiert, und weiter reicht unsere Fernerkundung
nicht. Wir sind alle immer noch neu in einer neuen
Welt. Das ist der Grund, warum wir Ihren offiziellen Bericht verschlungen haben. Er war für jede einzelne Abteilung von unschätzbarem Wert. Aber wir haben we-

der Erfahrungen noch Wissen darüber, wie es draußen auf den Ozeanen ist. Niemand von uns hier hat zum Beispiel je eines dieser außergewöhnlichen Geschöpfe gesehen, die die Einheimischen Stavanzer nennen.

Wir würden blind und unwissend reisen und ohne Unterstützung durch Skimmer oder Flugzeuge. Ich denke, Sie stimmen mir darin zu, daß es außerordentlich riskant, mehr noch, tollkühn wäre, würden Leute wie wir, die nicht über Ihre Erfahrungen verfügen, so eine Reise zum Südkontinent unternehmen.«

»Da kann ich Ihnen nicht widersprechen«, erklärte September, die versteckte Bitte munter ignorierend.

Nachdem Subtilität nichts bewirkt hatte, äußerte Hwang den Wunsch unverblümt: »Dann können Sie sicherlich verstehen, daß wir Ihre Hilfe benötigen.«

Ethan dämmerte es langsamer. »O nein! Ich meine, wir helfen Ihnen gerne bei den Vorbereitungen und stehen Ihnen mit Rat und Tat zur Seite, nicht wahr, Skua?«

September blickte auf seine Uhr. »Das werden wir, Jungchen, solange es nicht mehr als ein paar Stunden dauert. Eine Nova könnte mich *vielleicht* von diesem Shuttle fernhalten, aber nichts anderes.«

Hwang wandte sich zu Ethan um und sah ihn ernst an. »Was ist mit Ihnen, Mr. Fortune? Milliken hat uns berichtet, daß Sie sowieso hier bleiben.«

Ethan warf dem Lehrer einen bösen Blick zu. Williams hielt dem wütenden Starren ungerührt stand. Warum überhaupt wütend auf Milliken sein? fragte Ethan sich. Was wahr ist, ist wahr.

»Jawohl, ich werde hier eine Weile stationiert sein. Doch ich bin dem Haus Malaika verantwortlich. Ich muß eine komplette, regelrechte Handelsstation aufbauen. Gegenwärtig besteht sie aus mir selbst und ein paar Kisten mit Mustern, die möglicherweise im Lagerhaus eingefroren sind. Ich muß den Bau oder das Leasen eines Büros und von Speicherraum organisieren, bei der Verwaltung einen Assistenten mieten und die Suche nach geeigneten Angestellten von außerhalb beginnen. Außerdem müssen Formulare ausgefüllt, eingereicht und abgelegt werden, und ich weiß nicht, wo ich anfangen soll.«

»Wir können Ihnen dabei helfen«, sagte ein weiterer der Meteorologen. »Wir haben jahrelange Erfahrung im Umgang mit der hiesigen Verwaltung.«

»Ja, aus wissenschaftlicher Sicht, aber nicht aus kommerzieller«, wandte Ethan ein. »Außerdem muß ich noch eine Unterkunft für mich selbst besorgen.«

»Wir könnten hier ein Dauerappartement für Sie finden.« Blanchard grinste. »Keine absolute Spitzenklasse, aber vor einigen Monaten haben uns zwei Geologen verlassen. Sie könnten zwei Appartements haben, eins für Sie selbst und das andere als provisorisches Büro. Besser als das, was Ihnen die Verwaltung zuweisen würde.«

Ethan kam sich vor wie jemand, der auf einer Leiter von einer Raubtiermeute verfolgt wurde und dem die Sprossen ausgingen. »Sehen Sie, ich weiß Ihre Angebote zu schätzen, und ich habe volles Verständnis für Ihre Situation, aber ich habe nicht eine Minute für mich selbst übrig, ich habe eine Tonne Arbeit vor mir und kann nicht einfach wieder wochenlang verschwinden. Wenn Sie ein Eisschiff wollen, kann ich in Asurdun die Kontakte für Sie knüpfen. Sie können sich gegen entsprechende Bezahlung nach Poyolavomaar mitnehmen lassen. Und dort werden Sie bestimmt ein Schiff mit Besatzung heuern können, das Sie weiter nach Süden bringt.«

»Die Gegend, in die wir wollen, ist nicht kartographiert. Sie ist weit entfernt von diesem Poyolavomaar, das Sie in Ihrem Bericht beschreiben. Wir kennen die Eingeborenen dort nicht, wissen nicht, wie sie fühlen und denken.«

»Warum warten Sie nicht einfach auf die neuen Satelliteninstrumente? Dann bekommen Sie alle gewünschten Antworten in der Sicherheit und Bequemlichkeit Ihrer Büros.«

»Es ist nicht unsere Sicherheit und Bequemlichkeit, die uns im Moment beschäftigen«, erklärte Hwang. »Es ist die Sicherheit der Eingeborenen, der Tran. Sehen Sie, wenn wir auch nicht Ihre einzigartigen Erfahrungen teilen, so verkehren wir hier in Brass Monkey doch auch mit den Tran. Wir kennen viele von ihnen beim Namen und haben sie – genau wie Sie – kennen und schätzen gelernt. Wir möchten nicht, daß sie irgendwie zu Schaden kommen.«

»Nun mal langsam!« September schien verwirrt. »Wir haben über ein nicht geklärtes, örtlich begrenztes meteorologisches Phänomen gesprochen, das einen Teil des Südkontinents betrifft. Niemand hat irgend etwas über eine mögliche planetenweite Katastrophe gesagt.«

»Es fällt schwer, in solchen Begriffen zu sprechen, ohne eindeutige Beweise zu haben«, erklärte ein weiterer Wissenschaftler. »Deshalb liegt uns so viel daran, selbst nachzusehen, was da eigentlich vor sich geht. Wir hoffen, daß sich keine Katastrophe abzeichnet – planetarisch oder auch nur kontinental –, aber wir müssen dorthin und nachsehen. Und das so schnell wie möglich. Wir können nicht auf Ergebnisse besserer optischer Geräte warten, die vielleicht nie eintreffen. Vielleicht ist es eine Überreaktion, aber wir müssen wissen, was dort draußen passiert, Mr. September.«

»Wie dem auch sei.« Ethan kämpfte darum, seine Gefühle unter Kontrolle zu halten. »Solange Sie kein Eisschiff mieten, das Sie nach Poyolavomaar bringt und dann versuchen, von dort nach Süden zu kommen, werden Sie es nicht herausfinden. Es gibt nämlich keinen anderen Weg, die Region zu erreichen, von der Sie sprechen. Sie haben eben selbst alle Möglichkeiten aufgezählt. Für Eisgleiter ist es zu weit und Fluggeräte oder Skimmer stehen nicht zur Verfügung.«

»Was ist mit dem bemerkenswerten Eisschiff, das Sie gebaut haben?« fragte Hwang.

»Wir haben überhaupt nichts gebaut«, erklärte Ethan schärfer, als er eigentlich wollte. »Die Tran haben jeden Meter davon selbst gebaut.«

»Verzeihung. Das Eisschiff, das Sie entworfen haben. Es ist weit robuster und schneller, als alles andere, was wir hier beobachten konnten. Und es hat sich als Langstreckenfahrzeug bewährt. Wäre es nicht möglich, daß wir ...«

»Indiskutabel, unmöglich.« Jetzt wurde ihm klar, daß der Hauptzweck des Zusammentreffens gewesen war, an die *Slanderscree* heranzukommen. Er und Skua waren nur Begleitumstände. »Die *Slanderscree* wird nur in eine Richtung fahren – und das ist Westen. Nicht Osten, Südosten oder irgend etwas anderes in der Art. Sie wird lange brauchen, bis sie zu Hause ist, da sie gegen den Wind kreuzen muß.

Die Besatzung ist seit über einem Jahr nicht mehr in der Heimat gewesen. Sie mögen Membranen zwischen Armen und Körper haben, sie mögen senkrechte Pupillen anstatt runder haben, aber sie sind denkende, empfindende Wesen. Sie waren viel zu lange von ihren Familien, ihren Freunden und ihrem normalen Leben getrennt – und das nur wegen uns. Sie möchten genauso sehnlich nach Hause wie Skua.«

»Wir sind uns dieser Sorgen und Sehnsüchte bewußt«, erwiderte Hwang mit beschwichtigender Gestik. »Wir fühlen genauso mit den Tran wie mit Ihnen und Mr. September. Wir haben alles gelesen, was Sie über Sir Hunnar Rotbart und sein Volk geschrieben haben. Doch diese Angelegenheit betrifft die Tran weit mehr als uns. Dies ist ihre Welt, und sie könnte in Gefahr sein. Sie müssen sie überzeugen, uns zu helfen.«

Ethan schüttelte den Kopf. »Es wäre vergeblich, selbst wenn wir splitterfasernackt zu ihnen gingen und Purzelbäume schlügen, bis wir mitten in der Luft steifgefroren sind. Hunnar ist jetzt Erbe des Throns von Wannome. Er hat politische wie persönliche Gründe, nach Hause zurückzukehren. Sie sind unsere Freunde, doch wir sind immer noch Fremde und sie sind immer noch Tran. Sie schulden uns überhaupt nichts. Ganz im Gegenteil: Skua, Milliken und ich schulden ihnen etwas dafür, daß sie uns am Leben erhalten haben. Kein noch so großes Gerede von uns wird sie davon überzeugen, ihre Heimreise weitere sechs Monate oder mehr zu verschieben, damit wir einen Disput über irgendeine Hunderte von Kilometern entfernte Klimaabweichung beilegen können.«

Hwang senkte den Blick. »Ich verstehe. Sie müssen aber auch verstehen, daß wir fragen mußten. Milliken sagte, es würde schwierig sein.«

Das ist doch verrückt, dachte Ethan. Warum stehe ich hier und höre mir das an? Was macht es schon aus, welche Ursache ein lokaler Temperaturanstieg weit im Süden hat? Sie haben doch schon zugegeben, daß er vielleicht auf Vulkanismus zurückzuführen ist.

Aber wenn Vulkanismus nicht die Ursache war, was war dann verantwortlich?

Das war nicht sein Problem. Er war Händler, Geschäftsmann, kein Wissenschaftler. Es war nicht seine Sache, sich bei den Tran für Cheela Hwang und ihre Mitarbeiter zu verwenden. Er hatte selbst genug Probleme.

Sie war noch nicht fertig. »Wir haben weder das Recht noch die Macht, Sie zu zwingen. Wir wissen, daß Sie und Mr. September während der vergangenen Monate eine Menge durchgemacht haben. Wir werden nicht weiter in Sie dringen. Aber wir mußten fragen.« Sie breitete in einer hilflosen Geste die Arme aus. »Wir mußten fragen, weil wir keine andere Wahl hatten.«

Was für eine schreckliche Art, seine Beziehungen zur Belegschaft des Außenpostens zu beginnen, überlegte Ethan. Nicht, daß er wohl je auf ihre Hilfe angewiesen sein würde. Wenn sie ihre Niederlage nur nicht so großzügig hinnehmen würden. Warum brüllten sie nicht ein bißchen herum und verfluchten ihn? Was, zum Teufel, hatten sie erwartet? Selbst wenn er sich selbst eine vorübergehende Unzurechnungsfähigkeit zugestand und sich bereiterklärte, mit ihnen zu reisen, begriffen sie denn nicht, daß es einfach keine Möglichkeit gab, Hunnar, Kapitän Ta-hoding und die übrige Besatzung der *Slanderscree* davon zu überzeugen, auch so zu handeln?

Weil Hunnar und seine Freunde nach Hause mußten. Selbst wenn Hunnar es nicht eilig hatte, den Mantel des Landgrafen-Erben anzulegen, und selbst wenn er und seine Leute daran interessiert waren, noch eine weitere unerkundete Region ihrer Welt zu besuchen, war er genaugenommen in den Flitterwochen. *Hatten* Tran Flitterwochen? Vielleicht wurde von Frischvermählten erwartet, daß sie sich hinaus auf das Eis begaben und einen Droom schlachteten oder irgend etwas entsprechend Abenteuerliches.

Das war aber auch egal. Sie mußten zurück nach Sofold, schon allein, um ihre Freunde und Verwandten darüber zu informieren, daß es sie noch gab. Nach allem, was Elfa Kurdagh-Vlatas Vater wußte, war seine Tochter tot, ebenso wie die Besatzung des Eisseglers, das große Schiff selbst zerstört, und an den Knochen der Besatzung knabberten die Aasfresser. Ungeachtet, wie sie persönlich auf Cheela Hwangs Bitte reagieren mochten, waren sie verpflichtet, nach Hause zurückzukehren, um Nachricht von ihrem Überleben zu überbringen. Die Bürger Sofolds ahnten nichts davon, daß sie jetzt Mitglieder einer großen und wachsenden Union von Stadtstaaten waren. Hunnar und Balavere Langaxt waren verpflichtet, sie über ihre Zukunft zu informieren. Beziehungen mußten aufgefrischt, Lieder gesungen, Heldentaten berichtet werden. Dazu gab es keine Alternative.

Das erklärte er auch Cheela Hwang und ihren Kollegen in der Hoffnung, es würde sie zufriedenstellen und die Angelegenheit auf eine Weise beilegen, die jede künftige Selbstschutzbehauptung unnötig machte. Er vergaß, daß er es mit Leuten zu tun hatte, die daran gewöhnt waren, auch aus mageren Daten Antworten zu gewinnen. Blanchard fand eine, bevor Ethan sich verabschieden konnte.

»Sie sagen also folgendes: Falls Sie sie überzeugen könnten, uns mitzunehmen, wäre ihnen das trotzdem verboten, weil sie sich zu Hause melden müssen.«

Ethan nickte heftig. »Umstände, über die ich keine Kontrolle habe, und auch Skua nicht oder sonst irgend jemand.«

Blanchard blickte erfreut drein. »Nicht notwendigerweise. Was ist die Mindestbesatzung für ein Schiff wie Ihren Eisklipper?«

»Ich weiß nicht«, antwortete Ethan verdutzt. »Ich habe nie darüber nachgedacht. Ich war nur Passagier. Wenn es rein ums Segeln geht, braucht man nicht so viele, wie normalerweise auf der *Slanderscree* sind. Wenn es darum geht, einen unbekannten Teil des Planeten zu erkunden und sich währenddessen gegen unbekannte Gefahren zu verteidigen, ist das wieder etwas anderes.«

»Hier würde es sich um eine reine Forschungsreise handeln«, wandte Blanchard ein. »Wir rechnen nicht mit irgendwelchen Kämpfen.«

»Das tut man nie«, entgegnete Ethan, »aber Tranky-ky ist nicht gerade eine heimelige Welt. Es gibt eine Menge feindseliger Fauna, ganz abgesehen von Transtämmen, zu denen noch keinerlei Kontakt besteht.«

»Wir würden angemessen ausgerüstet reisen«, sagte ein anderer Wissenschaftler. »Keine hochentwickelten Waffen, da das streng verboten ist, aber wir könnten anderes Nützliches mitnehmen. Und falls Sie versuchen, uns Angst zu machen, verschwenden Sie Ihre Zeit. Wir haben das untereinander diskutiert und wissen, worauf wir uns einlassen. Wir kennen uns in Asurdun und der näheren Umgebung aus und sind nicht völlig naiv, was die Gefahren dieser Welt angeht.«

Ethan versuchte erst gar nicht zu erklären, daß ein Ausflug von ein paar Tagen, der um eine relativ stabile und zivilisierte Insel wie Asurdun führte, keine Ähnlichkeit mit einer mehrwöchigen Reise über den Eisozean in unerforschte Gegenden einer feindseligen Welt hatte. Warum Zeit verschwenden? Sie würden sowieso nirgendwohin reisen. Doch Blanchard war noch nicht fertig.

»Wir könnten beispielsweise ein Handelsschiff mieten, das die Älteren, die Verwundeten, die chronisch Heimwehkranken zurück nach Sofold bringt. Wir verfügen in unserem Budget über einen beträchtlichen, frei verfügbaren Posten und wir wissen, wie versessen die Tran auf Metall sind. Ich bin sicher, daß wir einen Kapitän finden, der bereit ist, die Reise zu unternehmen. Diejenigen Ihrer Freunde, die darauf bestehen, zurückzukehren, müßten auf dieser Reise dann nicht einmal arbeiten oder kämpfen. Sie könnten sich ausruhen. Sie haben es verdient. Und wir hätten immer noch Mittel, um Ihren Eisklipper zu heuern.«

»Diesem Balavere Langaxt, der alte Soldat, den Sie in Ihrem Bericht erwähnen, könnte die Verantwortung für die Rückkehrer übertragen werden«, ergänzte Hwang. »Als geachtetem Mitglied des Hofes von Wannome würde seinem Bericht geglaubt werden. Tatsächlich könnte man argumentieren, daß es seine Aufgabe ist, so einen Bericht abzuliefern und nicht die des jüngeren Ritters, den Sie Rotbart nennen. Die verbleibende Besatzung könnte uns zum Südkontinent segeln.«

»Lassen Sie diesen Langaxt«, fuhr Blanchard fort, »den Leuten daheim versichern, daß alles in Ordnung ist. Er kann ihnen von dieser Union berichten, die Sie angestiftet haben, über die Heldentaten seiner Freunde und Kameraden und von der königlichen Hochzeit, an der sie kürzlich teilgenommen haben. Er kann auch die Verzögerung bei der Rückkehr der *Slanderscree* erklären und die Wichtigkeit der Reise, die wir unternehmen müssen. Und was die Bezahlung angeht, möchten wir sichergehen, daß wir nicht die Würde dieses Rotbart verletzen.«

»Es gibt keinen lebenden Tran, dem es zuwider wäre, Geld zu verdienen«, erklärte September, »aber sie werden die *Slanderscree* und ihre Matrosen nicht für ein paar Klumpen Eisen bekommen.«

Hwang lächelte. »Der Außenposten hat seinen eigenen Kompaktschmelzer, Mr. September. Es gibt Erz tief im Innern Asurduns, von dem die Einheimischen keinen Gebrauch machen können, wir aber wohl. Der Schmelzer ist hier, damit wir die Anlagen und Einrichtungen des Außenpostens bauen beziehungsweise reparieren können. Was aber nicht bedeutet, daß wir ihn nicht dazu benutzen können, Barren herzustellen oder Stangen, Röhren, Nägel und Bolzen, Schwerter und Pfeilspitzen und was immer Ihren Tran gefallen würde. Wir können ihnen den Frachtraum ihres Schiffes für die Rückreise bis zum Rand füllen. Sie können uns eine detaillierte Wunschliste übergeben, und wir werden sie erfüllen.«

Hwang hatte gerade ein für einen Tran so gut wie unwiderstehliches Angebot gemacht. Der Handel mit hochentwickelten Waren wie beispielsweise Elektronik war auf Tran-ky-ky verboten, ausgenommen einige einfache Geräte, die mit Sicherheit nicht lange hielten. Nägel und Schwerter würden Bestand haben auf einer Welt, wo Stahl wertvoller war als Gold. Selbst jemand, der solches Heimweh hatte wie Hunnar, würde es schwer fallen, das Angebot abzulehnen.

»Sie können ihnen auch sagen«, fuhr Blanchard fort, »daß sie ihr Wissen über ihre Welt erweitern und neuen Völkern die Hand der Freundschaft und der Union entgegenstrecken würden.«

Das war genauso ein Appell an ihn wie an die Tran, erkannte Ethan. Schloß er sich an, würde er Geschäfte machen, neue Handelskontrakte abschließen, vielleicht neue interessante Waren finden. In einer Zivilisation wie dem Homanx-Commonwealth, wo Elektronik, Waren und Dienste billig und problemlos zu bekommen waren, gehörten Kunst und Kunsthandwerk zu den höchstbezahlten neuen Gütern.

Warum nicht, zum Teufel? Er saß hier ohnehin fest.

»Ich bin immer noch nicht sicher, ob das eine gute Idee ist oder ob nicht irgendein ferngesteuertes fliegendes Beobachtungsgerät besser wäre, aber ich werde Hunnar und seinen Leuten Ihren Vorschlag unterbreiten. Sie haben das Recht, Sie selbst abzuweisen.«

»Um mehr bitten wir nicht.« Sie sah September an. »Und was ist mit Ihnen?«

»Ich? – Ich wünsche Ihnen alles Glück, aber mein Schiff verläßt morgen früh um null-acht-einhundert den Orbit. Ich werde euch auf dem Weg aus dem System zuwinken. Mir war lange genug kalt.«

Hwang war beharrlich oder stur oder beides. »Die Gegend, wohin wir wollen, ist wärmer. Das ist das Problem.«

»Ihr Problem, nicht meins. Ich bin dahin unterwegs, wo es immer warm ist. Vielleicht werde ich es bereuen, daß ich Ihr Angebot nicht angenommen habe – in ein oder zwei Jahren.«

Sie wandte sich Ethan zu. Soweit es sie betraf, war September jetzt schon abgereist. »Ich bin überzeugt, Sie werden Ihren Tran-Freunden unser Angebot so offen und ehrlich unterbreiten, wie wir Ihnen. Ich wünschte nur, ich könnte vermitteln, wie immens wichtig es ist, die Ursache dieser klimatischen Störung so schnell wie möglich in Erfahrung zu bringen. Es gibt da kritische Widersprüche in den Daten und Berechnungen, die eine sofortige Lösung verlangen. Versuchen Sie, Ihren Freunden besonders das zu vermitteln und vergessen sie unser Angebot nicht, diejenigen mitsamt Fracht nach Hause schaffen zu lassen, die uns nicht begleiten wollen.«

»Ich werde dafür sorgen, daß sie alle Einzelheiten und Aspekte verstehen. Warum kommen Sie nicht mit, wenn Ihnen die Sache so am Herzen liegt? Sagen Sie es ihnen selbst.«

Sie schüttelte den Kopf. »Ich kann nicht gut mit anderen umgehen, und ich kann die Sprache nicht. Keiner von uns übrigens. In dieser Hinsicht sind unsere Translatoren elektronische Krücken. Etwas persönlich und direkt zu sagen, ist unendlich wirkungsvoller, als durch ein Gerät zu sprechen. Außerdem sind es Ihre Freunde. Es wird weit besser klingen, wenn es von Ihnen kommt. Wenn Sie sich bereiterklären, uns zu helfen, werde ich sie vielleicht auch als Freunde ansehen können.« Von den Wissenschaftlern kam zustimmendes Gemurmel.

»Wir werden sehen«, sagte Ethan, »aber ich kann nichts versprechen. Und sie von der Dringlichkeit überzeugen – das wird hart.«

»Das werde ich übernehmen«, erklärte Williams leise, aber selbstsicher. »Du klopfst sie weich, Ethan, und ich werde die Beweisführung zu Ende führen.«

Ethan sah zweifelnd drein. »Hunnar Rotbart und Kapitän Ta-hoding müssen mehr als nur weichgeklopft werden, wenn Sie davon überzeugt werden sollen, daß die Zeit der Heimkehr noch nicht gekommen ist.«

»Wir waren sehr lange nicht zu Hause.«

Als Hunnar seine kleine Rede beendet hatte, spiegelten sich seine Empfindungen bei den anderen anwesenden Tran wider. Dazu gehörten Balavere Langaxt, oberster Krieger der *Slanderscree*; Ta-hoding, ihr Kapitän; Elfa Kurdagh-Vlata, Tochter des Landgrafen von Sofold, und die zwei Junker Hunnars. Milliken Williams und Ethan sprachen für den Stab der meteorologischen Abteilung, während ein mürrischer Skua September im

Hintergrund finster vor sich hinstarrte. Ethan hatte ihn gebeten, dabeizusein und da der Start des Shuttles auf den frühen Morgen verschoben worden war, konnte er nicht gut ablehnen. Aber es gefiel ihm nicht.

Die Menschen benötigten Überlebensanzüge für dieses ausgedehnte Gespräch, doch für die Tran war die einige Grad unter Null liegende Temperatur im Übergangsraum eindeutig tropisch.

Als Hunnar sich setzte, beugte Ta-hoding sich über den Plastiktisch. »Wohin wünschen diese Gelehrten gebracht zu werden, Freund Ethan?«

Williams rollte die Karte auf, die Cheela Hwang und ihre Kollegen vorbereitet hatten. Die Infrarotaufnahmen des Beobachtungssatelliten waren übertragen worden. Er fragte sich, wie die Tran darauf reagieren würden, hatten sie doch ihre Welt noch nie aus der Vogelperspektive gesehen. Sie navigierten nach Windrichtung und Sternen, Landschaftsmerkmalen und Tradition. Wenn jemand zu dem notwendigen geistigen Sprung imstande war, dann die in diesem Raum Anwesenden. Das Konzept von Karten war ihnen nicht unbekannt, aber Luftaufnahmen waren wieder etwas ganz anderes.

Tran maßen Entfernungen in *Satch* genannten Einheiten, und der Kartograph des Außenpostens hatte auf seine Anweisung hin alle Maßnahmen auf der einfachen Karte in diesen vertrauten Zahlen machen lassen. Es half.

Elfa musterte die Karte unsicher. »Niemand ist bisher so weit nach Südosten vorgedrungen. Diese Gegend ist uns unbekannt.«

Ethan fand, daß sie in ihrer Pelz- und Lederkleidung wundervoll aussah. Exotisch, sehr weiblich auf eine katzenhafte Weise, und völlig fremdartig. Du anthropomorphisierst schon wieder, mahnte er sich.

»Bis ihr die Reise mit der *Slanderscree* gemacht hattet, war auch noch niemand aus Sofold soweit östlich gewesen.« Er fuhr mit dem Finger auf der Karte eine Route ab. »Wir wenden uns südlich nach Poyolavomaar. Soweit ist es vertrautes Territorium, und wir können die Schiffsvorräte dort, falls nötig, ergänzen. Von dort schwenken wir südöstlich ab, bis wir irgendwo in diesem Bereich die äquatoriale Eisbarriere – den Gebogenen Ozean, wie ihr sie nennt – überquert haben. Dann geht es direkt bis zum Südkontinent. Der Kontinentalsockel verläuft an diesem Punkt fast genau von Osten nach Westen, und wir werden den Westwind genau hinter uns haben. Ich bezweifle, daß wir auf etwas stoßen, dem wir nicht schon begegnet sind.«

»Das ist ein Versprechen, das sich schon oft als falsch erwiesen hat«, witzelte Budjir.

Ethan rollte die Karte wieder ein. Die Druckerei der Forschungsabteilung würde bis zur Abreise des Eisseglers mehrere Kopien angefertigt und laminiert haben.

»Es ist ja nicht so, daß Hwang und ihre Leute euch bitten, sie zum Südpol zu segeln. Sie werden die Reise zu einer lohnenden Angelegenheit für euch machen. Jedes Mitglied der Besatzung wird Anteil an den Profiten haben, die bei eurer Rückkehr nach Sofold erzielt werden.«

»Was ist mit denen, die wir zurückgelassen haben, und die sehnsüchtig auf eine Nachricht über die Rückkehr der lange Vermißten warten?« wollte Balavere Langaxt wissen. Sein Pelz zeigte silbrige Tupfen, und sein Bart war grau anstatt rötlich.

»Die Wissenschaftler haben vor, das beste verfügbare Schiff zu heuern, das einen Teil der *Slanderscree*-Besatzung zurück nach Wannome bringen soll. Sie können im Namen aller berichten.«

»Kein anderes Händlerschiff hat je so eine Reise unternommen. Bis wir hierher kamen, wußten die Bürger Sofolds nichts von Asurdun und dessen Bewohner nichts von uns«, wandte Ta-hoding ein.

»Genau. Jetzt, da die Route bekannt ist und die Reise

einmal durchgeführt wurde, sollten andere Tran bereitwilliger sein, es auch zu versuchen. Die Besitzer des Schiffes, das wir heuern, werden gut bezahlt werden.«

»Wir hatten auch den Wind immer hinter uns.«

Die Rückreise wird länger dauern und ungefährlicher sein, da die Hindernisse nun bekannt sind. Diejenigen, die heimfahren, werden das in aller Bequemlichkeit tun. Andere werden die Segel reffen und das Essen kochen. Wenn sie gemeinsam in die große Halle Wannomes schreiten, um von ihren Abenteuern zu berichten wird man sie ehren. Und noch größere Ehre wird denjenigen zuteil werden, die schließlich mit einer *Slanderscree* zurückkehren, deren Laderaum bis zum Rand voll Metall ist.

Ich habe mit der Metallurgin gesprochen, die für den Schmelzer verantwortlich ist. Sie wird euch gern alle Wünsche nach Speerspitzen, Nägeln, kleinen Werkzeugen und Röhren erfüllen. Was immer ihr wünscht. Die Menschen, die eure Dienste in Anspruch nehmen möchten, werden für alles aufkommen. Mit dieser einen Ladung wird Wannome gegenüber den benachbarten Stadtstaaten einen gewaltigen Vorsprung an Reichtum und Prestige haben. Das wird es leichter machen, die neue Union zu fördern. Wenn die Bewohner von Ayhas und Meckleven die Vorteile sehen, die aus einer Mitgliedschaft gewonnen werden können, werden sie es eilig haben, mitzumachen.«

»Du führst uns in Versuchung, Freund Ethan«, sagte Balavere. »Wahrhaftig, das tust du. Wäre da nicht die Notwendigkeit, die Unseren und den Landgrafen darüber zu informieren, daß wir immer noch über die Meere unserer Welt chivanieren, wäre ich geneigt, selbst bei euch zu bleiben. Eine solche Ladung, wie du sie beschreibst, hat sich nie jemand auch nur vorstellen können. Ich wäre gerne derjenige, der sie vorführt.«

»Wie Freund Ethan sagt, ist es nicht so, als würde man uns bitten, den Globus zu umsegeln.« Suaxus-dal-Jagger hatte offenkundig keine Zweifel, wie sie sich entscheiden sollten. »Was seine Freunde vorschlagen, ist eine Reise, die nicht länger dauert als diejenige, die wir von hier nach Moulokin unternommen haben. Diese Länder waren uns auch unbekannt, bis wir sie besucht haben. Indem wir die Reise unternahmen, haben wir Wissen und Verbündete gewonnen. Warum sollte sich diese nicht als ähnlich vorteilhaft erweisen?« Das Grinsen des Junkers enthüllte rasiermesserscharfe Fangzähne.

»Und wenn sich auf dem Weg ein, zwei Kämpfe ergeben, nun, das würde uns vor Langeweile bewahren. Das ist der einzige Ort, den zu besuchen ich mich fürchte.«

»Ich würde meinen, daß du genug Abenteuer erlebt hast, um dich für den Rest deines Lebens vor Langeweile zu bewahren.«

Elfas Blick wanderte von dem übermütig enthusiastischen Junker zu Ethan. »Wie dem auch sei, unsere gelehrten Freunde bieten eine ungeheure Summe für eine kleine Beförderung. Solange es auch her sein mag, daß ich meinen Vater gesehen habe, weiß ich doch, was er uns raten würde.«

Hunnar hatte eingehend seine rechte Tatze betrachtet, die Krallen ein- und ausgefahren. Jetzt blickte er zu Skua hoch, der an der Tür lehnte, die zum Außenposten führte.

»Was meinst du, Freund Skua? Sollten wir diesen Vorschlag annehmen?«

»Ja, was meinst *du?* « fragte Balavere.

September ließ seinen Blick über Tran und Menschen wandern. »Ich meine, daß ihr alle miteinander Narren seid. Einige sind pelzige Narren und andere weichhäutige, aber ihr habt warmes Blut und Idiotie gemein. Ich meine, daß Ethan ein Narr ist, weil er sich auf einer weiteren Reise in unbekannte Regionen den Gefahren eurer Welt aussetzt. Ich meine, daß ihr andere Narren

seid, weil ihr nicht sofort und jetzt nach Hause zurückkehrt.«

»Wir wissen, was wir zu erwarten haben, Skua«,
sagte Williams und rückte seine Brille zurecht. »Es wäre
entmutigend, würden wir auf einer solchen Expedition
nicht ein oder zwei neuen Dingen begegnen.«

»Neue Dinge machen mir keine Sorgen. Überraschungen machen mir keine Sorgen. Was mir Sorgen
macht, Milliken, ist, daß man nicht dauernd auf sein
Glück vertrauen kann; früher oder später holt einen die
Statistik ein. Die Chancen stehen bereits gegen uns. Ich
selbst habe mich den Großteil meines Lebens auf Zehenspitzen am Rand der Katastrophe entlanggeschli-
chen. Daß ich bis jetzt nicht hinuntergefallen bin, heißt
nicht, daß ich anfange zu tanzen. Ich glaube, ihr solltet
nicht gehen.«

Williams drehte sich zu den aufmerksamen Tran um.
»Es wird zweifellos Gefahren geben, denen man sich
stellen muß. Dies ist eure Welt. Ich glaube Cheela
Hwang und ihren Kollegen, wenn sie sagen, daß sie in
Gefahr sein könnten. Eine Gefahr, die über Ozeane und
Kontinente greifen kann. Wir suchen nach einer Erklä-
rung, weil Ereignisse, die nicht erklärt werden können,
dazu neigen, sich unerwartet und auf unangenehme
Weise zurückzumelden. Wir *müssen* herausfinden, was
mit dem Wetter am Rand des Südkontinents los ist.«

»Welche Bedrohung könnte das für uns im fernen Sofold darstellen?« wollte Budjir wissen.

Williams kämpfte um die richtigen Worte, um sie zu
überzeugen: »Mir ist bewußt, daß ihr immer noch versucht, das Konzept einer Welt als geschlossener Einheit,
als einer einzigen, zusammengehörigen Heimat zu be-
greifen. Wir Menschen haben – zu unserem Nachteil –
viel länger dazu gebraucht. Eine Welt ist wie ein lebender Organismus. Was auf der einen Seite des Globus
passiert, kann Auswirkungen auf uns hier in Asurdun
haben. Denkt sie euch als ein lebendiges Wesen. Wenn

irgendein Teil infiziert und nicht rechtzeitig behandelt wird, kann sich die Infektion ausbreiten und den ganzen Körper töten. Wir müssen herausfinden, ob es sich um so eine Infektion handelt.«

»Der Gelehrte spricht wahr. Ich stimme mit ihm überein«, erklärte Balavere.

Hunnar und Elfa tauschten einen Blick. Sie nickte unmerklich. Doch das letzte Wort lag nicht bei ihnen. Nicht hier, in dieser Sache. Dies war keine Staatsangelegenheit. Hunnar sah den Kapitän der *Slanderscree* an.

»Was ist mit dem Schiff? Welche Reparaturen wären nötig, bevor es eine solche Reise unternehmen könnte?«

»Keine, Sir Hunnar. Das Schiff ist völlig intakt. Wenn ich auch persönlich gern nach Hause möchte, macht mir der Gedanke an eine weitere lange Reise doch keine Angst. Unser Segler ist stabil. Er könnte eine Reinigung vertragen, aber welches Schiff könnte das nicht?

Der Gedanke, ohne volle Besatzung so weit nach Süden zu reisen, begeistert mich nicht gerade, aber es ist durchführbar. Kein Grund, warum dreißig nicht gut mit ihr zurecht kommen sollten, besonders, wenn wir uns Zeit lassen und früh vor Anker gehen.«

»Wir selbst würden gern so schnell wie möglich zu diesem Ort gelangen«, merkte Williams dazu an, »aber unsere tatsächliche Geschwindigkeit hängt natürlich von euch ab. Was immer das Klima beeinflußt, wird sich nicht innerhalb von ein, zwei Tagen radikal in die eine oder andere Richtung ändern.«

Ta-hoding sah zufrieden aus. »Solange wir nicht getrieben werden, sehe ich keinen Grund, warum wir nicht die Hälfte der Vollbesatzung oder mehr nach Hause schicken können, um die zu erfreuen, die wir zurückgelassen haben. Wir kennen ihn inzwischen gut, unseren Eisklipper, und diejenigen, die zustimmen, ihn auf dieser Reise zu bemannen, werden Freiwillige sein. Wenn diesen ein größerer Anteil an der versprochenen

Fracht zugesagt wird, sehe ich keine Schwierigkeiten, bereitwillige Matrosen zu bekommen.«

»Der Kapitänsanteil wäre natürlich entsprechend größer«, kommentierte September aus seiner Ecke.

Ta-hoding hüstelte und schien leicht verlegen. »Das wäre nicht unnatürlich. Das ist Tradition bei derartigen Vergütungen.«

»Es wird bestimmt genug für alle geben.« Hunnar drohte Williams scherzhaft mit seiner massigen Pranke. »Dies wird der letzte Ort sein, wo die *Slanderscree* Halt macht, bevor wir im heimatlichen Hafen Wannomes andocken. Absolut der letzte! Die Klagen meiner Familie klingen mir laut in den Ohren.«

Williams nickte zustimmend. »Das verspreche ich. Nach diesem Unternehmen könnt ihr alle nach Hause – reicher sowohl als auch klüger.«

»Dann ist es abgemacht«, sagte Elfa. Sie blickte zu Ethan hoch. »Doch dies muß ich euch beiden sagen: Wir tun das weder für das Vermögen, das eure Metallhexerin uns versprochen hat, noch aus Freundschaft, die ihre Grenzen hat. Wir tun es, weil Milliken Williams uns darum bittet. Weil wir bei ihm in einer Schuld stehen, die noch nicht abgetragen ist.«

»Fürwahr!« deklamierte Balavere Langaxt laut.

Ethan wußte, was sie meinten. Hätte der Lehrer nicht sein Wissen über bestimmte altertümliche Praktiken und Methoden eingesetzt, wäre sowohl die Schlacht um Wannome als auch die um Moulokin verloren gewesen. Elfa, Hunnar und die anderen Tran schuldeten Williams nicht nur ihre Unabhängigkeit sondern auch ihr Leben.

»Ja, nun.« Der Lehrer senkte Blick und Stimme und versuchte im Boden zu versinken. »Jeder andere in meiner Lage hätte dasselbe getan. Ich war nur zufällig zur rechten Zeit am rechten Ort.«

»Jeden anderen kenne ich nicht«, sagte Hunnar. »Milliken Williams kenne ich. Du übertreibst deine Bescheidenheit. Jedenfalls zahlen wir hiermit unsere Schuld an dich zurück. Wir Tran mögen es nicht, wenn irgendwo alte Verpflichtungen herumliegen, wo in der Nacht das Gewissen über sie stolpern kann.«

»Dann sind wir uns alle einig.« Ethan schob seinen Sessel zurück. »Milliken, warum überbringst du nicht Hwang, Blanchard und den anderen die gute Nachricht? Sie haben sich inzwischen bestimmt die Nägel bis auf die Knochen abgekaut.«

»Mit dem größten Vergnügen. Sie werden sich etwa eine Minute lang freuen. Dann werden sie sich an die Arbeit machen und Vorbereitungen für die Abreise treffen.«

»Ja, Vorbereitungen«, sagte Ta-hoding. Er rieb sich zwar nicht richtig die Tatzen, aber es kam dem nahe. »Und während die Verproviantierung läuft, kann ich mich mit eurer Metallhexerin treffen, um zu besprechen, was wir als Ladung für den Rückweg nach Sofold haben möchten. Auf diese Weise kann alles fertig sein und darauf warten, daß wir zurückkehren.«

Elfa lächelte. »Es wird gut sein, mit mehr heimzukehren als bloßen Geschichten.«

Laserhell schnitt die im Osten aufsteigende Sonne die Silhouetten der Felsen und Klippen Asurduns aus dem Himmel. Eispartikel bombardierten die dicke Glasversiegelung des Beobachtungsdecks, das auf die Startbahn des Shuttles hinausging.

Ethan sah das Shuttle aus seinem unterirdischen Hangar aufsteigen, wie ein Untoter aus dem Grab. Es ruhte auf breiten, blauen Eiskufen, die Auslaßöffnungen der Raketen und Düsenturbinen verunzierten das Heck der ansonsten eleganten, von Deltaflügeln beherrschten Form. Es würde auf der glatten Startbahn rasch beschleunigen, sich auf Düsen in die oberen Atmosphäreschichten erheben, wo Straustrahltriebwerke den Antrieb übernehmen und es weiter beschleunigen würden. Jenseits der Hülle frostiger Luft, die Tranky-ky umgab, würden dann die Raketen einsetzen und es in den Orbit tragen, wo das Mutterschiff darauf wartete, das Shuttle aufzunehmen. Nachdem Passagiere und Ladung untergebracht waren, würde der KK-Antrieb aktiviert werden und das interstellare Fahrzeug aus dem System Tran-ky-kys ziehen und in jene seltsame, als Plus-Raum bekannte Region befördern, in der überlichtschnelles Reisen möglich war.

Das Heck des Shuttles erwachte leuchtend zum Leben. Das donnernde Röhren der Triebwerke wurde von dem dicken Glas gedämpft. Das Schiff begann sich zu bewegen. Langsam zuerst, dann immer schneller werdend, grub sein hohes Gewicht die Kufen durch das Eis auf das darunterliegende massive Felsgestein. Hinter ihm wandten sich die Angehörigen der Außenpostenbesatzung ab. Der sich monatlich wiederholende Start des Shuttles war nicht aufregend genug, um ihre Aufmerksamkeit länger zu fesseln. Sie plauderten unbeschwert und entspannt, die Gedanken schon wieder bei den tagtäglichen Aufgaben. Ethans Gedanken galten dem außergewöhnlichen Gentleman an Bord des Shuttles, der über ein Jahr lang sein Begleiter und Freund gewesen war, während sie gemeinsam auf dieser gefrorenen Welt ums Überleben gekämpft hatten.

Auf einer Säule überhitzter Luft nach oben getragen, hob das Shuttle vom Ende der Startbahn ab. Ethan folgte ihm mit dem Blick, bis es wie ein verlorenes Blatt im eisig blauen Himmel verschwand. Er starrte in die Weite, bis sich das ferne Donnern des Antriebs verloren hatte. Dann wandte er sich ab.

Es gab eine Menge zu tun. Die Einrichtung einer kompletten Handelsstation würde eine enorme Menge an Papierkrieg erfordern, ganz gleich, wie freundlich die neue Planetarische Kommissarin war. Wenn er sofort damit begann, konnte er vielleicht die Oberfläche ankratzen, bevor die *Slanderscree* zum Südkontinent aufbrach. Dann mußten spezielle Computerprogramme bestellt, Akten angelegt und Personal angefordert werden. Falls er Glück hatte und alles, was er brauchte, verfügbar war, würde er sich vielleicht in drei oder vier Monaten entspannen können. Und falls er zumindest einige Programme zum Laufen bringen konnte, würde es für Malaikas Untergebene aussehen, als machte er seine Arbeit.

Es würde eine einsame Arbeit werden. Verwaltung und Beaufsichtigung verlangten, daß er vor allem las und keine Hände oder andere Greifwerkzeuge schüttelte. Auch das unterhaltendste Computerprogramm war ein schlechter Ersatz für ein wenig Kameradschaft.

So in Gedanken und Pläne versunken war er, daß er fast in die große Gestalt hineingelaufen wäre, die sich am anderen Ende des Gangs postiert hatte. Sie lehnte am Türrahmen, hatte die Arme gekreuzt und machte ein wütendes Gesicht. Ethan fiel die Kinnlade hinunter.

Er fuhr herum und blickte durchs Beobachtungsfenster. Nein, das Shuttle war nicht zurückgekehrt, noch hatte er sich dessen Abflug eingebildet. Genausowenig wie er sich die massige, vertraute Gestalt einbildete, die den Durchgang versperrte.

Es war nur gut, daß September als erster sprach, denn Ethan fehlten die Worte.

»Das ist alles deine Schuld, Jungchen.«

Diese Anschuldigung verlangte eine Antwort. »Meine Schuld? Was meinst du damit, meine Schuld? Was ist meine Schuld?« Ethan wies hilflos zurück zum Fenster. Draußen war die Bodenmannschaft in kleinen Fahrzeugen bereits dabei, die Start- und Landebahn für die Ankunft des Shuttles vorzubereiten, das in einem Monat landen würde.

»Warum bist du nicht im Shuttle?«

»Ich bin nicht im Shuttle, weil ich hier bin. Kann nicht an zwei Orten gleichzeitig sein, oder?«

»Ich weiß nicht, wovon du sprichst, Skua.«

»Wirklich? Ich dachte, ich hätte mich klar ausgedrückt. Wir sprechen darüber, daß meine Anwesenheit hier deine Schuld ist. Das ist doch nicht allzu schwer zu verstehen, oder?« Er entfaltete seine übergroßen Gliedmaßen und stellte sich aufrecht hin. »Das kommt von deinem verwünschten archaischen Verantwortungsbewußtsein. Deiner unschuldsvollen Naivität und deiner ekelhaft einschmeichlerischen Persönlichkeit. Gottverdammt, wenn ich jetzt 'ne Kanone ziehen und dir deinen dämlichen, grinsenden Schädel wegpusten würde – deine letzten Worte wären eine Entschuldigung für die Kosten des Stromstoßes. Wie kommst du dazu, mir ein schlechtes Gewissen einzureden, du und dieser gelehrsame Miniatursteinbruch obskurer Trivialitäten und diese tigerzähnigen Pelzbälle, die sich anmaßen, zivilisiert zu sein?«

»Niemand kann einem anderen ein derartig schlechtes Gewissen einreden, Skua. Das hast du ganz allein geschafft.«

»Ach, das ist aber ein markiger Kommentar, ja wirklich. Hier war ich, fix und fertig zur Abreise, und dann muß dieser Zwergknülch Williams kommen und uns zu diesem dämlichen Treffen schleifen. Gefährliche meteorologische Anomalie, am Arsch! Und nun sitz' ich immer noch auf diesem lausigen Klumpen Schnee fest, weil irgend jemand in einer Tausende von Kilometern entfernten Nebelbank eine Anomalie sieht!«

Ethan wußte, daß es im Augenblick unangebracht war zu lächeln, aber er kam nicht dagegen an. Es war klar, daß Skua nicht gegen seinen Freund wütete, sondern gegen sich selbst.

»Skua, es ist nicht die schlimmste Sache der Welt, jemand anderem gegenüber einzugestehen, daß man ein anständiger Mensch ist.«

»Aber genau das ist es doch, Jungchen. Ich bin *kein* anständiger Mensch. Ich bin nie ein anständiger Mensch gewesen. Ich könnte dir Beweise liefern.«

Ethan versuchte, den Hünen zu beruhigen. »Du bist nur durcheinander, das ist alles.«

»Durcheinander, ha! Ich bin wütend, und ich bin frustriert, weil ich nicht weiß, was ich hier eigentlich mache.« Er wies heftig mit dem Daumen zur Decke. »Während ich doch dort oben sein sollte, warm, entspannt und auf der Reise.«

»Was immer du hier tust, du wirst es mindestens noch einen Monat lang tun, bis das nächste Shuttle eintrifft. Was ist mit deiner Archäologen-Freundin?«

»Was? Ach so, Isili. Isili Hasboga.« Er hob die Schultern. »Ich bin seit zwei Jahren überfällig. Ich schätze, sie wird nicht gerade einen Wutanfall bekommen, wenn ich nächste Woche nicht auftauche. Tatsächlich habe ich sogar das Gefühl, daß sie überhaupt keinen Gedanken daran verschwendet. Je nun, das gehört nicht hierher.« Er drehte sich um und marschierte mit Riesenschritten los.

»Und vor einem warne ich dich jetzt schon, Ethan, und du kannst es ruhig weitergeben. Wenn wir draußen auf dem Eis sind, soll mir keiner von diesen scheinheiligen triefnasigen Wissenschaftlern dafür danken, daß ich mitgekommen bin, wenn er nicht auf seinem Hintern bis nach Asurdun zurückschlittern will.«

»Dann kommst du also mit uns?«

»Nein«, blaffte September. »Ich habe das Shuttle nämlich absichtlich verpaßt, damit ich mich hierherhokken und die Roboter anstarren kann. Natürlich komme ich mit!«

Ethan unterdrückte mannhaft ein breites Grinsen. »Das wird nett. Bei der Hochachtung, die Hunnar, Elfa und die anderen Tran für dich empfinden, wird schon allein deine Anwesenheit ihre Stimmung ganz gewaltig heben.«

»Ein weiterer Beweis dafür, wie primitiv sie sind, und wie weit sie sich noch entwickeln müssen«, brummelte September. »Einen Narren, wie mich zu achten. Ich bin ein Narr, weißt du. Ich habe es gerade wieder mal bewiesen.«

»Hör schon auf zu meckern! Und du hast mich auch immer noch nicht davon überzeugt, daß ich in irgendeiner Weise für deine weitere Anwesenheit hier verantwortlich bin.«

»Ist das nicht offensichtlich, Jungchen? Wie konnte ich mit einem reinen Gewissen abreisen, wissend, daß du fest entschlossen warst loszumarschieren und dich umbringen zu lassen? Das würdest du nämlich fertigbringen, wenn ich nicht in der Nähe bin, um auf dich aufzupassen. Ohne den alten Skua hättest du im letzten Jahr ein Dutzendmal den Löffel abgegeben.«

Das war nur zu wahr, wie Ethan wußte. Es war aber auch wahr, daß er den Gefallen erwidert hatte, indem er September mindestens genauso oft gerettet hatte, wie dieser ihn. Doch er unterließ es, darauf hinzuweisen. Er war viel zu froh, seinen Freund bei der bevorstehenden Reise nun doch dabei zu haben, um ihn mit Logik zu belästigen.

»Was bringt dich zu der Meinung, ich würde mich in eine Lage begeben, in der ich getötet werde? Du hast Hwang und die anderen gehört. Eine kleine, umstandslose Exkursion, um ein bißchen das Wetter zu überprüfen, das ist alles. Keine Barbarenhorden, die bekämpft werden müssen. Keine exotischen Städte mit unbekannten Absichten und Anschauungen, die für die Sache der Union gewonnen werden müssen. Warum sollten wir irgendwelchen Ärger haben?«

»Weil da immer noch diese Welt selbst ist: Tran-ky-ky. Wir wissen immer noch verdammt wenig über sie, nachdem wir ein Jahr lang über ihr Eis gesegelt sind. Nein, du würdest dich bestimmt umbringen lassen, wenn ich nicht da bin, um dich vom Rand des Abgrunds wegzureißen, Jungchen. Du bist viel zu nett, zu mitfühlend und viel zu verständnisvoll für dieses Geschäft. Ich weiß es, ich bin nicht so. Deshalb lebe ich immer noch, obwohl ich in jedem der vergangenen vierzig Jahre eigentlich zehnmal hätte sterben müssen.

Und wenn du darauf bestehst, Selbstmord zu begehen, trotz allem, was ich tun kann, werde ich wenigstens in der Nähe sein, um dafür zu sorgen, daß du ein ordentliches Begräbnis bekommst, oder eine Verbrennung, oder welcher Art von endgültiger Verabschiedung sonst deine Seele kitzelt.«

»Deine Sorge um mein Wohlergehen rührt mich, Skua.«

»Ja, schon gut.« Der Hüne sah sich im Korridor um. »Erwähne es nur niemand anderem gegenüber, ja? Würde mir in bestimmten Kreisen einen schlechten Ruf einbringen. Machen wir, daß wir hier rauskommen, besorgen wir uns was zu essen!« Er marschierte in den Gang, der zum Zentralabschnitt des Außenpostens führte. Ethan mußte sich beeilen, um mit ihm Schritt zu halten.

»Was soll ich sagen, wenn jemand fragt, warum du geblieben bist?«

»Sag ihnen, ich hätte verschlafen«, erwiderte September gereizt.

Erst später kam Ethan darauf, sich zu fragen, ob sein Freund einen anderen Grund gehabt haben mochte, die *Spindizzy* zu verpassen. Wie September bei mehr als einer Gelegenheit zugegeben hatte, war er ein Mann mit einer bewegten und nicht sonderlich angenehmen Vergangenheit. Irgend etwas mochte ihn überzeugt haben, daß es in seinem Interesse war, noch einen Monat oder mehr auf der isolierten Welt zu bleiben. Vielleicht war jemand auf dem KK-Schiff, dem oder der er nicht begegnen wollte. Vielleicht wollte er gerade nicht dorthin, wohin das Schiff flog. Vielleicht, vielleicht ...

Zu viele Vielleichts für ein Hirn, das bereits übervoll war mit Plänen für die neue Handelsstation und die bevorstehende Expedition. Ethan wußte jedenfalls eins: War September durch seine eigene Unfähigkeit, Tranky-ky zu verlassen, tatsächlich frustriert – diese gefrorene Welt würde dem Hünen vielfältige Möglichkeiten bieten, sein Unbehagen abzureagieren.

4

VERPROVIANTIERUNG UND VORBEREITUNG der *Slanderscree* machten dank des unbegrenzten Kredits der wissenschaftlichen Körperschaft rasche Fortschritte. Innerhalb weniger Tage war der Eisklipper bis zum Bersten voll mit Vorräten. Nur Hunnars Verlegenheit machte schließlich Ta-hodings unablässigen Forderungen nach noch mehr Nahrung, noch mehr Takelzeug und Segeltuch ein Ende. Wenn sie nicht bald abreisten, würde der schlaue und einnehmende Kapitän das Schiff so weit überversorgen, daß kein Platz mehr für die Besatzung übrig blieb. Als sie reisefertig waren, platzte die *Slanderscree* gleichsam aus den Nähten.

Die Tran, die freiwillig als Besatzung auf dem Schiff geblieben waren, sagten ihren Kameraden und Vettern Lebewohl, welche ein gemietetes Handelsschiff nach Sofold bringen würde. Ethan und Skua hatten unter der Besatzung viele Freunde gewonnen, und neben den traditionellen Abschiedsgesten der Tran war viel Händeschütteln und Rückenklopfen abzuleisten.

Cheela Hwang, Blanchard und die vier anderen für die Expedition ausgewählten Wissenschaftler waren eifrig dabei, ihre Gerätschaften zu überprüfen. Neben Hwang und dem Geophysiker gab es einen weiteren Meteorologen, einen Glaziologen, eine Geologin und einen Xenologen. Der letztere, Moware, konnte bei der Ermittlung der Ursache für die klimatische Anomalie keine Hilfe sein; er kam mit, weil die Chance einer langen Reise, die vom bereits übererforschten Asurdun wegführte, zu wertvoll war, um sie ungenutzt zu lassen. Er hatte bereits seine Absicht zum Ausdruck gebracht, jeden Tran, der ihnen während der Reise begegnete, zu fotografieren und persönlich zu untersuchen.

»Studieren Sie sie nur nicht zu nahe«, riet September ihm. »Bei den Tran weiß man nie. Sie können in einem Augenblick auf das Freundlichste mit einem plaudern und dir im nächsten ein Messer durch die Kehle ziehen. Da gibt's welche, die würden ohne mit der Wimper zu zucken Ihren Bauch aufschlitzen, nur um an das Metall Ihres Gürtels zu kommen.«

Ethan hatte mitgehört, schlenderte hinüber und stellte sich neben seinen Freund. »Na hör mal, Skua, du weißt doch, daß das nicht wahr ist.«

»Ach ja? Sind wir schon Experten für Tran? Nur daß wir ein paar Monate unter ihnen verbracht haben, heißt noch nicht, daß wir sie wirklich kennen. Wir kennen ihre Sprache, die Gewohnheiten und die Kultur einiger weniger und das Verhalten von ein paar mehr, aber wir *kennen* sie nicht. Trotz all ihrer Hallos und Wie-geht-es-dirs sind sie immer noch ein fremdes Volk. Sie sind nicht menschlich. Sie sind nicht einmal anthropoid.« Er drehte sich um und entfernte sich mit großen Schritten.

Moware war das älteste Mitglied des Wissenschaftler-teams. Er hatte das Visier seines Überlebensanzugs hochgeklappt, wie es alle Menschen taten, und er sah interessiert zu, wie September sich zurückzog. »Ich kenne Ihren großen Freund nicht besonders gut, aber ich glaube, er trägt, wo immer er auch hingeht, eine er-hebliche seelische Last mit sich herum. Er scherzt zwar mit Worten, aber nicht mit den Augen.« Er sah Ethan an. »Sie allerdings sind gute Freunde.«

»Sehr gute, glaube ich.« Ethan sah sich nach Septem-ber um, doch der Hüne war bereits verschwunden. »Er hat aber recht. Wir kennen die Tran nicht wirklich.«

Und ich kenne dich nicht wirklich, Skua September, nicht wahr?

Er schlenderte zu Hunnar und Elfa hinüber, die sich endgültig von den zurückbleibenden Besatzungsmit-gliedern verabschiedeten.

»Wir werden uns bald in Wannome wiedersehen und am großen Feuer in der Halle der Landgrafen feiern.« Hunnar schlug dem alten Krieger auf beide Schultern, und Balavere Langaxt erwiderte die Geste. Dann wurde er von Elfa umarmt.

»Mögen die guten Geister mit dir sein, Prinzessin, und dich sicher zu uns zurückgeleiten. Dein Vater wird enttäuscht sein, dich nicht unter uns zu finden.«

»Mein Vater wird murren und brummen und dann wieder an seine Arbeit gehen«, erwiderte sie mit einem Lächeln. »Du wirst ihm immer noch Geschichten erzählen, wenn wir endlich in Wannomes Hafen vor Anker gehen, denn wir werden zurück sein, bevor deine Stimme und Phantasie erschöpft sind.«

Dann war Ethan an der Reihe. Als die Zeremonien abgeschlossen waren, suchte Langaxt die geschäftige Menge hinter ihnen ab. »Wird der große September nicht kommen, um uns Lebwohl zu sagen?«

»Er schmollt«, informierte ihn Ethan. »Macht eine große Schau daraus, wie sehr es ihn aufregt, daß er mit uns kommt.«

Langaxt nickte verständnisvoll. »September ist einem kleinen Fleischfresser sehr ähnlich, der *Toupek* genannt wird. Er ist einzelgängerisch, jagt allein, kommt mit anderen seiner Art nur zusammen, um sich zu begatten und brüllt wie Donner — aber er ist nur so groß.« Er hielt seine Pranken dreißig Zentimeter auseinander.

»Ich weiß nicht. Skua spricht davon, daß wir euch nicht kennen würden. Manchmal glaube ich, daß ich dich, Hunnar und Elfa besser kenne als ihn.«

»Er ist schon seltsam, dein hochgewachsener Freund«, stimmte ihm Langaxt ernst zu, »selbst für einen Menschen. Ich glaube, er segelt am liebsten gegen den Wind.«

»Warum sollte ihm das was ausmachen?«

Ethan brauchte einen Moment, um zu erkennen, daß er gerade einen Scherz gemacht hatte, den nur ein Tran verstehen konnte. Übersetzt hätte er jemandem wie Cheela Hwang nichts bedeutet. Er war wirklich schon sehr lange hier.

Langaxts Gruppe verließ das Eisschiff und stellte sich auf dem Steindock auf. Ein Stoß eisiger Luft schlug Ethan ins Gesicht, und er schloß das Visier seines Überlebensanzugs. Durch das polarisierte Glas beobachtete er, wie Langaxt und seine Begleiter sich feierlich verbeugten.

Ta-hoding nahm hinter dem Steuerrad des Seglers Aufstellung und schnauzte Kommandos. Der Wind, der Ethan dazu gebracht hatte, sein Visier zu schließen, störte den Kapitän nicht im mindesten. Tran enterte die Takelage und die verstellbaren Spieren. Aus Pika-pina gewebte Segel wurden losgemacht.

Eine beachtliche Menge hatte sich zur Abreise des Eisklippers eingefunden. Ein paar Menschen aus der Forschungsstation ließen ihre Videorecorder laufen und murmelten Kommentare in ihre Mikrophone. Ein dreimastiges Eisschiff, geformt wie eine Pfeilspitze, auf fünf mächtigen Kufen, deren Metall dem zerstörten Rettungsboot entstammte, das Ethan, Skua und Millikan Williams ursprünglich auf diese Welt gebracht hatte – die *Slanderscree* war ein Objekt des Staunens für jeden, der sie zu Gesicht bekam, mochten es Menschen oder Tran sein. Es gab nichts auf dieser Welt, das mit ihr vergleichbar war. Ihre Vorfahren, die Klipper, hatten einstmals Tee, Porzellan und Passagiere über die Ozeane der Erde befördert. Milliken Williams hatte ihre Konstruktion an die Erfordernisse Tran-ky-kys und seiner gefrorenen Meere angepaßt.

Den Wind mit der Virtuosität eines Flötisten nutzend, ließ Ta-hoding das mächtige Schiff rückwärts vom Dock ablegen. Die Menschen waren zu sehr mit ihren Aufgaben beschäftigt, um zu jubeln, während die Tran keinen Grund dazu hatten. Die feierlichen Abschiedsgrüße waren ausgetauscht; soweit es Balavere Langaxt und seine

Begleiter betraf, waren ihre Freunde und Schiffskameraden bereits außer Sicht.

Unter Ta-hodings Leitung schwenkte der Eisklipper sauber auf seiner fünften Kufe herum, dem Heckruder, mit dem das Schiff gesteuert wurde. Wind füllte die Segel, als die Spieren gerichtet wurden. Geschwindigkeit aufnehmend, eilte die *Slanderscree* den schmalen Fjord hinaus, der Brass Monkeys Hafen bildete.

Wieder auf dem Weg, sinnierte Ethan, als er das gefrorene Gelände vorübergleiten sah. Wieder hinaus und wieder nicht nach Hause.

Er hatte erwartet, daß Hwang und ihre Leute in ihren Kabinen bleiben würden – denn das Deck der *Slanderscree* unter vollen Segeln war nicht gerade ein Ort, um sich zu erholen. Doch er irrte sich. Nachdem sie mit ihren Unternehmungen solange auf eine einzige Insel beschränkt gewesen waren, entzückte es die Forscher geradezu, daß sie sich endlich auf der großen Eisfläche selbst befanden. Sie begannen mit einer unablässigen Reihe von Aktivitäten und Experimenten, bis zu dem Punkt, da ihre nächtlichen Messungen mit der normalen Bordroutine in Konflikt gerieten.

»Ich war fest eingeschlafen, Kapitän«, wandte sich Zweiter Maat Mousokka an Ta-hoding, während Ethan und Hunnar zusahen, »nachdem ich mich noch um das Auslegen der Anker für die Nacht gekümmert hatte, als ich plötzlich oben auf Deck das Geräusch vieler Füße höre. Zu viele für die Nachtwache und an der falschen Stelle. Also erhebe ich mich aus meiner warmen Hängematte und stehle mich aufs Deck, um zu erspähen, was vor sich geht. Ich denke, daß wir vielleicht angegriffen und der Nachtwache schon die Kehlen durchgeschnitten wurden.

Aber alles, was ich sehe, sind diese pelzlosen Wesen – nichts für ungut, Sir Ethan –, die auf dem Deck herumklettern und sonderbare Metallröhren montieren.

Sie starren hindurch, und ich schaue in dieselbe Richtung, aber alles, was zu sehen ist, ist das Eis.«

»Sie haben die phosphoreszierenden Algen studiert, die auf dem Eis wachsen«, erläuterte Ethan, der sich mit diesem speziellen Experiment vertraut gemacht hatte, unbehaglich. Der zweite Maat und der Kapitän blickten verdutzt drein, während Hunnar lediglich amüsiert war. »Eorvin«, informierte er sie mit dem entsprechenden Tran-Begriff.

Mousakka blinzelte verblüfft. »Sie haben sich Eorvin angesehen? Mitten in der Nacht? Im Dunklen, in der Kälte?« Ethan nickte, eine Geste, die bei Tran dasselbe bedeutete wie bei Menschen.

Der zweite Maat dachte nach, bevor er antwortete. »Ich werde den anderen sagen, daß sie sorgfältig auf unsere Freunde aufpassen müssen, damit sie in ihrem versunkenen Starren nicht über Bord oder aus den Seilen fallen.«

»Keine schlechte Idee, aber sie sind nicht so verrückt, wie du denkst.«

»Es sind Gelehrte.« Hunnar bekräftigte seinen Kommentar mit einem Grunzen. »Das ist fast dasselbe.« Ethan wußte, daß es in der Sprache der Tran keine direkte Entsprechung für Wissenschaftler gab, so daß sie beschlossen hatten, den am nächsten kommenden Begriff zu benutzen.

»Dazu kann ich nichts sagen«, meinte Mousokka. »Ich bin nur ein einfacher Matrose.«

»Sorge einfach nur dafür, daß sie euch nicht in die Quere kommen«, wies Hunnar ihn an. »Wir wollen nicht, daß sie die übliche Bordroutine stören *oder* sich selbst verletzen.« Er sah Ethan an, um sicherzugehen, daß das seine Zustimmung fand.

»Zeigt es nicht zu offen, und es geht in Ordnung. Ich bezweifle, ob sie überhaupt bemerken, daß jemand sie im Auge behält. Sie sind viel zu sehr mit ihrer Arbeit beschäftigt. Geistesabwesend. Ihr müßt verstehen, daß sie aufgrund von Commonwealth-Bestimmungen in Brass Monkey eingepfercht waren, seit die Station gegründet wurde. Jetzt, da es ihnen gestattet ist, mehr von eurer Welt zu sehen, wollen sie sich auch nicht das geringste entgehen lassen. Sie wollen alles erforschen.«

»Eorvin.« Mousokka ging vor sich hin murmelnd unter Deck.

Die Aktivitäten der menschlichen Gelehrten blieben für die Tran ein Geheimnis, doch immerhin waren die Matrosen und Soldaten soweit, daß sie nicht alles, was Hwang und ihre Leute taten, als Hexerei oder Magie ansahen. Es war viel einfacher zu erklären, daß die Gelehrten alle leicht verrückt waren.

So wie an jenem Morgen, als sich ein gieriger Schwarm fleischfressender Snigaraka vom Hunger getrieben auf das Schiff stürzte. Ein Ausguck erspähte sie und gab Alarm, als sie über dem Schiff kreisten und sich auf einen Angriff vorbereiteten. Als sie schließlich auf Deck herunterstießen, hatten die Unbewaffneten bereits unten Schutz gesucht, und die Soldaten warteten auf sie. Pfeile und Armbrustbolzen holten einen geflügelten Angreifer nach dem anderen aus dem Himmel.

Ein Snigaraka fiel dicht vor Ethans Füße. Er maß von Nase bis Schwanz zwei Meter, Stacheln säumten das offenstehende Maul, keine Zähne sondern die scharfen, gezackten Ränder der zwei Hornplatten, die die Kiefer bildeten. Wie jede erfolgreiche Lebensform Tran-ky-kys war das Tier von einem dichten, feinen Fell bedeckt. Anders als bei den Tran waren die Haare hohl, um bei einem Minimum an Gewicht ein Maximum an Wärmeisolation zu gewährleisten. Ihre Flügel waren kurz und breit, mehr wie die eines Falken als die eines Adlers. Die beiden Schwänze waren ihr charakteristisches Merkmal; sie standen senkrecht statt waagerecht ab.

Umgeben von schwirrenden Projektilen und zuschnappenden Klauen, saß Moware hoch oben in der Takelage, hielt die Schlacht mit seinem Recorder fest und ergänzte die Aufnahme, falls nötig, gelassen mit erläuternden Bemerkungen. Tran brüllten ihm zu, er solle herunterkommen. Er ignorierte sie, hörte sie vielleicht auch gar nicht. Zwei Snigaraka hätten ihn ohne weiteres von seinem Platz pflücken und wegtragen können, oder er hätte auf das Deck oder das Eis gestoßen werden können. Dieser möglichen Katastrophen schien er sich in seinem Entzücken nicht bewußt zu sein – ein freudiges Lächeln überzog sein Gesicht, als er den Angriff für die Nachwelt festhielt, von zukünftigen Studien ganz zu schweigen.

Später, als der Luftangriff zurückgeschlagen war, spielte der Xenologe seinen Mitwissenschaftlern die Aufnahme vor. Sie saßen dichtgedrängt um den Recorder, kommentierten, stellten Fragen und ignorierten völlig die offensichtliche Gefahr, in die Moware sich gebracht hatte. Das war für die gewonnenen Informationen nebensächlich. Als angreifende Snigaraka auf Moware herabstießen und die tödlichen Kiefer kurz den Aufnahmebereich füllten, bezogen sich die Kommentare einzig auf deren anatomische Struktur: Handelte es sich tatsächlich um Kiefer oder um eine Art Schnabel?

Das Murren und Nörgeln über die sonderbaren und störenden Aktivitäten der Gelehrten erreichte schließlich seinen Höhepunkt, als einer von ihnen den dritten Maat Kilpit bat, einen weiteren Schwarm der geflügelten Mörder aufzuspüren, damit sie ihre Dokumentation über die Angriffsmethode der Snigaraka vervollständigen konnten.

»Diese fremden Wesen zu einem unbekannten Land zu bringen, ist eine Sache«, sagte Kilpit zu Ta-hoding, »es ist aber etwas ganz anderes, uns absichtlich in Gefahr zu begeben, um ihre seltsamen und unverständlichen Wünsche zu erfüllen.«

»Ist dir während des Angriffs irgend jemand in den Weg gekommen?« fragte Elfa den Maat.

»Äh ... nein, Prinzessin.« Kilpit zog unbehaglich den Kopf ein.

»Wurde irgend jemand durch das, was die Menschen getan haben, verletzt?«

»Nein, natürlich nicht.«

»Dann gibt es nichts, worüber du dich zu beklagen hättest.«

Hunnar war verständnisvoller. »Einige von der Besatzung sind verwirrt. Das, was neu und anders ist, ist immer verwirrend. Ich werde mit den Gelehrten reden.«

Was er tat, war, Ethan über die Unruhe zu informieren, worauf der sich bereiterklärte, ein Schwätzchen mit Hwangs Gruppe zu halten.

»Sie müssen verstehen«, sagte sie, als er die Sorgen der Tran erläutert hatte, »daß es uns sehr schwerfällt, unsere Begeisterung zu zügeln. Nachdem wir Jahre an unsere Büros gefesselt waren, haben wir plötzlich eine ganze Welt vor uns, die wir erforschen können.« Sie gab sich reserviert, aber nicht hochmütig.

»Ich verstehe«, entgegnete Ethan, »und Hunnar versteht, und Elfa und vielleicht auch Ta-hoding, aber die gewöhnlichen Soldaten und Matrosen der Besatzung, die verstehen nicht. Und was sie nicht verstehen, verunsichert sie. Sie sehen zu, wie Sie Ihre Experimente durchführen und sich in unerklärlichen Aktivitäten ergehen, und sie beschwören allen möglichen abergläubischen Unsinn herauf.«

»Wir bleiben zu sehr unter uns. Sie, Milliken und September bewegen sich freier unter ihnen und zwar schon seit langer Zeit, so daß die Tran Sie und Ihre persönlichen Eigenarten akzeptieren.« Blanchard stützte sein Kinn auf die linke Hand. Er trug seinen schmalen Schnauzer wie einen nachträglichen Einfall, ging es Ethan durch den Kopf. »Wir mögen keine Athleten sein, aber nach mehr als zwei Jahren auf dieser Welt sind wir ziemlich gut in Form. Man muß es von vornherein sein, wenn man auf einer Welt wie Tran-ky-ky eingesetzt werden will.« Er blickte zu Ethan hoch.

»Aufgrund unserer Übereinkunft ist ein großer Teil der Besatzung nach Hause geschickt worden, so daß das Schiff gegenwärtig nur minimal bemannt ist.«

Ethan nickte. »Das ist richtig.«

Blanchard sah seine Kollegen an. »Wir haben schon alle schwere Arbeit in Überlebensanzügen gemacht. Vielleicht könnten wir aushelfen.«

»Nein, nein«, antwortete Ethan. »Ta-hoding scheint ein fröhlicher, lässiger Typ zu sein, aber wenn es um sein Schiff geht, ist er das beileibe nicht.«

»Wir würden nichts versuchen, womit wir nicht fertig werden.« Alemera Jacalan, die Geologin, beugte den rechten Arm. »Wir sind intelligent genug, um zu wissen, was wir können und was nicht.«

»Legen Sie es dem Kapitän vor«, entschied Hwang. »Es könnte Spaß machen.« Von ihren Kollegen kam zustimmendes Murmeln.

»Bestimmt.« Jacalan lachte erwartungsvoll. »Ich kann ein Pika-pina-Kabel genausogut ziehen wie die besten von ihnen, und das Deck müssen wir auch nicht schrubben. Auf Tran-ky-ky kann man draußen nicht waschen, weil alles in Sekundenbruchteilen gefriert. Außerdem«, fügte sie hinzu, »sollte die Besatzung wissen, daß sie auf unsere Unterstützung rechnen kann, wenn es eng wird.«

»Ich werde es vorschlagen«, sagte Ethan zweifelnd.

Er war ehrlich überrascht, als Ta-hoding zustimmte. »Ein paar zusätzliche Hände, mögen sie nun Fell haben oder nicht, wären schon willkommen. Auf jeden Fall würden die Gelehrten einiges über die *Slanderscree* und das Leben auf ihr lernen. Man muß kein erfahrener Matrose sein, um dabei zu helfen, einen Anker zu lichten.«

Es war so, wie Blanchard gehofft hatte. Als die Menschen neben ihnen arbeiteten, lernten die Tran sie als Individuen kennen. Sie legten nach und nach ihre abergläubische Furcht ab und demonstrierten schon nach wenigen Tagen begeistert alle Arbeiten, vom Ausrichten der Spieren bis zum Abkratzen vereister Segel. Alle konnten sich entspannen, weil alle wußten, daß es sich nur um eine vorübergehende Vereinbarung handelte. Sie würden in Poyolavomaar zusätzliche, erfahrene Leute an Bord nehmen.

Alle waren erleichtert über den Abbau der Spannung und überrascht über das Gefühl der Kameradschaft, das sich rasch entwickelte. Während sie lernten, wie der Eisklipper zu handhaben war, gaben einige der Wissenschaftler den Tran Kurzlektionen in Geologie und Klimatologie. Die Lektionen lösten bei den Tran widerwillige Bewunderung aus, während die Wissenschaftler aufhörten, ihre pelzigen, großäugigen Kameraden als primitive Wilde zu sehen.

Währenddessen machte Ta-hoding geschickten Gebrauch vom unablässigen Wind und ließ die *Slanderscree* im Zickzackkurs gen Süden von Poyolavomaar kreuzen.

Vor nicht allzulanger Zeit waren sie über denselben Eisabschnitt gefahren. Er hätte Ethan vertraut erscheinen müssen, doch er war kein Tran. Eis war Eis. Ta-hoding andererseits oder jedes andere Besatzungsmitglied hätte auf besondere Risse in der Eisfläche hinweisen, bestimmte Auffaltungen und subtile Farbabweichungen identifizieren können. Streifen, Schrammen und Riefen sagten einem Tran soviel wie einem Menschen Linien auf einer Straßenkarte. Als Leuchtfeuer dienten ihnen die Sterne, die Richtung wies ihnen der Wind.

Er fragte sich, wie sehr die Mitgliedschaft im Homanx-Commonwealth seine Freunde ändern würde. Zivilisation stumpfte die Sinne ab.

Die Snigaraka hatten ihre Lektion gelernt und blieben dem Eisklipper fern. Ebenso die übrigen tödlichen Lebensformen Tran-ky-kys; allerdings begegneten sie einer Rarität namens *Dyella*.

Ethan erinnerte sich an eine riesige Schlange, aber er wußte, daß das unmöglich war: ein kaltblütiges Wesen konnte auf Tran-ky-ky nicht lange genug überleben, um sich zu reproduzieren.

Die Dyella war zwanzig Meter lang, beinlos und von einem feinen Pelz in Kastanienbraun und Hellrosa bedeckt. Flanken und Vorderteil waren gerundet, und sie glitt auf ihrer flachen Unterseite dahin, wobei spezielle Drüsen einen heißen Schmierfilm absonderten, der es ihr ermöglichte, flink über das Eis zu schießen. Zwillingskragen oder -segel verliefen fast über die gesamte Länge ihres Rückens. Indem sie diese drehte und wendete, um den Wind aufzufangen, bewegte sie sich mit derselben Effizienz wie die *Slanderscree*.

Mehrere Matrosen riefen Ta-hoding zu, er solle scharf nach Backbord schwenken, damit die Metallkufen des Eisklippers das Raubtier zerteilten, doch das menschliche Kontingent erlaubte das nicht. Moware versuchte in verzweifelter Hast seinen Recorder nachzuladen, während Jacalan und die anderen nichtbiologischen Spezialisten sich abmühten, Aufnahmen zu machen. Nach Färbung und Größe war die Dyella die bei weitem beeindruckendste Lebensform, der sie bisher begegnet waren.

Das Wesen stieß einen Schrei aus, der unpassenderweise einem drohenden Miauen glich, bewegte sich leicht zur Seite und glitt in etwa dreißig, vierzig Metern Entfernung parallel zum Eisklipper weiter. Es griff weder an, noch zog es sich zurück.

»Ein kleiner Bissen und ...«, sagte Ta-hoding, der an der Reling stand und die unwillkommene Eskorte beobachtete. Er strich leicht mit den Spitzen seiner Krallen über die Innenfläche seiner anderen Pranke. »Totes Fleisch. Giftig.«

Ethan sah nach vorn. Moware und seine Kollegen fielen in ihrem Eifer, Nahaufnahmen zu machen, fast über Bord. »Erzähl das nicht den Gelehrten! Sonst wollen sie eine Probe des Toxins haben.« Er richtete seinen Blick wieder auf die Dyella, fasziniert von ihrer geschmeidigen, scheinbar mühelosen Art der Fortbewegung. Es bereitete ihr keine Schwierigkeiten, mit der *Slanderscree* Schritt zu halten.

»Was fressen die hier draußen? Das ist ein großes Tier, und es braucht kein Gift, um Pika-Pina zu schlukken.«

Ta-hoding beugte sich vor, um zum Bug zu spähen und grunzte, als sein Bauch von der Reling eingedrückt wurde. Nach einigen Augenblicken deutete er abrupt nach Südosten. »Da, Achivaren!«

Die Herde, die der Kapitän meinte, kam bald in Sicht, und Ethan wurde klar, daß die Dyella nicht dem Eisklipper gefolgt war. Sie war hinter einer Herde von Pflanzenfressern her gewesen. Ein Achivar hatte etwa die Größe eines Hausschweins und war außer seinem Pelz von meterlangen Stacheln bedeckt. An der Spitze jedes Stachels befand sich eine kleine, flügelähnliche Membran. Indem sie ihre Stacheln hoben und senkten und ihre Stellung ausrichteten, konnten die Achivaren den Wind auffangen und genauso geschickt über das Eis segeln wie die Dyella, die *Slanderscree* und ein Dutzend anderer Eisbewohner.

Der Eisklipper pflügte in die Herde hinein, ohne daß ein einziges der Tiere unter die Metallkufen geriet. Selbst die Jungen drehten und wirbelten mit einer unglaublichen Agilität herum, ihre massierten Stacheln blitzten auf, als sie ins Sonnenlicht gerieten. Sie hatten große, hellrot glitzernde Augen, einen winzigen Kopf, der auf dem halslosen Körper saß, und breite Füße mit glatten, flachen Ballen. Die Dyella richtete ihre Kragenreihen hoch auf, um möglichst viel Wind aufzunehmen und versuchte, der Herde den Weg abzuschneiden und den Achivaren den Wind aus den Membransegeln zu nehmen, ganz so wie die Kriegsschiffe in alter Zeit versucht hatten, einem Feind den Wind zu stehlen, um seine Geschwindigkeit und Manövrierfähigkeit zu mindern. Ernährungstaktik statt Kriegstaktik, sagte sich Ethan.

Die Dyella hatte Schwierigkeiten. Die Achivaren waren genauso schnell und weitaus beweglicher. September gesellte sich zu Ethan und sah sich mit ihm das Spektakel an.

»Eislaufende Stachelschweine«, grunzte er, und blickte zu Ta-hoding, der seinem Rudergänger gerade lässig einen Befehl zurief. »Sind diese Stacheln so scharf, wie sie aussehen?«

»Schärfer«, erwiderte Ta-hoding. »Trotz ihrer kleinen Windfänger. Der Trick beim Fangen von Achivaren besteht darin, sie zu überraschen, wenn sie sich gerade ausruhen oder fressen und ihre Stacheln gesenkt sind.«

»Moware bat mich, zu dir zu gehen.« September deutete zum Bug. »Sie würden gern ein Exemplar fangen, um es mit nach Brass Monkey zu nehmen. Ich habe versucht, ihm und den anderen zu erklären, daß du keine große Lust dazu haben wirst.«

»Diese Achivaren schlafen weder, noch fressen sie, und falls wir anhalten, könnte die Dyella beschließen, daß stachellose Tran eine gefügigere Beute sind als flinke, stachelige Achivaren. Daher werde ich nicht anhalten. Du mußt den Gelehrten meine Entschuldigung übermitteln.«

»Nicht ich. Ich stimme völlig mit dir überein.«

Ethan trat von der Reling zurück. »Ich werde es ihnen sagen. Sie sind es, die es eilig haben, zum Südkontinent zu kommen. Ich werde sie daran erinnern, daß du nur das tust, was sie verlangt haben.« Ta-hoding nickte zustimmend.

Als der Eisklipper die Achivarherde und die Dyella hinter sich zurückgelassen hatte, kochte Moware innerlich, mußte sich aber mit den Bildern und Lauten bescheiden, die sein Recorder aufgezeichnet hatte. Später nahm der frustrierte Xenologe Ethan und Skua beiseite. »Wer bezahlt für diese Reise?«

September grinste nur und wandte sich ab, um weiter eine Linie von Granitzähnen zu beobachten, die in der Ferne durch das Eis stießen. »Das fragst du am besten Ta-hoding oder Hunnar oder einen anderen ihrer Edlen, und du wirst Gelegenheit haben, zu sehen, wie eng der Wendekreis dieses Schiffes ist.«

»Es würde ihre Planung für uns doch bestimmt nicht über den Haufen werfen, wenn wir gelegentlich anhielten, um Musterexemplare mitzunehmen.«

»Ihr seid diejenigen, die es so eilig hatten, schon vergessen? Die Tran haben eingewilligt, euch so schnell wie möglich zum Südkontinent zu bringen. Das tun sie. Man ändert seine Pläne nicht während der Reise. Das ist nicht ihre Art. Diese intelligenten *empfindenden* Wesen haben für einige weitere Monate darauf verzichtet, ihre Freunde und Lieben zu sehen, um euch zu helfen. Seid zufrieden, daß ihr überhaupt auf diesem Schiff seid. Setzt nicht das Wohlwollen der Tran aufs Spiel. Ihre Geduld ist knapp und ihr Gedächtnis lang. Verärgert sie jetzt, und es wird euch in Zukunft höllisch schwer fallen, sie dazu zu bringen, euch zu helfen.«

Moware dachte über Septembers Rat nach. »Wenn du es sagst – aber es gefällt mir ganz und gar nicht.«

»Wer sagt, daß es dir gefallen muß?«

Der Xenologe war erbost, aber seine Position war schwach, und September wußte das. Seine Kollegen mochten mit ihm sympathisieren, doch sie würden nicht den guten Willen der Tran aufs Spiel setzen, um für ihn Partei zu ergreifen. Die Meteorologen mußten zum Südkontinent, und für die Geologen wie Jacalan und Blanchard gab es auf dem Eis überhaupt nichts zu studieren. Sie hatten nicht die Absicht, auf Abstechern, Umwegen und unplanmäßigen Kurzerkundungen zu bestehen.

Am nächsten Tag traten sie in das erste ausgedehnte

Pika-Pina-Feld ein, und von Moware war nichts mehr zu hören, er vertiefte sich in eine detaillierte Untersuchung der gewaltigen Fundgrube an Flora. Er war viel zu sehr mit seinen Aufnahmen beschäftigt, um über einen Halt zu streiten. Um ein Wochenpensum an Musterexemplaren zu bekommen, mußte er nicht mehr tun, als neben dem Eisklipper zehn Minuten lang ein Sammelnetz schleifen zu lassen.

Ta-hoding führte das Schiff durch das endlose Feld aus Grün und mied dabei die Bestände der größeren, dickeren Pika-Pedan. Die Kufen des Eisklippers schnitten glatt durch das wasserhaltige Grün und ließ Pulpe, andere zermahlene organische Überreste und bereits frisch hervorsprießende Schößlinge hinter sich zurück.

»Hast du hier kürzlich etwas Abweichendes bemerkt, Jungchen?« September stellte sich neben Ethan und leistete ihm beim Starren über den Bugspriet Gesellschaft.

»Das ist eine offene Frage.« Ethan warf beiläufig einen Blick auf das in die Manschette seines Überlebensanzugs eingebaute Thermometer. Es herrschten frische zehn Grad unter Null an diesem Morgen. Nicht schlecht, wenn man bedachte, das die Temperatur kurz vor Sonnenaufgang noch bei minus sechzig gelegen hatte.

»Ich meine unseren guten Freund Williams.«

»Was ist mit ihm?« Ethan sah neugierig durch das Visier seines Anzugs zu September hoch.

Der Hüne wies mit dem Kopf zu den vier Wissenschaftlern, die mittschiffs beieinander standen. Ethan erkannte Williams sofort an seinem abgeschabten Überlebensanzug, der sich deutlich von den sauberen, glänzenden seiner Begleiter abhob.

»Das ist unsere Freundin Hwang, mit der er da herumhängt.«

»So? Sie machen zusammen Beobachtungen. Das überrascht mich nicht. Nachdem er über ein Jahr lang versucht hat, mit einem Paar von Simpeln wie uns zu reden, ist zu erwarten, daß er soviel Zeit wie möglich mit Leuten verbringt, die ihm geistig verwandt sind.«

»Haben die ganze Zeit nichts anderes getan, als zusammen Beobachtungen zu machen; seit wir aus Asurdun weg sind.«

»Du willst doch wohl nicht andeuten, daß sich da mehr entwickeln könnte, als eine rein berufliche Beziehung, oder?«

»Oh, nein. Ich doch nicht, ich doch nicht, Jungchen.«

»Warum glaube ich dir nicht?« Ethan sah Williams seine Sichtscheibe dicht an die Hwangs halten. Bei der begrenzten Reichweite der Sprechmembranen der Anzüge war das eigentlich ganz normal. »Ich bin nicht sicher, ob unsere Freundin Hwang zu mehr überhaupt imstande ist.«

»Laß dich nicht durch ihr Gebaren täuschen, Jungchen! Selbst Stahl kann schmelzen. Unter den richtigen Bedingungen.«

»Tut mir leid, aber ich kann mir unseren Milliken einfach nicht als eine richtige Bedingung vorstellen.«

»Ach ja, kannst du nicht? Korrigiere mal deinen Blickwinkel, Jungchen. In diesem Haufen macht Milliken eine bemerkenswerte Figur, und ich meine nicht seine Körpergröße. Er hat gesehen und erlebt, wovon diese Stubenhocker nur träumen können — und er lebt noch, um davon berichten zu können. Und für die Tran ist er ein echter, wahrer Held. Glaub doch nicht, daß unseren intellektuellen Freunden solche Dinge entgehen. Jemand wie er schneit nach Brass Monkey hinein, auf einem Schiff, das er selbst entworfen hat, bemannt von Tran, die zu Verbündeten zu machen er geholfen hat, und ein akademischer Grad ist keinen Schuß Pulver mehr wert. Kannst du nicht erkennen, wie beeindruckt Hwang von einer solchen Gestalt sein kann?« In Septembers Stimme lag eindeutig Belustigung.

»Mag sein. Aber die ganze Zeit, als wir auf dem Eis

waren, hatte ich irgendwie das Gefühl, daß Milliken vielleicht ... du weißt schon.«

»Ich dachte das auch, Jungchen, was die neuesten Entwicklungen nur um so verblüffender und interessanter macht. Doch denkt man darüber nach, paßt alles sehr gut zusammen. Unsere Freundin Cheela gehört mehr zur dominierenden Sorte, auch wenn sie ein winziges Persönchen ist und ...«

»Hast du nichts Wichtigeres, worüber du spekulieren kannst?« fragte Ethan entrüstet.

»Bestimmt nicht«, antwortete September fröhlich. Er wies auf die Eisfläche, die unter ihnen vorbeizog, auf das ausgedehnte eintönige Pika-Pina-Feld. »Nicht hier draußen, nein. Ich frage mich nur, welchen Reim sich die Tran auf diese Vorgänge machen. Fremdrassig oder nicht, wir haben es hier mit einer Bande von Matrosen zu tun. Matrosen sind Matrosen, egal, welche Form ihre Pupillen oder Füße haben.«

»Behalte es einfach nur für dich, Skua. Was du amüsant findest, könnten sie für blasphemisch, unheilbringend oder sonst etwas halten. Wir wissen nicht, was sie von Romanzen an Bord eines Schiffes halten.«

»Tran würden da nicht so reagieren, aber in einem hast du recht, Jungchen. Ich sollte meine große Klappe halten.« Er wies mit dem Kopf zu dem Gelehrtenquartett. »Es wird aber nicht leicht sein, es geheimzuhalten, so wie die zwei sich aufführen. He, ist dir klar, daß sie gestern ...«

Der Wind heulte über den Bug und übertönte die letzten Worte des davonschlendernden September.

Jetzt, da die Idee eingepflanzt war, mußte Ethan feststellen, daß Williams und Hwang seinen Blick wie magnetisch anzogen. Er verfluchte September, weil er ihn mit Belanglosigkeiten ablenkte. Es ging weder ihn noch sonst irgend jemand etwas an, was sich zwischen den beiden abspielte. Sollte es wahr sein, freute er sich jedenfalls für Milliken.

Er bemerkte, daß er still vor sich hin grinste.

Am nächsten Nachmittag begegneten sie keiner Achivar-Herde, sondern einer veritablen Armee davon, die aus dem Süden auf sie zuschoß. Braune und rosa Stacheln erstreckten sich von Horizont zu Horizont. Weibchen und Junge wichen den Kufen der *Slanderscree* elegant aus, während die größeren männlichen Tiere gelegentlich versuchten, mit ihren Vorderstacheln die Metallträger zu treffen. Der Eisklipper segelte durch ein Meer flaggenbewehrter Spieße.

»Das müssen Hunderttausende sein!« brüllte Moware begeistert, während er vergeblich versuchte, sich zu entscheiden, wohin er seinen Recorder richten sollte.

Hunnar und Ethan beobachteten das erstaunliche Schauspiel Seite an Seite. »Ich habe nie einen so großen Zug gesehen oder davon gehört. Es ist auch nicht die richtige Jahreszeit.«

»Vielleicht haben sie in diesem Teil des Planeten andere Gewohnheiten«, meinte Ethan.

Hunnar machte eine zustimmende Geste. »Vielleicht. Man sollte meinen, daß sie in einer so fruchtbaren Gegend Halt machen, um zu äsen, aber sie hasten weiter nach Norden. Es sieht fast so aus, als würden sie vor etwas davonlaufen.«

5

»POYOLAVOMAAR IN SICHT!«

Alle Blicke wandten sich dem Ausguck an der Spitze des Hauptmastes zu. Alle eilten nach vorn, und sowohl Besatzung als auch Passagiere versuchten, einen ersten Blick auf den mächtigen Stadtstaat zu werfen, der sich im Anschluß an die Schlacht vor Moulokin mit Sofold verbündet hatte. Die Wissenschaftler waren begierig, die sieben Hügel zu sehen, von denen man ihnen erzählt hatte, während Ethan, September, Williams und die Tran sich fragten, welche Regierung wohl während ihrer Abwesenheit errichtet worden war. Würde man sie immer noch als Freunde begrüßen? Gar als Verbündete?

Eine Stunde später befanden sie sich zwischen den vorgelagerten Inselchen, steilwandigen Vulkankegeln, deren Spitzen aus dem gefrorenen Ozean herausragten. Bauernhäuser aus behauenem Stein sprenkelten sauber terrassierte Abhänge, aus hohen Schornsteinen stieg Rauch. Die erste der sieben großen Inseln, die den Hauptteil der Bevölkerung Poyolavomaars beherbergten, lag Bug voraus.

Ethan suchte die Hänge nach Anzeichen von Krieg oder Auseinandersetzungen ab und gestattete sich einen erleichterten Seufzer, als er keine fand. Die damalige Absetzung des mordlustigen ehemaligen Landgrafen hatte keinen Bürgerkrieg nach sich gezogen. »Sieht ziemlich friedlich aus.«

September nickte. »Hier hat jemand die Kontrolle übernommen, und das ganz ohne Härte. Einige der Docks und Häuser sind mit neuen Holzschnitzereien geschmückt, wie ich sehe. Unterdrückte haben keinen Sinn für Schmuck. Ich frage mich, wer der neue Landgraf ist. Vielleicht dieser junger Offizier T'hosjer T'hos, der Rakossa erledigt hat.«

»Könnte sein, aber ich denke mir, die Edlen werden jemanden wählen, der enger mit dem Thron verbunden ist, falls sie einen entfernten Verwandten finden können, der nicht so verrückt ist wie Rakossa. Na ja, wir werden es bald erfahren.«

Kleine Eisboote änderten ihren Kurs, um die *Slanderscree* zu eskortieren. Der Eisklipper war mit keinem anderen Schiff auf Tran-ky-ky zu verwechseln. Diejenigen Poyolavomaarer, die es gesehen hatten, als es auf dem Weg zum sagenhaften Moulokin gewesen war, erkannten es sofort wieder. Die Bürger des Stadtstaates besetzten die Takelage ihrer viel kleineren Schiffe oder drängten sich an deren Reling, um die Ankömmlinge mit Pfiffen und Rufen zu begrüßen.

Ein schlankes Eisboot mit hohem Segel blieb lange genug längsseits, um einem Mitglied seiner Besatzung einen Akt akrobatischer Verwegenheit zu ermöglichen, der selbst die hartgesottenen Matrosen Sofolds Beifall zollten. Sich mit seinen kräftigen Krallen in den Steuerbordausleger klammernd, kletterte er diesen hinunter, bis er direkt an dessen Ende über der Kufe hockte. Dann hob er eine Tatze, gerade lange genug, daß sein Rudergänger es sehen konnte. Dieser manipulierte einfühlig Wind und Segel, bis sich der Steuerbordausleger des Eisboots langsam hob, und es, sechzig Stundenkilometer schnell, nur noch auf Bug- und Heckkufen dahinschlitterte. Um eine Haaresbreite weiter nach Backbord geneigt, und das Boot würde überrollen und mitsamt Besatzung auf das Eis krachen. Zu plötzlich zurück nach Steuerbord, und der Aufprall würde den gefährlich balancierenden Reiter von seinem Platz reißen und auf das Eis oder unter die Kufen der *Slanderscree* schleudern.

Es kam weder zu dem einen noch dem anderen. Als das Boot so weit nach Backbord geneigt war wie möglich, sammelte sich der tollkühne junge Tran und sprang – seine Krallen gruben sich in das Holz der in die Bordwand eingelassenen Leiter. Das Boot, von dem er gekommen war, setzte im selben Moment wieder voll auf das Eis auf. Viele Matrosen der *Slanderscree* brüllten beifällig, andere streckten die Arme aus, um dem Enterer an Deck zu helfen.

Er entpuppte sich als hochgewachsener, schlanker Tran, der gerade der Pubertät entwachsen war. Sein Fell zeigte den Glanz der Jugend, und seine Augen blitzten erregt, als er versuchte, alles auf einmal in sich aufzunehmen. Sein Blick kam erst zur Ruhe, als er Ethan und September gewahr wurde.

»Ihr seid es, die uns geholfen haben, unsere Freiheit wiederzugewinnen und uns von dem Tyrannen Rakossa zu befreien. Ihr seid zu uns zurückgekehrt.«

»Nur auf der Durchreise«, erwiderte September. »Und was die Wiedererlangung eurer Freiheit angeht, das habt ihr selbst getan.«

»Wer herrscht jetzt in Poyolavomaar?« fragte Ethan.

»T'hosjer T'hos, der den Tyrannen entthronte.«

»Sie haben die richtige Person anstatt der richtigen Blutlinie gewählt«, murmelte September. »Vernünftige Leute, unsere Tran.«

»Wir freuen uns darauf, deinem neuen Landgrafen zu begegnen«, sagte Ethan zu ihrem Besucher.

»Und er wird sich glücklich schätzen, euch zu begrüßen«, erwiderte der Jüngling. »Ich heiße Neravar Blad-Kagenn, Soldat der Insel-Garde. Es wäre mir eine Ehre, euch zur Burg zu begleiten.«

»Es ist uns ein Vergnügen, dich an Bord zu haben.« September blickte an dem jungen Krieger vorbei. Sein kleines Schiff hatte sich rasch entfernt, vielleicht, um die Nachricht von der Ankunft der *Slanderscree* zu überbringen.

Blad-Kagenns Blick wanderte von einem Teil des mächtigen Eisklippers zum nächsten. »Fast könnte ich Freude an all dem haben.«

»Gibt es denn irgendeinen Grund, der dagegen spricht?« fragte Ethan neugierig.

Blad-Kagenn richtete seine gelben Augen auf ihn. »Weil die Welt verrückt spielt, natürlich. Habt ihr das in den nördlichen Landen noch nicht gehört?«

»Ich wüßte nicht.«

»Was heißt das, wovon sprichst du?« Hunnar war hinzugetreten und hatte gerade noch die letzte Bemerkung des Kriegers gehört. Rotbarts Verhalten war förmlicher als das der beiden Menschen, aber nicht unfreundlich. Blad-Kagenn seinerseits senkte aus Respekt vor dem älteren, höherstehenden Ritter die Stimme.

»Die Welt wird verrückt, so heißt es jedenfalls. Vielleicht ist das auch nur ein Gerücht.«

Hunnar sah Ethan an. »Etwas, worum wir uns kümmern sollten?«

Ethan zuckte die Achseln. »Zu früh, um das zu entscheiden. Wir haben unsere eigenen Probleme, um die wir uns kümmern müssen. Immer nur eine Krise zur Zeit.« Er wandte sich wieder Blad-Kagenn zu. »Erzähl uns von dem neuen Landgrafen! Wir sind ihm nur kurz begegnet, als wir das letzte Mal durch euer Gebiet fuhren, und zu dieser Zeit war er nur Soldat, nicht Herrscher.«

Blad-Kagenn berichtete ihnen, wie Rakossas Linie formell entmachtet worden war, und wie die Edlen, um rasch Frieden zu machen, sich darauf geeinigt hatten, daß der junge Soldat sie führen sollte. Es gab keinen, der es bedauerte, von Tonx Ghin Rakossas Tod zu hören. Sein Wahnsinn und seine nicht nur privaten Verderbtheiten hatten für das Volk über Jahre sowohl eine Beschämung als auch eine Bedrohung dargestellt. Rakossas Spione waren überall gewesen, aber nachdem T'hosjer den Kopf des Ungeheuers abgeschlagen hatte, war der Körper rasch zerfallen.

Die *Slanderscree* befand sich jetzt innerhalb der sieben Hauptinseln. Ta-hoding ließ das Schiff langsamer werden, um die kleineren Segler nicht in Gefahr zu bringen, die auf den Eiswegen verkehrten. Auf der eigentlichen Hauptinsel erwartete sie weiterer Beifall, obwohl Ethan das Rufen und Brüllen seltsam gedämpft schien.

Blad-Kagenn eskortierte sie stolz um den Hafen herum und den steilen Hang hinauf, der zu Poyolavomaars Burg führte. T'hosjer T'hos war immer noch der hochgewachsene und — nach Tranvorstellungen — schlanke Soldat, an den Ethan sich von ihrem letzten Besuch her schwach erinnerte. Er begrüßte Skua und Ethan als Freunde und umarmte Elfa und Hunnar, seine kürzlich gewonnenen Verbündeten aus der Union des Eises. Angehörige des Hofes sahen beifällig zu – diese Allianz war eine gute Sache. Von dem nervösen Flüstern oder den mißtrauischen Seitenblicken, die üblicherweise solche Treffen begleiteten, war nichts zu bemerken. Die Speichellecker und kriecherischen Leibwachen, die Rakossa umgeben hatten, waren verschwunden.

Sessel wurden nach vorn gebracht. Sie waren breit genug, um den zusammengefalteten flügelähnlichen Dan Raum zu bieten – oder einem locker sitzenden Überlebensanzug. Erfrischungen trafen ein, begleitet von einem Chronisten, der alles niederschreiben würde, was zwischen Landgrafen und Besuchern gesprochen werden sollte.

»Ich hätte nicht erwartet, irgendeinen von euch so früh wiederzusehen«, sagte der junge Landgraf.

»Wir auch nicht«, erwiderte Elfa.

T'hos legte seinen Dan zurecht und beugte sich vor. »Ich glaube, ich hätte das Soldatensein dem Regieren vorgezogen, aber ich konnte die meiner Familie erwiesene Ehre nicht zurückweisen. Und nun sagt mir: Was ändert sich im Norden? Was habt ihr gesehen? Wo seid ihr gewesen? Und kommt es mit der Union voran?«

»Die Union ist fest wie die Felsen und wird mit jedem Tag größer und stärker«, antwortete Elfa. »Und was die

Änderungen angeht«, sie wies spröde mit dem Kopf auf Hunnar, »ich habe einen Gefährten gewählt.«

T'hos lächelte den Ritter aus Sofold breit an. »Das bedeutet, daß ich die Union nicht durch Heirat zwischen unseren beiden Staaten stärken kann.«

Hunnar nickte und verzog keine Miene. »Es gibt viele junge Frauen heiratsfähigen Alters und edler Herkunft in Sofold.« Dann fuhr er in ernsterem Ton fort: »Viel sahen, erfuhren und lernten wir seit unserem letzten Halt in Poyolavomaar.« Er zeigte mit dem Kopf nach Ethan und Skua. »Unsere Freunde haben Schiffe, die durch den Himmel fliegen, und Geräte, mit denen sie sich über mehr Satch hinweg unterhalten können als zwischen Sofold und Poyolavomaar liegen. Sobald die Union stark genug geworden ist und wir dieser größeren Union beitreten können, die sie Commonwealth nennen, was soviel wie Gemeinwohl heißt, wird es uns wohl auch erlaubt, von solchen Wundern Gebrauch zu machen.«

T'hos Schnurrbarthaare richteten sich auf. »Das ist eine Zeit, die ich noch selbst erleben muß! Ich habe Abgesandte nach Warreck und Vem-Hobar geschickt, um sie zu bitten, sich unserer Union anzuschließen. Dort hat man mit Mißtrauen und Ausflüchten reagiert, was wohl normal ist. Ich habe Hoffnung, sie zusammen mit einigen kleineren, entlegeneren Stadtstaaten für uns zu gewinnen. Wir könnten sie durch Waffengewalt dazu zwingen, mitzumachen, aber ...« – er warf Ethan einen Seitenblick zu – »wie ich dich verstanden habe, hegt eure Regierung keine Vorliebe für diese Art, eine Union aufzubauen.«

»Nicht besonders.« Das war kein besonders gelungener Winkelzug, überlegte Ethan. Tatsächlich war es dem Commonwealth nämlich egal, wie Primitive ihre planetarischen Regierungen schufen. Eroberung war genauso akzeptabel wie Überzeugung. Aber die Tran waren schon kriegerisch genug. Indem er T'hos keine Wahl ließ, hoffte Ethan Leben und Sachwerte zu bewahren. Eine Union, die mit möglichst wenig Blutvergießen zustande kam, würde dadurch nur um so stärker sein.

»Verhandelt weiter miteinander.«

»Das ist es, was wir tun«, versicherte T'hos ihm. »Ich bin überzeugt, daß sich letzten Endes die Vernunft durchsetzen wird. Das ist bloß eine Frage der Zeit. Es ist eben nur so, daß ich persönlich ungeduldig bin und es nicht erwarten kann, daß wir das Recht auf jene Segnungen erwerben und nachweisen können, von denen ihr gesprochen habt, als ihr das letzte Mal hier wart.« Auf seinem Gesicht zeichnete sich Verblüffung ab. »Habe ich mich damals geirrt, als ich schloß, ihr würdet nicht hierher zurückkehren?«

Elfa senkte leicht den Kopf und warf ihren menschlichen Begleitern einen scharfen Blick zu. Die Doppelgeste war voller Andeutungen, und Ethan verstand nicht alles davon, trotz der Monate, die er unter den Tran verbracht hatte.

»Es scheint, Sir Ethan und Sir Skua fanden unsere Gesellschaft so angenehm, daß sie beschlossen, noch eine Zeitlang unter uns zu weilen.«

»Von wegen«, dröhnte September, unbekümmert darum, ob er die Hälfte der organisierten Regierung Tran-ky-kys beleidigte. »Ich bin mitgekommen, um ihn vor Ärger zu bewahren und sonst nichts!« Er wies auf Ethan.

»Ja, wir alle wissen, was für ein rauher und gefühlloser Kerl du bist«, spöttelte Hunnar.

T'hos sah an ihnen vorbei zu dem hohen Fenster, das auf den darunter liegenden Hafen ging. »Möchtet ihr wissen, woran ich jeden Tag und jede Nacht gedacht habe, seit ihr fort wart? Auf einem eurer Himmelsboote mitzufahren und meine Welt von oben zu sehen, wie die langflügeligen Urlus. Ich habe alle hohen Berge Poyolavomaars erklommen, doch das scheint mir nicht dasselbe.« Er breitete die Arme aus und zeigte seine von

Adern durchzogenen Dan. »Diese Häute machen das Chivanieren zum Vergnügen, aber sie erlauben es uns nicht einmal, auch nur durch die Luft zu gleiten.«

»Ich verspreche«, erklärte Ethan allen entsprechenden Bestimmungen zum Trotz, »daß ich dich, sobald die Union von meiner Regierung als Vertretung der Tran akzeptiert ist, irgendwie in einem Skimmer oder Shuttle nach oben bringe. Ich werde einen Luftwagen haben müssen, um meine neue Arbeit hier machen zu können, und ich werde ihn nach Poyolavomaar bringen und dich mitnehmen.«

»Wundervoll, wundervoll!« Der junge Landgraf schlug die Pranken zusammen wie ein Kind. »Wenn nur bis dahin nicht das Ende der Welt gekommen ist. Manche sagen, sie spiele verrückt.«

»Wir haben von dem Gerücht gehört«, meinte September »Vielleicht kannst du uns etwas mehr darüber sagen, worum genau ...«

»Vergebung, wenn ich unterbreche.« Ta-hoding hatte, etwas abseits stehend, geduldig gewartet, bis er es nicht mehr aushielt. »Wir haben ein Problem, das auf Tatsachen beruht und nicht auf Gerüchten, werter Landgraf. Da viele der Matrosen und Krieger sich nach ihrer Heimat und ihren Lieben sehnten, sind wir mit minimaler Besatzung hierher gesegelt. Meine Leute sind erschöpft und bedürfen der Erholung. Die Menschen, die unsere Passagiere sind, haben so gut geholfen, wie es ging, doch sie sind eben keine erfahrenen Matrosen.« Er wies auf Williams, Cheela Hwang und die anderen Mitglieder der Forschungsgruppe, die die Wandbehänge und Steinmetzarbeiten studierten, die die Halle des Landgrafen schmückten.

»Sie sind willig, aber manchmal verursachen sie mehr Probleme als ihre wohlmeinenden Anstrengungen wert sind.«

September nickte bekräftigend. »Ich habe gesehen, wie Jacalan versucht hat, bei sechzig Stundenkilometer ein Segel zu hissen. Wir dürfen uns glücklich schätzen, daß wir sie nicht verloren haben.«

T'hos zögerte nicht. »Sagt mir, was ihr braucht.«

»Wir wissen, daß Poyolavomaar die Heimat vieler ausgezeichneter Matrosen ist. Wir würden gern vorübergehend einige an Bord nehmen, damit sie uns bei unserer Reise unterstützen können. Das würde unsere Expedition zum Südkontinent ganz erheblich erleichtern.«

»Der Südkontinent? Warum wollt ihr denn dorthin? Kehrt ihr so rasch zu unseren Freunden in Moulokin zurück?«

»Nein. Wir reisen in eine andere Richtung, nicht südsüdwest sondern südsüdost.«

T'hos zog nachdenklich die Brauen zusammen. »Ihr segelt auf leerem Eis. Obwohl das weit von den Strecken entfernt ist, die unsere Händler bereisen, wissen wir doch, daß in dieser Richtung auf Tausende von Kijat nichts ist. Keine Städte, keine Ansiedlungen, nicht einmal nackte, unbeanspruchte Inseln. Ein paar Pelz- und Metallhändler sind so weit vorgedrungen, nur um uns zu sagen, daß es keinen Grund gibt, noch weiter zu segeln.«

»Trotzdem gehen wir gerade dorthin«, antwortete Ethan.

»Das solltet ihr nicht.« Der Landgraf wirkte besorgt. »Das ist jener Teil der Welt, von dem es heißt, daß er verrückt geworden ist.«

»Hätten wir uns denken können«, murmelte September. Er zeigte mit dem Daumen nach hinten zu den sich neugierig den Hals verrenkenden Forschern. »Unsere grüblerischen Genossen hier sind offenbar nicht die einzigen, die glauben, daß dort unten etwas vor sich geht, das aus dem Rahmen des Normalen fällt.«

»Die Reisenden, die diese Verrücktheit beschrieben, hörten von anderen darüber, die es von anderen hörten, die es von jemandem hörten, der vielleicht selbst halb verrückt war«, murmelte T'hos unsicher. »In solchen Angelegenheiten muß man auf der Hut sein. Die Leichtgläubigen sind nur zu gern bereit, alles hinzunehmen, was man ihnen erzählt. Als Landgraf muß ich umsichtiger sein. Doch ist es eine Sache, mit jemandem umzugehen, der verrückt ist, wie Rakossa es war, und eine ganz andere, sich vorzustellen, was jemand meint, wenn er davon spricht, daß die Welt verrückt wird.« Er erhob sich halb aus seinem Sessel und wies nach rechts.

Der Tran, der nach vorn schlurfte, war noch weit älter als Balavere Langaxt. Seine Chiv waren durch langen Gebrauch so abgenutzt, daß sie kaum mehr den dicken Ballen seiner Füße entragten. Für diesen Alten gab es kein unbeschwertes Chivanieren über das Eis mehr. Wie die armen Menschen, auf die der Blick seiner eingesunkenen altersschwachen Augen fiel, war er darauf beschränkt, zu Fuß zu gehen.

Er bewegte sich leicht nach links geneigt, wie ein von stetem Wind gebeugter Baum. Der lange Stab, auf den er sich stützte, hatte eine Spitze wie ein Skistock. Die Jahre hatten seine Mähne und sein Gesichtsfell schneeweiß werden lassen. Seine Lider waren halb geschlossen, so daß er mit einem Ausdruck ständiger Schläfrigkeit geschlagen war. Trotz seiner Gebrechlichkeit brachte er zwei Drittel einer respektvollen Verbeugung zustande.

»Ich grüße unsere Freunde aus Sofold und aus dem Himmel. Ich erinnere mich an euren letzten Besuch, obgleich wir einander nicht formell vorgestellt wurden.« Er lächelte, ein Patriarch, der seinen Peiniger überlebt hatte. »Ich stand nicht in der Gunst des Hofes von Tonx Ghinn Rakossa. Ich leide unter der entwaffnenden Angewohnheit zu sagen, was ich denke.«

»Kann einem 'ne Menge Ärger einbringen«, erklärte September wissend.

T'hos setzte sich wieder. »Dies ist Moak Steinbaum,

mein hochgeschätzter und geachteter Ratgeber. Er war der erste, der von dem Gerücht erfuhr, um das ihr euch persönlich kümmern wollt.«

»Was ist das für ein Unsinn, daß die Welt verrückt wird?« September hatte sich nie viel um Förmlichkeiten und Konventionen geschert.

Steinbaum vergewisserte sich, daß die Spitze seines Stabes fest in einer Ritze zwischen zwei glatten Bodenplatten steckte. Er fixierte den riesenhaften Menschen mit zusammengekniffenen Augen. »Ein bewiesenes Gerücht ist eine vereitelte Lüge. Die Wahrheit balanciert unsicher zwischen diesen beiden. Ich gab nur weiter, was ich von anderen erfuhr.«

»Pelzjäger und reisende Händler erzählen alles mögliche, um sich interessant zu machen.« Elfa schnaubte verächtlich. »Je mehr ihren verrückten Erzählungen geglaubt wird, desto bereitwilliger bauschen sie sie auf. Es macht ihnen Spaß, jene, die sicher und bequem in ihren Städten bleiben, mit erfundenen Geschichten über die Welt jenseits des Windes zu erschrecken.«

Steinbaum nickte respektvoll. »Alles, was du sagst, ist wahr. Und doch ist diese besondere Geschichte so wild und bizarr, daß man sich nur über den Einfallsreichtum desjenigen wundern kann, der sie als erster erzählte. Sie hat die einzigartige Eigenschaft, in der Folge mehrfacher Überlieferungen von Mund zu Mund unverändert zu bleiben.«

»Das bedeutet nicht viel«, bemerkte Ta-hoding. »Diese Reisenden gehen vorsichtig mit dem um, was sie auf dem Eis austauschen, sei es Geld, Pelze oder Erzählungen. Eine so phantastische, seltsame und kunstvolle Geschichte stimmig zu halten, würde ihre Wirkung nur erhöhen, ebenso das Vergnügen, sie zu erzählen und weiterzuerzählen.«

»Ich hoffe, daß ihr alle recht habt«, erklärte Steinbaum ernst. »Ich hoffe, daß dies nicht mehr ist als eine wunderliche Erfindung, die Kinder erschrecken soll. Doch seit *meiner* Kindheit ist einige Zeit vergangen und ich *habe* Angst.«

»Besagen alle diese Geschichten nur, daß die Welt verrückt wird?« fragte Ethan ihn. »Oder gibt es auch Einzelheiten oder Beschreibungen? Wie, auf welche Weise wird die Welt verrückt?«

Der alte Ratgeber richtete seinen geduldigen Blick auf den kleineren Menschen. »Die Erzählung besagt, daß in einem Teil des Südkontinents das Eis zur Leiche geworden ist.«

Ethan mußte den Alten bitten, sich zu wiederholen. Auch September war sich nicht sicher, daß er richtig verstanden hatte. Der Hüne sah die Tran in ihrer Begleitung hilfesuchend an, doch bevor Ta-hoding und Hunnar etwas sagen konnten, meldete Ethan sich:

»Ich kenne diesen Begriff nicht. Was ist eine ›Eisleiche‹?«

Zur Antwort nahm Steinbaum ein halbvolles Glas hoch und drehte es um. Wasser ergoß sich auf die Steine und verschwand durch die Ritzen im Boden.

»Verstehst du jetzt?«

September schüttelte frustriert den Kopf. »Ich habe nie viel mit indirekten Erklärungen anfangen können.«

»Wasser«, wandte sich Ethan an ihn. »Wenn Eis stirbt, wird es Wasser. Eine Leiche.«

»Okay. Ich begreife den Zusammenhang. Das erklärt immer noch nicht, warum jemand glauben sollte, daß die Welt dort verrückt wird.«

»Es ist falsch«, erklärte ihm Steinbaum mit Bestimmtheit. »Wir machen Eisleichen, damit wir trinken können. Das ist natürlich. Eine solche Eisleiche dort anzutreffen, wo wir sie nicht gemacht haben, ist unnatürlich. Es ist verdreht und widernatürlich. Es ist ... Verrücktheit.«

»Augenblick mal«, sagte Ethan plötzlich. »Du sprichst von offenem Wasser? Von einem Loch in der Eisfläche?«

»Genau das«, erklärte Steinbaum, erleichtert, daß die Himmelsleute den Gedanken endlich erfaßt hatten.

»Das ist unmöglich. Selbst am Äquator ist das unmöglich.«

Die Stimme des alten Ratgebers klang müde. »Genau das.«

Ethan schluckte trocken. An der dünnsten Stelle war die Eisschicht, die Tran-ky-ky von Pol zu Pol umgab, mindestens dreißig Meter dick. Aufgrund der gestörten Umlaufbahn des Planeten würden sich die äquatorialen Regionen mindestens für die nächsten tausend Jahre nicht soweit erwärmen, daß sich auf der Oberfläche Schmelzwasser bilden konnte.

»Es muß diese vulkanische Aktivität sein, von der Milliken und die anderen gesprochen haben.« September starrte intensiv auf den Steinboden, als suche er in den Ritzen eine Eingebung. »Nichts anderes sonst könnte dieses verflixte Eis dazu bringen, so zu schmelzen. Nichts!«

»Wie groß, sagen die Reisenden, soll diese Eisleiche sein?« fragte Ethan den Ratgeber von T'os.

»Da wird die Erzählung ungenau. Manche sagen, es sei nicht mehr als ein kleiner Tümpel, wie er von Jägern gemacht werden könnte, die sich auf dem Eis ein Feuer angezündet haben. Andere erklären, es dehne sich über viele Kijat hin. Es gibt keine Beweise oder Berichte aus erster Hand, weil niemand dorthin will. Dämonen machen sowohl aus Eis als auch aus Tran Leichen.«

Ethan versuchte sich vorzustellen, wie eine Gruppe unverbildeter und ungebildeter Tran reagieren würde, die zufällig auf einen ausgedehnten Bereich offenen Wassers stießen. Was hätten die alten Polynesier auf der Erde gedacht, wenn die See um ihre Inseln plötzlich gefroren wäre?

»Niemand macht eine Leiche aus mir, nicht solange ich lebe«, sagte September mit einem entwaffnenden

Grinsen. »Wir werden herausfinden, was dort vor sich geht, weil wir nämlich genau dorthin segeln.«

»Wenn an der Sache zuviel Wahrheit ist, werdet ihr nicht zurückkehren, fürchte ich.« Steinbaum verlagerte sein Gewicht, um seine alten Knie zu entlasten. »Das wäre bedauerlich, denn ihr habt viel für Poyolavomaar und alle anderen Tran getan.« Er zeigte mit seinem vertrockneten Finger auf sie. »Einen Rat will ich euch geben: Solltet ihr Dämonen begegnen, geht ihnen aus dem Weg, stört sie nicht. Laßt sie so viel Eis haben, wie sie wollen. Vielleicht wollen sie nur ein kleines Gebiet und lassen den Rest der Welt gesund und unbehelligt.«

Ethan wies auf die Wissenschaftler, die ihre Besichtigungstour der königlichen Halle abgeschlossen hatten und ungeduldige Blicke in die Richtung der Besprechung warfen. »Unsere gelehrten Begleiter haben Geräte, die jeden Dämon einschätzen und so mit ihm fertig werden können. Wer immer mit uns kommt, braucht sich nicht zu fürchten.«

T'hosjer dachte nach. »Ich werde Matrosen für euch finden, die keine Angst vor den Erzählungen Reisender haben. Ich werde euch auch jemanden mitgeben, der euch zu diesem Ort offenbarer Unstimmigkeit führen kann.«

»Wir brauchen kein ...«, setzte Ethan an, um zu erklären, daß die Geräte und Satellitenaufnahmen von Hwang und Konsorten sie direkt zu der betreffenden Region bringen würden, ohne daß sie dafür einen Führer brauchten, als September ihm das Wort abschnitt.

»Wir wären sehr dankbar für einen Führer und alle Hilfe, die du gewähren kannst, T'hosjer. Jemand, der so mutig ist, eine Expedition von Fremden in ein Land der Dämonen zu führen, ist auch jemand, von dem ich mir gern den Weg weisen lasse. Solange deine Matrosen nicht dazu neigen, sich abzusetzen, wenn es mal schwierig wird.«

T'hosjer erhob sich zu voller Höhe. »Die Matrosen

Poyolavomaars werden tun, was ihr Landgraf ihnen gebietet, was immer sie auch dabei empfinden mögen. Ihr braucht nicht zu fürchten, daß sie euch im Stich lassen. Steinbaum wird die Einzelheiten regeln.« Als der Landgraf sich zur Seite wandte, um seinem Ratgeber Befehle zu erteilen, beugte sich September zu Ethan hinüber und flüsterte:

»Du mußt etwas mehr nachdenken, Jungchen. T'hosjer hat schon angeboten, unsere Mannschaft aufzufüllen. Seinen Führer zurückzuweisen, der möglicherweise auch als sein persönlicher Spion dienen soll, kommt einer Beleidigung nahe.«

Ethan wirkte verlegen. »Mein Enthusiasmus ist mit mir durchgegangen. Manchmal vergesse ich, daß die Tran keine normalen Leute sind.«

»Darin hast du recht. Sie sind, verdammt nochmal, besser als normale Leute. Für einen Vertreter hast du nicht gerade viel von einem Diplomaten.«

»Tut mir leid. Das ist eben nicht immer dasselbe.« Er lehnte sich in seinen Sessel zurück, bis T'hosjer wieder seine Aufmerksamkeit auf sie richtete.

»Steinbaum wird mit Orun Malc-Vierg sprechen, dem Marschall unserer Flotte. Er wird unter seinen erfahrensten und tapfersten Matrosen Freiwillige auswählen. Wer mit euch fährt, kann Ehre erringen und viel lernen. Ich glaube nicht, daß es Probleme dabei geben wird, eure Bedürfnisse zu erfüllen. Die Matrosen der Flotte sind keine abergläubischen Jäger. Was euren Führer angeht: das wird jemand aus meinem eigenen Gefolge sein, klug und kenntnisreich, mutig und mir nahestehend.« Er drehte sich um und winkte jemanden in der Menge der schweigend dastehenden Höflinge zu.

Eine junge, außergewöhnlich attraktive Tranfrau glitt mit katzenhafter Grazie und Kraft auf einem Eispfad zu ihnen. In Tranaugen war sie sogar noch hübscher als Elfa Kurdagh-Vlata, doch hatte sie nichts Sanftes an sich. Als sie ihren Blick über sie gleiten ließ, grenzte ihre Haltung an Anmaßung. Sie forderte jeden einzelnen von ihnen heraus, T'hosjers Entscheidung, sie als Führerin zu bestimmen, zu widersprechen.

»Dies ist Grurwelk Fernblick«, stellte T'hosjer sie vor. »Als Kind erkundete sie genau jenes Gebiet, das ihr aufsuchen wollt, in Begleitung ihres Vaters, eines bekannten und geachteten Forschers.« Er nickte ihr zu. »Du hast die Ehre, unsere Verbündeten in diese Region zu führen.«

»Ich habe eurem Gespräch gelauscht. Zu viel Gerede. Aber ich bin erfreut, daß ich ausgewählt wurde, deine Freunde aus dem Himmel zu unterstützen.«

»Bist du vermählt?« fragte September vorsichtig. »Und falls ja, wird dein Gemahl ebenfalls mitkommen?«

Sie blickte den Hünen scharf an. Sie hatte noch nicht geblinzelt, stellte Ethan fest. Bei den Tran konnte das Fehlen einer Geste erhebliche Bedeutung haben. Längere Zeit nicht zu blinzeln, konnte als stummer Trotz gedeutet werden.

»Ich war vermählt. Jetzt bin ich verwitwet. Mein Gemahl und mein Vater verschwanden vor mehr als einem Jahr während einer Jagdexpedition in genau jener Gegend, die euer Ziel ist. Seit jener Zeit habe ich vergeblich versucht, jemanden zu finden, der bereit wäre, mich auf der Suche nach ihnen zu begleiten. Und das nur wegen dieser kindischen Geschichten. Ich bereitete mich darauf vor, allein zu gehen, und nun hat die Vorsehung euch und eure Neugier nach Poyolavomaar gebracht. Ich bin erfreut über eure Begleitung und noch erfreuter über eure Hilfe.«

»Auha!« sagte September. »Du kommst eigentlich mit, um *uns* zu helfen, schon vergessen?«

Sie ignorierte ihn und richtete ihren eisigen Blick auf Ethan. »Ich weiß, daß ihr seltsame Waffen und Geräte habt, Vorrichtungen, die selbst mit Dämonen fertig werden. Ich weiß das aus dem, was ihr tatet, um Rakossa den Tyrannen zu vernichten, und aus dem, was ich gerade mitgehört habe. Falls Dämonen meinen Gemahl und meinen Vater gefangen halten, werdet ihr sie für mich vernichten!«

»Wir wüßten nicht, daß irgendwelche Dämonen damit zu tun haben«, erwiderte Ethan ruhig.

»Sie haben!« Auf ihren Nickhäuten blitzte Licht auf. »Sie haben meinen Vater und meinen Gemahl gestohlen! Ich werde sie finden und zurückbringen.« Damit wirbelte sie auf den Chiv herum und glitt dorthin zurück, wo sie hergekommen war, ohne höflich auf die förmliche Entlassung durch ihren Landgrafen zu warten. T'hos lächelte nur tolerant.

September sah den Herrscher Poyolavomaars an. »Das ist keine gute Idee. Sie wirkt zäh und energisch, und sie redet auch so, und ich glaube auch, daß sie die Gegend so kennt, wie du sagst, aber sie ist dabei, weil es ihr um die Rache an jemandem oder etwas geht, das vermutlich nicht existiert.«

»Sie wird tun, was sie versprochen hat«, versicherte T'hosjer.

»Sie kann tausendmal ihre Loyalität beteuern. Das ist keine Versicherung, die uns zufriedenstellt.«

»Es macht mich neugierig, daß ihr glaubt, dort, wohin ihr wollt, gäbe es keine Dämonen. Wenn nicht Dämonen, was macht dann das Eis zur Leiche?«

»Wir wissen nicht, daß das dort passiert«, erinnerte Ethan ihn. »Es gibt da ein planeteninternes System der Wärmeverteilung, das ...« Der Ausdruck, der sich auf dem Gesicht des Landgrafen abzuzeichnen begann, ließ ihn innehalten. Er drehte sich um und winkte Milliken Williams heran.

Der Lehrer gab sein Bestes, um T'hosjer einen Schnellkurs in Vulkanismus, Geophysik und Plattentektonik zu erteilen. Es war nicht möglich, zu erkennen, wieviel davon für den jungen Herrscher einen Sinn ergab. Schließlich schritt September ein.

»Wir suchen nach der Ursache. Ob es nun Vulkane,

Dämonen oder heiße Quellen sind, wissen wir einfach nicht. Deshalb wollen wir ja hin. Was immer es ist, wir finden es — und zwar schnell.« Er lehnte sich zurück. »Ich muß ein Schiff erreichen.« Er wies mit einem Kopfnicken zu der Gruppe der Höflinge, in der ihre künftige Reiseführerin verschwunden war. »Und ich ziehe es immer noch vor, daß jemand uns den Weg zeigt, der oder die kein persönliches, stark gefühlsgeleitetes Interesse an dem Ausgang unserer Unternehmung hat.«

»Fernblick *ist* hitzig und reizbar«, gab T'hosjer zu, »doch sie hat auch als einzige die Gegend bereist, in die ihr wollt.«

»Dann ist es abgemacht«, sagte Ethan rasch, bevor September ein weiterer Einwand einfiel. »Ich bin sicher, sie wird uns eine große Hilfe sein.«

T'hosjer T'hos erhob sich. »Ich werde mich darum kümmern, daß ihr mit allem versorgt werdet, was ihr benötigt.« Ta-hoding setzte dazu an, etwas zu sagen, und Hunnar beeilte sich, den habgierigen Kapitän zum Schweigen zu bringen. »Die zusätzlichen Besatzungsmitglieder, um die ihr gebeten habt, werden noch vor Einbruch der Dämmerung am Dock sein, so daß ihr sie vor der Abreise einweisen könnt. Komm, Steinbaum! Ich möchte noch mit dir über diese Angelegenheit sprechen.«

Auf seinen spitzen Stab gestützt, verbeugte sich der alte Gefolgsmann erneut. Gemeinsam mit T'hosjer verließ er die Halle.

Ethan packte September am Handgelenk. »Du hast deinen eigenen Rat nicht befolgt. Hast du mir nicht gesagt, das Angebot eines Führers auszuschlagen, würde unseren Gastgeber beleidigen?«

Der Hüne wirkte unsicher. »Ich hatte mit jemandem gerechnet, der an Topographie interessiert ist, nicht an Rache. Sie könnte uns auf der Suche nach ihren Verwandten in die falsche Richtung dirigieren.«

»Gebrauche deinen Kopf, Skua! Wir müssen uns ihre

Vorschläge doch nur höflich anhören, zustimmend nik-
ken und uns dann nach unseren Karten und Messungen
richten.«

September nickte langsam. »Ich hoffe, du hast recht,
Jungchen. Naja, wir können es jetzt sowieso nicht mehr
ändern. Aber ich habe diesen Ausdruck schon gesehen
und auch diesen Ton gehört, bei Menschen und bei
Nichtmenschen gleichermaßen, und ich sage dir, wenn
diese feuerköpfige kleine Tran etwas sieht, das sie haben
möchte — wird sie die *Slanderscree* und uns benutzen,
um es zu bekommen.«

»Entschlossenheit bedeutet nicht notwendig, daß jemand auch fähig ist, sein Ziel zu erreichen, Skua. Wir
werden schon mit ihr fertig.«

»Könnte sein.« Septembers Augen suchten noch immer die Gruppe der Höflinge ab, ohne den zottelmähni-
gen Kopf zu finden, nach dem sie suchten. »Könnte auch
sein, daß sie uns, wenn sie überzeugt ist, daß Dämonen
ihren Vater und Gatten shanghait haben, direkt in die
Hölle führt.«

»Du hast die Daten des Beobachtungssatelliten gesehen«, erinnerte Ethan ihn gelassen. »Wieso meinst du,
daß wir nicht ohnehin auf dem Weg dorthin sind?«

6

ALS SIE SICH AM NÄCHSTEN MORGEN auf die Abreise vorbereiteten, schien es, als ob sich dazu die halbe Bevölkerung des Stadtstaates versammelt hatte. Poyolavomaarer saßen auf den Docks, standen auf den Hafenwällen und chivanierten über das Eis. Jugendliche taten sich hervor, indem sie versuchten, einander mit den kompliziertesten und gefährlichsten Manövern zu übertrumpfen. Ein paar der Matrosen des Eisklippers machten ein paar schnelle Geschäfte mit Waffen, die sie aus Asurdun mitgebracht hatten, das für die meisten Inselbewohner immer noch nicht mehr als ein Name war. Ta-hoding klagte, daß er mehr und mehr zum Kapitän von Händlern statt von Matrosen würde, und daß die *Slanderscree* so mit Handelsgütern überladen sei, daß sie sich nicht mehr richtig steuern ließe.

Doch seinen Klagen zum Trotz war Ta-hoding mit Recht für seine Toleranz berühmt. Die Geschäfte durften weitergehen, bis der Schiffskoch versuchte, ein auseinandergenommenes, wundervoll geschnitztes Poyolavomaar-Haus an Bord zu bringen, das er gegen mehrere Fässer getrockneten Gemüses aus den Schiffsvorräten eingehandelt hatte. Ta-hoding stieß einen Schwall von Flüchen aus, woraufhin seine Leute durcheinanderhasteten, um stoßend und drängelnd ihre Erwerbungen unter Deck zu bringen, bevor er sie über Bord werfen konnte. Den nächsten Matrosen oder Soldaten, der versuchen sollte, auch nur einen Knopf zu tauschen, würde er ans Heck binden und hinter dem Schiff bis zum Südkontinent mitschleifen, brüllte Ta-hoding.

Die Besatzung murrte über die entgangenen Gelegenheiten, Profit zu machen, kehrte aber an die Stationen und Arbeiten zurück. Ta-hoding mochte übergewichtig sein und ein wenig komisch aussehen, doch es war nichts Amüsantes an seiner Autorität und seiner Entschlossenheit, sie denen gegenüber auszuüben, die ihm untergeordnet waren. Die Poyolavomaarer ihrerseits applaudierten jeder der einfallsreichen Verwünschungen des Kapitäns und drängten ihn zu noch kunstvolleren Höhenflügen verbal-anatomischer Kreativität. Oder wie September es ausdrückte: »Nichts zementiert die Freundschaft zwischen frischen Verbündeten besser als ein wenig kultureller Austausch, Jungchen.«

Während der verbale und kommerzielle Austausch stattfand, hing Grurwelk Fernblick am Fockmast-Ausleger und beobachtete sarkastisch grinsend ihre drängelnden und rempelnden Mitreisenden.

Es war Suaxus-dal-Jagger, Hunnars oberster Junker, der sich dafür entschuldigte, daß er Septembers Betrachtungen mit einer Bitte störte. »Vielleicht könntet ihr eure Weisheit auf ein kleines Problem richten, Freund September und Freund Ethan.«

»Was für ein Problem?« seufzte Ethan. Aus unerklärlichen Gründen glaubten die Tran, er verfüge über eine außergewöhnliche Begabung darin, zu schlichten und einvernehmliche Übereinkünfte zu erzielen.

»Zwei Probleme eigentlich. Sie sind direkt hinter euch.«

Beide Männer drehten sich um. Besatzungsangehörige gingen ihren Aufgaben nach, verstauten letzte Vorräte, reinigten das Deck, gossen Wasser aus, um frische Eispfade zu bilden und entfrosteten gefrorene Pika-Pina-Taue mit Lampen. Ein paar wiesen die Rekruten aus der Marine Poyolavomaars in die Besonderheiten des Umgangs mit dem Eisklipper ein.

Ethan wollte sich gerade wieder zu dal-Jagger umdrehen, als er auf eine verwischte Bewegung in der Nähe der Hauptladerampen aufmerksam wurde. Sein erster Gedanke war, daß zwei aus der neuen Besatzung Kleinwüchsige waren. Als sie langsamer wurden und er ihre pummeligen Gesichter sah, wußte er, daß es sich um Kinder handelte.

Das an sich war keine Überraschung. Wo immer sie andockten, war es ein großer Spaß für die kleinen Tran, im Umkreis des mächtigen Schiffes zu spielen, um seine riesigen Metallkufen herum zu chivanieren und an seinen Ankerseilen hochzuklettern. Überraschend war, daß sie sich an Bord befanden. Ihre Possen und ihr Herumtollen rief bei den meisten der geschäftigen Besatzungsangehörigen eher verärgerte Kommentare als ein Lächeln hervor.

»Sie sind im Weg«, stellte Ethan fest. Dal-Jagger nickte zustimmend. »Warum verscheucht ihr sie dann nicht?«

»Das ist das Problem, Sir Ethan. Sie sind die Abkömmlinge dieser Fernblick, die uns vom Landgrafen Poyolavomaars zugewiesen wurde. Es steht außerhalb des Normalen und Üblichen.« Der Junker war offensichtlich aufgebracht. »Ich begreife, wie die meisten von uns, daß wir sie akzeptieren müssen, weil wir mit einer Weigerung unsere neuen Verbündeten beleidigen würden, aber es ist nicht einzusehen, daß wir auch noch ihre gesamte Familie akzeptieren sollten. Die *Slanderscree* ist keine Kinderkrippe.«

»Warum die Dinge nicht einfach laufen lassen?« schlug September vor. »Welchen Schaden kann so ein Paar Küken schon anrichten? Die Reise würde ihrer Erziehung und Bildung bestimmt guttun.«

»Die *Slanderscree* ist auch keine Schule; und ebensowenig ein Passagierschiff. Die Besatzung beschwert sich schon.«

»Absurd. Als nächstes erzählst du mir, daß es Unglück bringt, eine Frau an Bord zu haben.«

Dal-Jagger beäugte ihn mit seltsamem Blick. »Warum sollte ich so etwas sagen, Sir Skua? Alle, die auf dem Eis fahren, wissen, daß das Gegenteil der Fall ist, daß es

121

Glück bringt, eine gemischte Besatzung zu haben. Ganz zu schweigen davon, daß es angenehmer und erfreulicher für alle Beteiligten ist. Aber ihr seid ja keine Tran.«

»Stimmt. Jeder Gattung ihre eigenen Vorurteile.«

»Das hat nichts mit Vorurteilen zu tun. Es handelt sich darum, was praktisch und vernünftig ist«, erklärte dal-Jagger bestimmt. Er wies zur Laderampe. »Sie haben schon mehrfach andere fast zu Fall gebracht.«

»Keinen Bedarf für einen Moses oder zwei, sagst du also. Auch unsere Traditionen sind nicht dieselben. Aha!« Seine Stimme nahm einen befriedigten Tonfall an. »Der Kapitän wurde informiert.«

»Komm, Jungchen! Das dürfte interessant werden.«

Grurwelk war durch Ta-hodings massige Gestalt verdeckt, doch sie hörten, wie sie ihren Standpunkt darlegte:

»Sie kommen mit mir, weil sie alles sind, was mir geblieben ist. Sie sind meine Familie.«

»Solange du auf meinem Schiff bist, sind deine Schiffskameraden deine Familie«, schnauzte Ta-hoding. »T'hos herrscht in Poyolavomaar, auf dem Eis bin ich der Herr. Sie müssen hierbleiben.«

»Ich nehme sie mit«, knurrte sie, »damit sie ihren Vater so bald wie möglich wiedersehen, *falls* er noch lebt.«

Irgend etwas rammte von hinten in Ethan hinein und warf ihn fast um. Als er sich umdrehte, sah er auf ein breites, pelziges Gesicht hinunter. Der Junge wich einen Schritt zurück und stolperte in seinen Bruder. Beide fielen auf das Deck. Scheue, staunende Blicke huschten von Ethan zu September und wieder zurück. Die Jungen stießen mit einem seltsam zischenden Laut den Atem aus, der wie ein sichtbares Ausrufungszeichen in der eisigen Luft stehenblieb.

»Da, guck!« hauchte eines der Kinder. »Es sind die mächtigen Fürsten aus dem Himmel!«

»Keine mächtigen Fürsten«, korrigierte Ethan den Jungen.

Das Paar rappelte sich wieder auf. »Sie sind genauso, wie man uns erzählt hat.«

Kurz vor der Pubertät, dachte Ethan, während er sie prüfend musterte. Ausgesprochen nett. Sie vollführten beide einen Kniefall und stützten sich mit den Pfoten auf das Deck.

»Wir sind geehrt«, erklärten sie unisono.

»Charmante kleine Bürschchen«, bemerkte September. Er sah Ta-hoding an. »Bist du sicher, daß sie im Weg wären, Kapitän?«

Der wackere Tran sah unbehaglich drein, blieb sich aber treu. »Wärst du Pfadfinder oder Steuermann, Freund Skua, würdest du wissen, wie unangebracht Kinder auf einem Kriegsschiff sind.«

»Kriegsschiff?« Fernblick ergriff sofort die Gelegenheit. »Ich sehe keine Kriegsvorbereitungen. Nur solche für eine Forschungsreise.«

»Wir ziehen nicht in den Kampf, aber wir müssen darauf vorbereitet sein. Wir waren in der Vergangenheit mehrfach dazu gezwungen.«

»Du sagst, meine Kinder seien im Weg. Und was sagst du zu den närrischen Menschen, die überall herumstolpern und sich gegenseitig auf die Füße treten, schlimmer als meine Kinder? Was ist mit denen?«

»Das sind Gelehrte. Gelehrte sind oft geistesabwesend, weil sie dauernd an gelehrte Dinge denken. Das ist bei den Himmelsleuten genau wie bei uns.«

»Welchen besseren Platz für ein Paar Jungen gibt es denn als unter einer Schar von Gelehrten? Bedenke, was sie lernen könnten.«

Ta-hoding breitete seine Dan aus. »Ich werde dieses Schiff nicht aus dem Hafen lenken, solange diese Kinder an Bord sind!«

Blicke wandten sich ab, Matrosen gaben vor, sich weiter um ihre Arbeit zu kümmern. Als das Ende kam, war es eine Überraschung für alle.

Fernblick nickte, nur einmal. »Dies ist dein Schiff. Solange ich auf ihm bin, werde ich mich nach deinen Entscheidungen richten.«

Ta-hoding entspannte sich zögernd. »Nun, ich ... daran tust du recht, sehr recht. Dann ist es also entschieden.«

»Ja, entschieden.« Sie legte die Arme schützend um die beiden Jungen. »Kommt, Söhne von Fernblick. Mein Körper wird gehen, aber mein Herz bleibt bei euch.« Unter den Blicken aller Anwesenden führte sie die beiden die Schiffsrampe hinunter.

»Siehst du?« sagte Ethan selbstgefällig. »Sie ist ausgesprochen umgänglich.«

September verfolgte die Abschiedsszene aufmerksam. »Oder ausgesprochen raffiniert.«

»Ich kann dir nicht folgen.«

»Jeder Tran, der auf einem Schiff gesegelt ist, weiß, daß Kinder an Bord nicht willkommen sind.« Er wies mit dem Kopf zum Dock. »Sie wußte das, als sie sie herbrachte. Sie war sich auch der Sorgen bewußt, die wir uns ihretwegen machten. Was, wenn sie sie nur mitgebracht hat, damit wir sehen können, wie fügsam sie sein kann, wenn es darauf ankommt? Was, wenn der ganze Zusammenstoß eine Täuschung war, inszeniert, um zu zeigen, wie ›kooperativ‹ sie sein kann? Um unsere schwelenden Bedenken zu beschwichtigen?«

»Daran hatte ich nicht gedacht. Ich bin zu lange aus dem Verkaufsgeschäft.« Ethan überlegte und sagte schließlich: »Vielleicht sollten wir sie doch nicht mitnehmen, auch auf die Gefahr hin, T'hos zu beleidigen?«

September schüttelte den Kopf. »Zu spät. Außerdem: Wer so schlau ist — falls sie wirklich so schlau ist und ich nicht Motive in ihre Handlungen hineinlese, die nicht da sind —, könnte auf so einer Reise ein erheblicher Aktivposten sein. Ich kann mich nur nicht des Gefühls erwehren, daß sie die ganze Zeit heimlich gegrinst hat, als sie mit Ta-hoding stritt.«

»Skua, entscheide dich«, sagte Ethan leicht gereizt. »Willst du sie nun auf dem Schiff haben oder nicht?«

»Ich weiß es wirklich nicht, Jungchen, und das ist die Wahrheit. Es ist schon schwer genug, mit einem Rätsel fertig zu werden, wenn es menschlich ist.«

Frustriert den Kopf schüttelnd schlenderte Ethan davon. September starrte weiter in die Menge, bis ihm endlich aufging, was ihn wirklich beunruhigte.

Katzbärenhaft oder nicht, erkannte er verblüfft, Grurwelk Fernblick war ihm sehr ähnlich.

Als die *Slanderscree* Poyolavomaar verließ und sich südwärts zum Äquator wandte, sah Ethan nicht viel von Grurwelk Fernblick. Wenn sie nicht Ta-hoding über Eis- und Wetterbedingungen beriet, blieb sie unten in ihrer Hängematte, still und unaufdringlich. Es würde leicht fallen, überlegte er, zu vergessen, daß sie an Bord war, so selten zeigte sie sich auf Deck. Vielleicht war es genau das, was sie wollte.

Das Eis glitt unter den Kufen der *Slanderscree* dahin. Unbewohnte Inseln steckten weit steuerbord ihre Köpfe durch die weiße Schicht, während große Felder mit Pika-Pedan, des riesigen Pika-Pina-Verwandten, den westlichen Horizont beherrschten. Obwohl Geschichten über Schiffe, die in solchen Feldern verschwunden waren, einen Großteil des Sagengutes der Matrosen ausmachten, kamen solche Tragödien in Wirklichkeit nur selten vor. Was Ta-hoding nicht davon abhielt, dem Wald sich auftürmenden, saftigen Pflanzenfleischs wann immer möglich weiträumig auszuweichen.

Vierbeinige, pelzige Geschöpfe huschten auf den Pflanzen herum und nagten an dem weichen Grün, während ein Paar Oroes, die Säcke auf dem Rücken voll aufgebläht, von einer Stengelkrone zur nächsten schwebten.

Es war interessant, die Fauna des Pika-Pedan-Waldes zu beobachten — aus gewisser Entfernung. Er hatte nicht vergessen und würde nie vergessen, wie er auf der Reise zum entfernten Moulokin einmal fast von einem Kossief unter das Eis gezogen und verzehrt worden wäre. Die Eisschicht war neben dem weitreichenden Wurzelsystem der Pika-Pina und Pika-Pedan auch die Heimat aller möglichen Tierarten.

Jede Nacht ließ Ta-hoding den Eisklipper, das Heck in den Westwind gerichtet, Halt machen, die Eisanker wurden ausgelegt und bis auf die Nachtwache begab sich alles zu tiefer ungestörter Ruhe. Cheela Hwang und ihre Begleiter schliefen genauso fest wie die Besatzung der *Slanderscree*. Die Kälte war erschöpfend.

Ethan wußte nicht, was ihn geweckt hatte. Sein Atem stand als deutlich erkennbare, helle Wolke in der mondhellen Luft der Kajüte. Hier, in der Nähe von Tran-kykys Äquator, fiel die Nachttemperatur nicht tiefer als vierzig oder fünfzig Grad unter Null. Er sah sich in der Dunkelheit um und versuchte sich zu erinnern, was seinen Schlaf gestört hatte. Sein Überlebensanzug lag in Greifnähe. Einige der Wissenschaftler schliefen in ihren Anzügen, doch er und September hatten das seit langem aufgegeben. Sie schliefen statt dessen unter Bergen aus dicken Fellen. Das war nicht nur bequemer, sondern gab den Anzügen auch die Gelegenheit auszulüften.

Vorsichtshalber streckte er die Hand aus und betätigte schon einmal den Kontakt auf dem Anzugsärmel, um das Innere vorzuwärmen. Gleichzeitig wiederholte sich der Sinneseindruck, der ihn aus dem Schlaf geholt hatte: Bewegung. Aber Bewegung durfte es eigentlich nicht geben. Diverse Eisanker hielten das Schiff am Platz, und ansonsten war es draußen außergewöhnlich still. In der Nacht waren plötzliche Windböen nicht unüblich, aber das hier war etwas anderes. Er hatte Erfahrung mit Bewegungen, die vom Wind verursacht wurden, doch diese gehörte nicht dazu.

Ein drittes Mal, und er war sich sicher. Keine Bewegung nach Back- oder Steuerbord, Bug oder Heck. Mehr ein Gefühl des Absackens.

»Skua? Skua, wach auf!«

Gegenüber seinem Bett begann sich eine massige Gestalt unter einem Gebirge aus Decken und Fellen zu rühren. »Hm — was?«

»Wir bewegen uns, Skua. Das Schiff hat sich bewegt. Mehrfach.«

»Ja und? Alles auf dieser Welt bewegt sich. Dafür sorgt der Wind.«

»Nein, dies ist anders. Es ist mehr wie ...« Wieder erschauerte die *Slanderscree*. Ein Augenblick der Unsicherheit, bis die Bewegung aufhörte, dann wälzte September sich herum und sah zu seinem Freund hinüber. Sein weißes Haar schimmerte im Mondlicht.

»Also, das fühlt sich nicht richtig an, Jungchen. Was du sagst, stimmt, aber ich will verdammt sein: Etwas anderes stimmt ganz und gar nicht.«

»Ich verstehe das nicht. Wenn irgendwas nicht stimmt, hätte die Nachtwache doch längst Alarm geben müssen.«

»Wenn sie das noch kann.« September streckte den Arm aus, um die Vorwärmung seines Anzugs einzuschalten. Währenddessen atmete Ethan tief durch und schlüpfte unter dem Fellhaufen hervor. Die Kälte schnitt in seinen nackten Körper, dann war er in seinem Anzug in Sicherheit. Er schlug das Visier herunter und verband es mit der Kapuze. Der Thermostat des Anzugs begann unverzüglich damit, die Temperatur im Innern auf ein angenehmes Niveau zu heben.

Die beiden Männer fanden rasch heraus, daß Ethan nicht der einzige und nicht der erste war, der von der seltsamen Bewegung geweckt worden war. Im Gang vor ihrer Kabine drängten sich Besatzungsangehörige, Rekruten aus Poyolavomaar und andere. Ethan sah Elfa Kurdagh-Vlata zur Gangway eilen, während sie mit einer Weste aus Hessavarhaut kämpfte. Selbst hier, in der

Nähe des Äquators, waren die Nachttemperaturen immer noch ein wenig frisch für eine an die Bequemlichkeiten der Zivilisation gewöhnte Tran.

Als Ethan versuchte, zu ihr aufzuschließen, erbebte das Schiff wieder, diesmal heftig. Ethan stolperte und wurde von September aufgefangen, der gerade aus der Kajüte trat.

»Schlecht und schlechter werdend.« Der Hüne sah mit grimmigem Gesicht zur Gangway. »Irgend etwas geht da draußen vor, und wir sollten verdammt schnell rausfinden, was.«

Natürliches Phänomen oder etwas anderes, die Tochter des Landgrafen war vorbereitet. Sie zog ihr Schwert, als sie auf die Gangway trat. Matrosen traten beiseite, um den ihr folgenden Himmelsleuten Platz zu machen, während die Tran, die erst jetzt aufgewacht waren, verschlafen aus ihren Hängematten und Betten stolperten.

Elfa und Ethan traten Seite an Seite auf das Deck. Da beide Monde Tran-ky-kys im Himmel standen, gab es reichlich Licht. Eis glitzerte nackt und öde im stillen, steten Licht der Monde. Der Wind blies gleichmäßig aus Osten. Ethan schätzte seine Geschwindigkeit auf etwa zwanzig bis dreißig Kilometer, nicht annähernd genug, um ein gut verankertes Schiff zu schütteln.

Hunnar kam dicht hinter ihnen nach oben. »Überprüfen wir als erstes die Anker.« Ta-hoding mußte erst noch erscheinen, und seine Lagebeurteilung interessierte Ethan besonders.

Sie entfernten sich von der Luke. Soldaten und Matrosen kamen in stetigem Strom aus der Öffnung und verbreiteten sich in verschiedene Richtungen.

»Am Bug alles klar!« kam ein Ruf.

»Steuerbord alles klar!«

»Backbord al ...« Der Ruf wurde abrupt unterbrochen, als ein an eine biegsame Kiefer erinnerndes Etwas über die Reling griff, um den unglücklichen Matrosen von

Deck zu pflügen. Eine weitere gigantische Extremität folgte, dann eine dritte.

»Shan-Kossief!« brüllte einer der Matrosen und stürzte mit seinen Kameraden in wilder Hast zur offenen Luke. Hunnar gelang es, die Panik zu dämpfen, indem er darauf hinwies, daß die riesigen Tentakel, oder was sie sonst sein mochten, nicht weiter als etwa einen Meter über die Reling greifen konnten, so sehr sie sich auch streckten. Wenn man diese Entfernung zur Bordkante einhielt, war man sicher. Vorsichtig begannen die Matrosen, sich wieder über das Schiff zu verteilen. Die Tentakel verschwanden und tauchten in der Hoffnung auf ein weiteres Opfer an anderen Stellen der Backbordseite wieder auf. Doch Hunnar hatte recht: ihre Reichweite war begrenzt.

Ethan wußte aus persönlicher, leidvoller Erfahrung, was ein Kossief war: ein Eiswurm, ein Fleischfresser mit einem röhrenförmigen Körper, der innerhalb der Eisschicht lebte. Er bewegte sich vorwärts, indem er das Eis vor sich wegschmolz, einen Tunnel schuf, bis er irgendwo auf der Oberfläche eine Beute spürte. Dann schmolz er sich verstohlen seinen Weg nach oben unter sein Opfer, schlug zu und packte seine zappelnde Mahlzeit mit langen Tentakeln, um sie in sein Lager hinunterzuziehen. Dabei sonderte er aus seinem Körper Wasser ab, aus dem sich die Eisschicht neu aufbaute, und machte sich in einem eisigen Kokon an das Verspeisen seiner Nahrung. Das war ein Kossief. Was aber war ein Shan-Kossief?

In Tran bedeutete ›shan‹ je nachdem ›groß‹, ›gewaltig‹ und ›unvorstellbar riesig‹. Als er versuchte, zu entscheiden, welche Bedeutung angemessen war, erschauerte das Schiff erneut. Dann gab es wieder das Gefühl des Absackens.

Man mußte nicht Experte für die hiesige Tierwelt sein, um zu ahnen, was geschah. Wenn die Methode des Shan-Kossief, an Beute zu gelangen, der seines kleineren Namensvetters glich ... Ethan schauderte, und daran war nicht die Kälte schuld. Was würde so ein Monster von einem Eisschiff halten? Es mußte sehr verwirrt sein. Hier war eine Beute von der Größe eines kleinen Stavanzers. Eßbare Beute, falls die unglückliche Nachtwache das Schicksal ereilt hatte, das Ethan sich vorstellte. Doch das meiste davon war anorganisch und ungenießbar. Möglicherweise konnte der Fleischfresser die anderen warmen, eßbaren Lebewesen an Bord spüren. Er konnte nicht an sie heran, und das Schiff war vermutlich so stabil, daß er es nicht auseinanderreißen konnte. Was also konnte der Shan-Kossief tun, außer es mit seiner instinktiven Methode der Nahrungsbeschaffung zu probieren?

Nur Vermutungen anzustellen reichte nicht. Bevor sie Verteidigungsmaßnahmen ergriffen, mußten sie ihrer Sache sicher sein. Er bewegte sich langsam auf die Backbordreling zu.

Elfa legte ihm eine Pranke auf die Schulter, um ihn zurückzuhalten. »Das kannst du nicht tun. Er wird auch dich schnappen.«

»Nicht, wenn ich mich unten halte und mich nicht zeige«, erwiderte Ethan ohne große Überzeugung.

»Ethan hat recht.« Hunnar trat zu ihnen. »Wir müssen wissen, was los ist. Ich werde gehen.«

»Nein. Ich bin viel kleiner, und mein Anzug wird meine Körperhitze vielleicht vor seinen Rezeptoren abschirmen.« Hunnar dachte darüber nach, nickte dann zögernd und trat zu den anderen Zuschauern zurück.

Ethan ließ sich auf Hände und Knie nieder und arbeitete sich so zur Reling vor. Er hörte das besorgte Murmeln der Tran und der Menschen. Hwang und ihre Begleiter hatten sich auf Deck zu den Tran gesellt und bombardierten September und Hunnar mit Fragen, die beide nicht beantworten konnten.

Er stieß mit dem Kopf gegen das Holz. Nichts griff über die Reling, um ihn zu schnappen. Vorsichtig ging er in die Hocke und begann sich aufzurichten. Seine behandschuhten Hände griffen über die Kante der Begrenzung. Einen Augenblick später spähte er außerbords.

Zunächst schien alles in Ordnung. Dann beugte er sich vor und sah, daß die vordere Backbordkufe halb eingesunken war. Wasser leckte an der Strebe, die sie mit dem Schiffsboden verband. Der langgezogene Teich breitete sich langsam unter der *Slanderscree* aus. Bei ausreichender Größe des Shan-Kossief war es vorstellbar, daß dieser das gesamte Fahrzeug unter die Oberfläche zog, wo er damit fortfahren konnte, seine Beute genauso umstandslos aus dem Schiff zu pflücken wie ein Ameisenbär, der einen Termitenbau aberntet.

Irgend etwas unter dem Eis lenkte seine Aufmerksamkeit auf sich. Mit wachsender Faszination starrte er in einen Satz immenser, phosphoreszierender Augen. Dahinter war schwach ein Hohlraum zu erkennen, der groß genug war, einen Skimmer zu verschlucken. Die Eisschicht war wie ein Fenster, durch das er in die gefrorenen Tiefen spähen konnte. Die Augen waren hypnotisch und differenziert, nicht die schlichten lichtempfindlichen Organe eines primitiven Wirbellosen.

Ein gummiartiges Kabel schoß aus dem Eis und schlang sich um seinen rechten Arm.

Er hatte sich ein wenig zu weit vorgewagt. Er versuchte, sich an der Reling abzustützen, und das Holz krachte. Sein Arm fühlte sich an, als würde er ihm aus dem Gelenk gerissen. Er konnte der immensen Kraft nicht widerstehen und spürte, wie er von den Füßen gehoben und über die Reling gezogen wurde. Dann fiel er zurück auf das Deck, und Skua stand über ihm, die Monsteraxt in der Rechten, die ein Tran-Schmied für ihn gefertigt hatte.

»Besser als ein Strahler für diese Art von Arbeit.« Er griff mit der freien Hand nach unten, packte Ethan am Kragen seines Überlebsanzugs und zog ihn zur Deckmitte. Er ließ ihn erst los, als sie wieder bei den anderen waren.

»Kannst du stehen?«

»Das ist nicht das Problem.« Ethan richtete sich auf, stöhnte und beugte sich nach rechts, während er behutsam die Stelle abtastete, wo Knochen und Muskeln zusammenkamen, um ein Glied zu bilden. »Ich glaube, die Schulter ist ausgerenkt.«

»Sei froh, daß es dir nicht deinen vorwitzigen Kopf ausgerenkt hat.« Ethan sah sich von einem Kreis besorgter Gesichter umringt, die meisten davon nichtmenschlich.

»Er versucht, das Eis unter uns wegzuschmelzen. Deshalb werden wir dauernd durchgerüttelt. Jedesmal, wenn ein paar Zentimeter Eis mehr zerflossen sind, sakken wir tiefer. Die vordere Steuerbordkufe ist schon halb eingesunken.«

Hunnar knurrte. »Er wird sich verausgaben, denke ich. Es würde Tage dauern, um soviel Eis zu schmelzen, daß das ganze Schiff verschluckt wird.«

»Offenkundig meint er, daß wir die Anstrengung wert sind«, bemerkte September trocken. »Vielleicht hält er die *Slanderscree* für eine riesige Keksdose.«

»Wir haben also etwas Zeit, aber wir sollten trotzdem rasch etwas unternehmen«, sagte Ethan. »All dieses Rucken und Sacken könnte eine der Kufen abbrechen, und wir sind weit entfernt von allen Reparatureinrichtungen.«

»Was können wir tun?« fragte Hunnar. »Wenn wir an die Reling gehen oder sogar versuchen, uns an der Bordwand hinunterzulassen, um ihn auf dem Eis anzugreifen, wird er sich einen nach dem anderen schnappen. Auch können ihm Armbrüste oder Speere wohl nichts anhaben, selbst wenn wir ihn unter dem Eis hervorzwingen könnten, was unmöglich ist.«

»Wie wäre es, die Anker zu lichten und uns einfach ein Stück vom Wind mitnehmen zu lassen?« fragte der dritte Maat.

Hunnar schüttelte zweifelnd den Kopf. »Dazu ist es jetzt zu spät, wenn es stimmt, was Ethan sagt. Sobald auch nur eine Kufe unter die Oberfläche gesunken ist, wird uns der Wind nicht mehr von der Stelle bringen. Wenn wir die Segel setzen und in den Wind richten, würde uns mit Sicherheit die Strebe dieser Kufe brechen.«

»Wir müssen ihn«, sagte September, »eben überzeugen, daß wir ihm mehr Ärger einbringen, als wir wert sind.« Er sah Blanchard an. »Du oder einer deiner Freunde hat wohl nicht zufällig einen Strahler oder Nadler mit an Bord geschmuggelt?«

»Du kennst doch die Verbote gegen das Einführen hochtechnologischer Waffen in eine primitive Welt.« Blanchard klang frustriert. »Ich wünschte, in diesem Fall hätte sie einer von uns mißachtet.« Er sah auf die Reling, wo einer der Tentakel des Shan-Kossiefs auf der Suche nach mehr Eßbarem über das Deck tastete. Das kurze Stück, das September amputiert hatte, lag leblos auf den Planken.

Ethan wischte Eispartikel von seinem Anzug. »Wir hätten uns einen Teufel um die Bestimmungen scheren und auf jeden Fall irgendeine Waffe mitbringen sollen.«

September schlug ihm leicht auf die Schulter. »Ist wahrscheinlich sowieso egal, Jungchen. Ich habe das Gefühl, daß wir, um mit unserem untergetauchten Bruder fertig zu werden, mindestens eine Kanone brauchen. Die, nebenbei bemerkt, erstmal das Eis durchschmelzen müßte, um an ihn heranzukommen, und wir wollen ja nun gerade, daß das Schmelzen aufhört.« Der Eisklipper schlingerte wieder und sackte weiter ab.

»Warum droht ihr ihm nicht mit eurer moralischen Überlegenheit?«

Ethan warf Grurwelk Fernblick einen scharfen Blick zu, dachte über eine Antwort nach, wandte sich dann jedoch an September.

»Uns Waffen zu wünschen, bringt uns hier nicht raus. Wir müssen das einsetzen, was wir haben.« Er zupfte an seinem Handgelenk. »Wir haben unsere Überlebensanzüge. Was sonst noch?« Er sah zu Hwang hinüber. »Ihr habt Instrumente mitgebracht. Was für welche?«

Die Wissenschaftler sahen einander an und gingen die Liste der Gerätschaften durch, die ihnen die Bestimmungen mitzunehmen erlaubt hatten. Ethan war nicht zuversichtlich. Instrumente zum Bestimmen der Gletscherausdehnung oder zum Sammeln von Luftfeuchtigkeit schienen nicht besonders nützlich gegen einen Fleischfresser von der Größe der *Slanderscree*. Das Forschungsteam hatte Geräte zum Messen der wechselnden Intensität des Magnetfeldes von Tran-ky-ky, um Beben aufzuzeichnen, um die außergewöhnlich hellen, planetenweiten luftelektrischen Erscheinungen zu analysieren, für sofortige chemische Untersuchungen und zum Sammeln und Katalogisieren von organischen und anorganischen Proben. All das war nutzlos.

Er sah Milliken Williams an, doch hier handelte es sich um eine Krise, in der die Allgemeinbildung des Lehrers ihnen nicht helfen konnte. »Diesmal kann ich kein Schießpulver herstellen, es ist nichts da, womit ich arbeiten könnte: Schwefel, Nitrate, nichts. Nur Eis.«

»Vielleicht gibt es eine Möglichkeit, das Eis gegen das Biest zu benutzen.«

»Sicher gibt es die, Jungchen«, meinte September säuerlich. »Wir könnten einen riesigen Cocktail mixen und es sich tottrinken lassen.«

»Hee, das ist eine Idee.«

Der Hüne riß die Augen auf. »Für einen Schwachsinnigen vielleicht. Wir brauchten eine Schiffsladung Alkohol, um etwas von der Größe auch nur benommen zu machen.«

»Das meinte ich nicht«, sagte Ethan und dachte angestrengt nach. »Ich meinte, daß wir das Vieh mit etwas füttern könnten, das seinen Metabolismus durcheinan-

derbringt. Wir sind zum Platzen mit Vorräten vollge-stopft. Vielleicht ist etwas dabei, das es vergiftet.«

Eine rasche Bestandsaufnahme erwies sich als enttäu-schend. Den größten Teil der Nahrung würde der Shan-Kossief einfach nur dankbar verspeisen und danach auf mehr hoffen. Einige der kräftigeren Gewürze hätten vielleicht etwas bewirkt, doch sie waren nur in kleinen Mengen vorhanden. Was sie brauchten, waren ein paar Fässer Pfeffer oder das hiesige Äquivalent dazu.

»Wir haben nicht nur Meßinstrumente mitgebracht«, erinnerte Cheela Hwang ihre Gefährten, nachdem die Fütterungsidee fallengelassen worden war. »Außer un-seren Überlebensanzügen haben wir Messer und andere Werkzeuge.«

»Was ist mit dem Herd?« fragte Jacalan aufgeregt. »Können wir den nicht irgendwie einsetzen?«

September stieß ein höhnisches Schnauben aus. »Si-cher. Wir stopfen das Liebchen in einen Topf und kochen es gar.«

»Nein, Almera hat die richtige Idee.« Hwang zeigte fast soviel Begeisterung, wie ihr überhaupt möglich war. »Der Herd wird von einer Thermoelement-Zelle betrie-ben, die eine Menge Saft abgeben kann. Er ist imstande, für ein Dutzend Leute gleichzeitig zu kochen. Was, wenn wir ihn fest auf maximale Leistung schalten und jemand das Wesen dazu bringt, ihn zu verschlucken?«

Ethan suchte nach dem Fehler in ihrem Gedanken-gang. »Der Herd könnte immer noch nicht genug Hitze abgeben, um dieses Ding zu verletzten oder gar zu tö-ten.«

»Das muß auch nicht sein«, wandte sie ein. »Alles, was wir von ihm wollen, ist, daß es uns in Ruhe läßt. Wir müssen es entmutigen, wie du es ausgedrückt hast.« Das Schiff sackte nach Backbord, und alle kämpf-ten um ihr Gleichgewicht.

Ethan sah Hunnar an. »Was meinst du?«

»Es hängt davon ab, wieviel Hitze diese Maschine

hervorbringt. Bedenke, daß der Shan-Kossief selbst eine Menge Hitze erzeugt. Es könnte sein, daß er den Unterschied gar nicht bemerkt.«

»Diesen müßte er bemerken«, behauptete Hwang. »Wir sprechen von einem robusten Ausrüstungsgegenstand, der konstruiert wurde, um unter den unterschiedlichsten Bedingungen zu arbeiten. Er müßte lange genug funktionieren, um auf sich aufmerksam zu machen, selbst im Bauch von irgendeinem Vieh.«

»Ich habe keine bessere Idee. Wir sollten es probieren, Freundin Hwang.« Der Ritter blickte zur Gangway. »Bringt euer Gerät also her, wir wollen sehen, was es tun kann.«

Moware und Jacalan eilten unter Deck, und Ta-hoding wies den Schiffskoch an, den größten Kadaver aus den Vorräten des Eisklippers nach oben zu bringen.

Der Herd war nicht viel größer als der Speicherblock eines Computers und an der Oberseite mit einer glatt abschließenden Heizplatte versehen. Nach kurzer Diskussion stellte Jacalan die Kontrollen ein, und die Zweifel der Tran wurden durch die intensive Hitze zerstreut, die das Gerät abstrahlte. Bei Maximaleinstellung konnte man die Hände nicht näher als zehn Zentimeter an die Kochplatte heranbringen, ohne sie zu verbrennen.

Der Herd wurde in den Kadaver plaziert und dieser zugenäht. September, Ethan und Hunnar schleppten ihn zur Reling.

»Vorsichtig hierher, Jungchen«, flüsterte September, als sich unten etwas im Mondlicht bewegte. »Jetzt!«

Sie hievten das Fleisch über die Kante. Es fiel auf einen hochragenden Tentakel und sprang weg. Einen Moment fürchteten sie, der Kadaver würde übers Eis rollen und ignoriert werden.

Doch so unempfindlich war der Shan-Kossief nicht. Die Anwesenheit von etwas Eßbarem bemerkend, begann er, das Eis unter dem Kadaver zu schmelzen, das sich unter den Blicken Ethans und seiner Begleiter in eine

Pfütze verwandelte. Sie zogen sich von der Reling zurück, um nicht denselben Weg zu gehen wie der Köder.

Niemand sprach. Auf einigen Gesichtern zeigte sich Verzweiflung, als die Zeit verstrich und das Schiff aufs Neue erbebte.

»Es hat nicht funktioniert«, murmelte Ethan bedrückt. »Wir müssen uns etwas anderes ausdenken.«

»Ich verstehe das nicht.« Blanchard schüttelte verblüfft den Kopf. »In einer Welt wie dieser müßten sich einige hundert Grad wie tausende anfühlen.«

»Nicht so hastig.« Ta-hoding sah sie nicht an. Er lauschte, lauschte und setzte möglicherweise seine Sinne ein, über die nur jemand verfügen konnte, der ein Leben damit verbracht hatte, über das Eis zu segeln. Wieder bebte die *Slanderscree*.

»Ethan hat recht«, sagte Hunnar. »Es funktioniert nicht.«

»Dann funktioniert etwas anderes. Seid ruhig, entspannt euch und spürt das Schiff.«

Hunnar runzelte die Stirn und ließ sich leicht zusammensacken. Wieder ruckte der Eisklipper. Ethan starrte den einen und dann den anderen an, bis er das Schweigen nicht länger ertragen konnte.

»Würde mir einer von euch bitte mal sagen, was los ist?«

»Die letzten Male, als das Schiff sich bewegt hat, war das kein Sacken«, erklärte Ta-hoding, ohne den Blick vom Eis zu wenden. »Ich bin mir völlig sicher. Ich kenne die Balance dieses Schiffes wie meine eigene, vielleicht sogar noch besser.« In diesem Augenblick ruckte die *Slanderscree* heftig — aber zur Seite, nicht nach unten.

Ethan und die anderen eilten vorsichtig zur Reling. Keine Tentakel erhoben sich zum Angriff. Ein Blick zeigte, daß das Wasser, das an der Backbordkufe geleckt hatte, in der subarktischen Luft bereits wieder gefror, das Eis sich um das Duralum herum neu aufbaute. Hal Semkin, Hwangs Assistent, brachte eine kleine Taschenlam-

pe zum Vorschein und ließ den kräftigen Lichtstrahl über die Fläche direkt unter ihnen spielen. Sie gefror gleichfalls. Es gab keine erkennbaren schwachen Stellen, an denen Tentakel durchbrechen konnten.

»Himmelzerbott«, murmelte Ethan überrascht, »wir haben es geschafft.«

»Nicht so voreilig.« Fernblick drückte sich an ihm vorbei und spähte hinunter auf das Eis. »Der Shan-Kossief ist schlau. Er ist vielleicht nur tiefer gegangen und wartet dort darauf, daß wir unvorsichtig werden.«

»Nicht, wenn er versucht, diesen Herd loszuwerden«, widersprach Hwang. »Es ist völlig egal, wie groß dieses Ding ist. Es wird für eine ganze Weile keinen anderen Gedanken in seinem trägen Hirn haben.«

»Du weißt nichts vom Shan-Kossief«, warf Fernblick ein.

»Vielleicht nicht, aber ich weiß einiges über Biochemie. Die Geschöpfe deiner Welt unterscheiden sich im Aufbau nicht mehr als du und ich. Sie sind aus Fleisch und Blut, selbst wenn ihr Blut mit natürlichem Frostschutzmittel gesättigt ist.«

»Wir können nicht guten Gewissens Leute nach unten schicken, um uns freizuhacken, solange wir nicht sicher sind, daß der Shan-Kossief weg ist«, sagte Hunnar.

»*Du* kannst das nicht.« Ethan hielt Semkin die Hand hin. »Gib mir die Lampe.« Der Meteorologe überreichte sie ihm gehorsam. »Bringt mir ein Seil! Wenn ich da unten in Schwierigkeiten geraten sollte, könnt ihr mich schnell hochziehen.«

»Könnte sein, daß nicht genug Zeit zum Ziehen ist, Jungchen«, sagte September ahnungsvoll zu seinem Freund.

»Wenn schon. Ich glaube sowieso, daß Cheela recht hat. Unsere Nemesis hat sich abgesetzt, um ein hübsches Plätzchen zum Kotzen zu finden.« Er wies mit dem Kopf auf das Eis. »Es ist schon alles wieder zugefroren. Wäre der Shan-Kossief noch in der Nähe, würde er

das bestimmt nicht zulassen. Er müßte ganz von vorn anfangen. Legt mir das Seil um Arme und Schultern, damit ich nicht aus meinem Anzug rutsche, wenn ich geschnappt werde.«

»Falls er noch dort unten ist, und dich tatsächlich schnappt, hilft das auch nicht mehr«, warnte ihn September. »Alle Tran auf dem Schiff werden nicht stark genug sein, um dich hochzuziehen.«

»Irgend jemand muß sich vergewissern, daß er verschwunden ist. Ich bin leichter als du, und unsere grüblerischen Freunde haben nicht meine Erfahrung. Außerdem habe ich zwar noch keinen Shan-Kossief kennengelernt, aber immerhin seinen kleinen Bruder. Und ich will nicht die ganze Nacht damit verbringen, darüber nachzudenken, ob er nun verschwunden ist oder nicht. Ist er weg, und wir sitzen hier herum und diskutieren über seine Absichten, könnten wir ihm damit die Zeit geben, zurückzukommen.«

September schüttelte den Kopf. »Ich glaube, dein Verstand ist eingefroren, wie alles auf diesem Eisball.« Als Ethan zu einer Erwiderung ansetzte, stoppte September ihn. »Erspar mir weitere Beispiele deiner Logik! Es geht um deinen Hals. Und um alles darüber und darunter auch.«

»Das ist richtig«, sagte Ethan. »Es geht um meinen Hals.«

Das Seil wurde befestigt und doppelt gesichert. Dankenswerterweise wünschte ihm niemand Glück. Nicht verbal jedenfalls. Er stieg über die Reling und begann die in die Bordwand eingelassene Leiter hinunterzusteigen. Als er ihr Ende erreichte, atmete er tief durch und ließ sich das letzte Stück fallen.

Die Stille auf dem Eis war total. Als er sich umsah, bemerkte er, daß es dort, wo der Shan-Kossief es geschmolzen hatte, aufgebrochen und geborsten und dann in Abwesenheit des Wesens wieder gefroren war — vorausgesetzt, es *war* abwesend.

Mit gleitenden Schritten bewegte sich Ethan auf den Bug zu. Unter dem Eis rührte sich nichts. Die wenigen Pfützen, auf die er noch stieß, froren unter seinen Füßen zu. An einigen Stellen drang der Strahl seiner Lampe über einen Meter ein, und zeigte nichts.

Die Steuerbordkufe war intakt. Soweit er es feststellen konnte, traf das auch auf das backbord gelegene Gegenstück zu, obwohl es zu zwei Dritteln im wieder zugefrorenen Eis steckte. Dürfte eine Mannschaft energischer, kräftiger Tran mit Speeren und Eispickeln nicht allzuviel Zeit kosten, sie freizulegen, überlegte er. Dann würden sie eine ansteigende Rinne hacken müssen, damit die Kufe ohne Beschädigung freikam, wenn Ta-hoding den Befehl gab, die Segel zu setzen.

Er legte den Kopf in den Nacken und sah Visiere und besorgte Gesichter auf sich herunterblicken. »Alles in Ordnung. Wir können hier ohne Probleme weg. Die Kufen und Streben sind intakt. Wir müssen nur noch ein bißchen Eis hacken. Ich komme rauf.«

Er drehte sich um und bewegte sich forsch auf die Leiter zu. Er hatte gerade die Hälfte des Weges zurückgelegt, als das Eis unter ihm nachgab.

Der Behelfsgurt um Brust und Schultern brachte ihn mit einem Ruck zum Halt. Irgendwie gelang es ihm, die Lampe festzuhalten. Jetzt tanzte ihr Strahl über glatte Eiswände, während er sich wie ein Kreisel drehte.

Nichts hatte nach oben gegriffen, um ihn zu packen und nach unten zu ziehen, stellte er fest, während er versuchte, das Hämmern in seiner Brust zu dämpfen. Er war durch eine dünne Eisschicht in eine ansehnliche Kaverne gefallen. Ihm dämmerte, daß er in der Mitte der Aushöhlung baumelte, in der der Shan-Kossief sich befunden hatte. Er kam sich vor wie ein Köder an der Angelschnur.

Als seine Rotation sich verlangsamte, und er das Licht unter Kontrolle bekam, stellte er zu seiner großen Erleichterung fest, daß die Aushöhlung leer war. Seltsame

Riffelungen unterbrachen die ansonsten glatten Wände; sie erinnerten ihn an das von kleinen Wellen in den ebenen Sand eines Strandes gezeichneten Muster. Sein Lichtstrahl enthüllte einen mächtigen Tunnel, der sich weit in die Ferne erstreckte. Verbliebene Resthitze schmolz an einigen wenigen Stellen noch das Eis. Das gleichmäßige Tröpfeln war neben seinem Atmen der einzige Laut in der Höhle.

Er drehte sich immer noch leicht, als er auf einer Seite einen großen Haufen weißen Pulvers bemerkte. Zuerst hielt er es für zermahlenes Eis. Es war jedoch von einem anderen Weiß, und das, was aus dem Haufen herausragte, erinnerte an Rippen und nicht an Eiskristalle. Er fragte sich, ob unter den zermahlenen Skeletten auch Trankknochen waren, brachte es aber nicht über sich, einen näheren Blick zu riskieren. Die Höhle erinnerte zu sehr an eine Katakombe.

Sein Licht ruhte noch auf dem zersetzten Kalzium, als er durch das Loch nach oben gezogen wurde.

»Ich bin okay!« rief er, als er wieder auftauchte. Eine Pendelbewegung des Seils brachte ihn in Kontakt mit der Schiffsflanke, und er konnte die Leiter ergreifen, auf die er zugegangen war. Immer noch zitternd, zwang er sich, den Rest des Weges bis zum Deck zu klettern.

Septembers besorgtes Gesicht war das erste, was er erblickte. »Du bist vor unseren Augen verschwunden, Jungchen. Ich dachte, es sei aus mit dir.«

»Ich bin durch eine dünne Stelle in eine große Höhle gefallen. Das Lager des Shan-Kossief, denke ich.« Er atmete tief die frische Luft ein. »Wir achten besser darauf, daß wir nach Steuerbord schwenken, wenn wir wieder losfahren. Das ist ein wirklich *großes* Loch da unten. Wenn man eins von diesen Dingern zähmen könnte, wäre es eine prima Hilfe beim Bau von Siedlungen unter dem Eis.«

September beugte sich über die Reling und sah in die dunkle Höhlung, in die Ethan gestolpert war. »Man könnte es vielleicht dressieren, aber ich glaube nicht, daß du jemand finden könntest, der bereit ist, es zu füttern.«

Freundliche Hände halfen Ethan aus seinem Seilgeschirr. »Ein großer Tunnel zieht sich von der Höhle nach Norden. In die Richtung hat er sich davongemacht. Ihr könnt darauf wetten, daß wir ihn wiedersehen, wenn der Herd ihn nicht umbringt.«

»Das werden wir nicht«, versicherte Ta-hoding ihm, »weil wir nicht mehr hier sein werden.« Sein Atem blieb als kleine Wolke vor ihm stehen, während er sich umdrehte und Befehle zu brüllen begann. Die Besatzung kam seinen Anordnungen mit sichtlichem Widerwillen nach. Niemand beeilte sich, über die Reling zu klettern und die Richtigkeit der Lageeinschätzung des Menschen zu überprüfen.

Schließlich machten sich zwei mutigere Soldaten vorsichtig auf den Weg nach unten. Dann begannen sie mit Pickeln das Eis zu zerhacken, das die Backbordkufe der *Slanderscree* festhielt. Als nichts erschien, um sie zu packen, schlossen sich ihnen zwei Dutzend ihrer Kameraden an. Pickel hoben und senkten sich mit zunehmender Zuversicht.

Währenddessen ließen Suaxus-dal-Jagger und drei von Hunnars tapfersten Soldaten sich in die Höhle des Shan-Kossief hinunter, um vor dem Tunnel Wache zu halten. Zumindest diejenigen, die auf dem Eis arbeiteten, würden Zeit haben zu fliehen, wenn das Monster zurückkehrte.

Doch das geschah nicht. »Vollauf damit beschäftigt, den schlimmsten Fall von Sodbrennen zu kurieren, den es je gehabt hat«, beschrieb Blanchard die Situation. Sollte der Shan-Kossief die Hitze überleben, würde er den Herd genauso ausscheiden wie die Knochen seiner Beute. Dann würde er wieder vom Hunger angetrieben werden.

Das war die Hypothese, die Moware vorbrachte. Niemand hatte vor, in der Gegend zu bleiben, um sie auf ihre Stichhaltigkeit zu überprüfen. Sobald die Kufen freigelegt und Rinnen für sie in das Eis gehackt waren, holten sie alle an Bord und lichteten die Anker.

Wind füllte die Segel des Eisklippers. Holz stöhnte. Das große Schiff begann sich vorwärts zu bewegen. Rüttelnd und über das Eis kratzend glitt die *Slanderscree* aus ihrem vorübergehenden Gefängnis. Dann stand sie auf einer Höhe mit der Oberfläche des gefrorenen Ozeans.

Soldaten und Matrosen brachen in Hochrufe aus und kehrten an ihre Aufgaben zurück. Trotz des Umstands, daß viele von ihnen die ganze Nacht über Eis gehackt hatten, ruhte niemand, bis sie in sicherer Entfernung von der Höhle des Shan-Kossief waren. Einige beruhigende Satch weiter erinnerte sich jemand an die unglücklichen Opfer, und das Schiff machte lange genug Halt, um eine kurze, düstere Doppelzeremonie abzuhalten. Der Wind würde nur mit Worten zufrieden sein müssen, da es keine Körper gab, die dem Eis zurückgegeben werden konnten.

Es hatte bis dahin eine gewisse Spannung zwischen den erfahreneren Matrosen aus Sofold und den in Poyolavomaar neu hinzugekommenen gegeben. Die Begegnung mit dem Shan-Kossief hatte das bereinigt. Von den zwei getöteten Tran war einer Bürger von Wannome, der andere von Poyo gewesen. Gemeinsames Unglück war ein großer Vereiniger.

Ein paar Guttorbyn, fliegende Räuber, die an pelzige Drachen erinnerten, stießen in der Hoffnung auf eine isoliert dastehende Mahlzeit auf das Schiff herunter. Jedesmal trieben aufmerksame, bewaffnete Tran sie zurück, und sie kreischten ihre Enttäuschung heraus. Nach dem Shan-Kossief wirkten die Guttorbyn mit ihrem langgezogenen, schmalen Maul und ihren empörten Schreien fast eher komisch. Als sie den vom Eisdruck aufgeworfenen äquatorialen Grat erreichten, den die Tran den Gebogenen Ozean nannten, war die Besatzung allen Gefahren gegenüber abgestumpft und fast gleichgültig.

Die Eisbarriere war allerdings ein ernsteres, wenn auch weniger lebensbedrohendes Hindernis für ihr weiteres Vorankommen als irgendein Raubtier. Vor vierzigtausend Jahren war die letzte Wärmeperiode dort zu Ende gegangen. Packeis aus dem Norden war auf Packeis aus dem Süden gestoßen. Die beiden Eisschichten hatten sich mit Urgewalt ineinander verkeilt, sich aufgeworfen und einen soliden Wall aus Blöcken und Platten gebildet, der Tran-ky-ky als sichtbarer Äquator umgab.

Ta-hoding blaffte seinen Rudergänger an, und der Eisklipper schwenkte langsam nach Osten. Sie segelten, den Wind im Rücken, parallel zum Wall und suchten nach einer Unterbrechung, die sie so erweitern konnten, daß das Schiff hindurch paßte.

Während ihrer vorhergegangenen Reise nach Moulokin, weit im Westen, hatten sie eine solche Passage gefunden. Nachdem diese mit Pickeln und Speeren erweitert war, hatten sie die Kraft eines Rifs, des mächtigsten Sturms Tran-ky-kys, genutzt, um das Schiff über und durch die letzten Hindernisse zu zwingen. Das war eine Technik, die niemand noch einmal einsetzen wollte, da sie leicht mit der Zerstörung des Eisklippers enden konnte.

Die Tage vergingen, ohne daß sie irgend etwas Ermutigenderes sichteten als leichte Variationen in der Höhe der Eisklippen. Ethan und seine Gefährten begannen langsam die Hoffnung zu verlieren.

»Es wird doch bestimmt eine Stelle geben«, sagte Cheela Hwang zu ihm, »wo das Eis unter dem eigenen Gewicht zusammengebrochen oder durch dauernden Druck geborsten oder soweit weggeschmolzen ist, daß wir hindurch können.«

»Nicht notwendigerweise. Alle Veränderungen, die wir bisher beobachtet haben, sind organischer Natur, wie bei diesem Shan-Kossief-Ding.« Zima Snyek, der

Glaziologe, war das Hauptopfer der Scherze der Tran, da er genausoviel Zeit mit der Arbeit am Eis verbrachte wie ein Kossief. »Wir wissen, daß die Druckverwerfung den ganzen Planeten umgibt. Es ist durchaus vorstellbar, daß sie das ohne Unterbrechung tut.«

»Wir haben weder die Zeit noch die Mittel für eine Umsegelung.« Hwang studierte eine kleine elektronische Karte. »Wir sind bereits zu weit nach Osten gekommen. Wir sollten in dieser Richtung nicht mehr lange weiterfahren.« Sie blickte zu Ethan hoch. »Du hast mir erzählt, daß ihr schon mal durchgebrochen seid.«

Er nickte und deutete heckwärts. »Auf unserer Reise nach Moulokin. Es war eine Frage von ›tu's oder stirb‹. Durchbrechen oder von einem Rifs in Fetzen gerissen werden.«

»Warum folgen wir nicht einfach dieser Route und benutzen die existierende Passage?«

Milliken Williams hatte seinem Wesen entsprechend bisher nur zugehört, doch jetzt meldete er sich. »Erstens weil sie *weit* im Westen liegt. Zweitens weil wir sie leicht verpassen und vorbeisegeln könnten, und schließlich, weil wir schon beim ersten Mal kaum durchgekommen sind. Wetter und innere Bewegungen des Eises könnten die Lücke zumindest teilweise wieder aufgefüllt haben. Ist das der Fall, werden wir sie nie finden. Wir wären weit besser dran, wenn wir hier irgendwo eine Passage finden. Du sprichst davon, wochenlang nach einem Durchlaß zu suchen, der unauffindbar sein könnte.« Er zuckte die Achseln. »Du hast allerdings in einem recht: Wenn wir nicht bald etwas finden, haben wir keine andere Wahl, als umzukehren.«

Es war dann Ta-hoding, der die Suche zum Halten brachte. Wie die meisten hatte er endlose Stunden damit verbracht, die Packeisklippen zu beobachten, die sich steuerbord von Horizont zu Horizont hinzogen, während der Wind an seiner Mähne und dem Fell seiner Schultern zerrte. Ta-hoding war sehr geduldig, ja, das war er, aber auch er hatte seine Grenzen. Es kam der Tag, da er eine Besprechung verlangte.

»Es ist Zeit zu entscheiden, wie wir aus dieser Gegend nach Süden kommen wollen. Wir können nicht um die Welt segeln, nur um uns dort wiederzufinden, wo wir schon waren.«

»Es gibt keine andere Möglichkeit.« Hunnar war so frustriert wie sie alle. »Das haben wir bereits festgestellt.«

Erster Maat Monslavic nickte. »Doch müssen wir sie immer noch finden. Denken wir angestrengt darüber nach, während wir noch einen oder zwei Tage weitersegeln. Wenn wir dann immer noch keine Stelle gefunden haben, die ein Durchkommen ermöglicht, müssen wir wenden und unserem Kurs zurück folgen. Besser bis nach Moulokin segeln, um nach einem Durchlaß zu suchen, von dem wir wissen, daß es ihn gibt, als endlos einem unergiebigen Kurs zu folgen.« Der erste Maat der *Slanderscree* hatte offenkundig intensiv über ihre Lage nachgedacht.«

»Wir können nicht zurück«, informierte Ta-hoding ihn. »Wir müssen den Gebogenen Ozean innerhalb der nächsten Tage hinter uns haben.«

»Warum die Eile?« erkundigte sich September.

Zur Antwort wies Ta-hoding zum Bug. Ethan sah mit den anderen nach vorn. Ein paar verstreute Wolken setzten Tupfer in den ansonsten freien Himmel. Keine Regenwolken natürlich; es regnete nie auf Tran-ky-ky. Der größte Teil der Feuchtigkeit des Planeten lag dauernd gefroren auf seiner Oberfläche. Selbst Schnee war selten, in den wärmeren Regionen allerdings ein wenig häufiger. Wolken waren nur vereinzelt zu sehen, selbst hier, nahe dem Äquator.

Ethan fragte sich, worauf Ta-hoding zeigte. Wie sich herausstellte, handelte es sich um etwas, das nur ein erfahrener Segler erkennen konnte.

»Während der vergangenen Tage waren die Winde

launisch«, erklärte er ihnen. Ethan wußte, daß die Winde Tran-ky-kys mit außergewöhnlicher Gleichmäßigkeit von Westen nach Osten bliesen. »Das ist eine seltsame und seltene Erscheinung, aber keine unbekannte.« Dann sprach er also *tatsächlich* über die Wolken, schloß Ethan. »Es ist außerdem die Jahreszeit dafür.«

»Jahreszeit wofür?« fragte Williams.

»Es kommt bald ein Rifs. Nicht heute, nicht morgen, aber bald. Aus dem Osten. Gewöhnlich kommen sie aus dem Norden oder Süden. Dieser kommt aus dem Osten. Er wird sehr schlimm werden.«

Das war keine Frage, wurde Ethan klar, als er zu den harmlos wirkenden Schäfchenwolken sah. Es bedeutete eine völlige Umkehrung normaler Witterungsverhältnisse. Die atmosphärische Störung, die so etwas zustande brachte, mußte ans Dämonische grenzen. Doch Tahoding klang völlig überzeugt.

»Was ist ein Rifs?« fragte Jacalan.

Hwang ließ ihren Kollegen Semkin erklären. »Ein örtlich konzentriertes Superunwetter, ein Überorkan. Mehrere Unwetterkerne sammeln sich in demselben Gebiet. Sie beginnen sich gegenseitig hochzuschaukeln und zehren voneinander, wie ein Feuersturm von seiner eigenen Hitze zehrt. Auf Tran-ky-ky ist daran äußerst wenig Feuchtigkeit beteiligt. Das scheint den Sturm aber nur noch schlimmer zu machen.« Er blickte nachdenklich auf die Wolken.

»Ich habe natürlich persönlich nie einen erlebt. Niemand von uns. Sie kommen außerhalb der äquatorialen Regionen praktisch nicht vor. Aber Cheela und ich haben sie mittels Satellitenaufklärung studiert. Die Unwetterwolken türmen sich rasend schnell mehrere Kilometer hoch auf, bis sie an die Grenzen der oberen Atmosphäre heranreichen. Es gibt Blitze, viele Blitze und Bodenwinde, die Geschwindigkeiten von mehreren hundert Kilometern pro Stunde erreichen. Kein gutes Wetter zum Drachen steigen lassen. Jedes Tier mit einem Hauch von

Verstand sucht sofort Schutz zwischen Felsen oder im Eis und versucht dort durchzuhalten, bis die Sache vorbei ist.«

Es herrschte Schweigen, als seine Kollegen sich der Konsequenzen bewußt wurden, die selbst für Nicht-Tran und Nicht-Segler offenkundig waren. Man konnte in einem Wind von dreihundert Stundenkilometern weder manövrieren noch sicher auf dem offenen Eis ankern. Die einzige vernünftige Chance lag in einem geschützten Hafen. Auf dem offenen Eis gab es keinerlei Häfen.

Ein Schiff, das im Freien überrascht und von der heranbrausenden Sturmfront des Rifs erfaßt wurde, hatte nur eine einzige Chance zu überleben: Sie lag darin, die Segelfläche auf ein Minimum zu reduzieren und vor dem Wind zu laufen, hoffend, daß Segel, Masten und Besatzung so lange durchhielten, bis der Sturm vorüber war.

Die *Slanderscree* hatte das schon einmal getan und es übel zugerichtet überlebt. Es ein zweites Mal zu versuchen, hieße das Schicksal herausfordern. Selbst wenn sie es versuchten und es gelang, den Sturm zu überstehen, würde dieser sie — wahrscheinlich beschädigt und mit gelockerten Spanten — weit von ihrem Kurs abtreiben. Der Planet selbst schien sich verschworen zu haben, sie von ihrem Ziel abzuhalten.

Wenn sie bald sehr viel Glück hatten, würden sie durch den Eiswall kommen, alle Segel setzen und südwärts dem Sturm entfliehen. Das wäre ideal. Noch idealer, überlegte Ethan, wäre es gewesen, wenn sie die Vorschriften ignoriert und Sprengstoff mitgenommen hätten, mit dem sie sich ihren Werg durch die Druckverwerfung hätten bahnen können. Doch jetzt war nicht die Zeit für Was-wäre-wenn und Vielleicht.

Sie hatten keinen Sprengstoff, keine Strahler, keine angemessene moderne Technik. Alles, was sie hatten, waren eine Menge Muskelkraft und Entschlossenheit.

Das reichte, einen Weg durch das Packeis zu hacken —
in ein paar Wochen. Sie mußten es aber innerhalb von
achtundvierzig Stunden durchbrechen.

Was sie an hochtechnologisch wissenschaftlichen Geräten zur Verfügung hatten, bestand größtenteils aus Instrumenten, die messen, kalibrieren und wiegen, jedoch
nicht rohe Gewalt auf ein bestimmtes Gebiet konzen-
trieren konnten. Zwei Kernbohrer, dazu gedacht, Proben
aus dem Eis zu holen, konnten helfen. Um ihr Ziel zu erreichen, wären einhundert solcher Bohrer nötig gewesen; sie konnten zwar Eis schmelzen, aber nicht annähernd schnell genug.

Auf die alternative Lösung kamen die Tran nicht, weil
sie sie als Tran gar nicht denken konnten. Ausnahms-
weise war es Skua September, der das Offensichtliche
aussprach, und nicht Milliken Williams.

»Mir scheint doch eins verdammt klar: Wenn wir nicht
durch das Zeug hindurch können, müssen wir eben darüber hinweg.«

Ethans Gesichtsausdruck spiegelte das allseitig ver-
blüffte Staunen wider, das dieser unbekümmerten Fest-
stellung folgte.

7

»Willst du etwa vorschlagen«, fragte Williams schließlich, »die *Slanderscree* in ein Flugzeug zu verwandeln?«

September zuckte mit keiner Wimper. »Etwas in dieser Richtung.«

Da es September zumindest teilweise ernst zu sein schien, ging der Lehrer darauf ein. »Selbst wenn wir noch mehr Segel setzen könnten, wäre der Wind nicht stark genug.«

»Na sowas.« September gab sich nachdenklich. »Obwohl ich mich mit einem Rifs hinter uns und mit genug Segel nicht wundern würde, wenn wir die alte Schabrakke *doch* dazu bringen könnten, zu fliegen. Sie dabei auch unter Kontrolle zu halten, ist natürlich eine andere Sache.« Er sah an Williams vorbei, bis sein Blick Snyek fand. »Wir werden diese Bohrer brauchen, die du erwähnt hast. Müssen einiges Eis schmelzen und wieder gefrieren lassen.«

»Wozu, um Himmels willen?« wollte Hwang wissen.

September grinste sie an. »Eure Kernbohrer sind nicht groß oder kräftig genug, um auch nur den halben Weg durch diesen Wall zu bahnen, aber wir können sie benutzen, um die scharfen Kanten zu glätten, wenn du weißt, was ich meine. Einige dieser uralten Eisblöcke, die die Barriere bilden, sind ziemlich groß und ziemlich stabil. Wenn wir sie irgendwie aneinander schmelzen könnten und dann begradigen und glätten, indem wir die Feinarbeit mit Eishacken und Äxten machen, könnte etwas dabei herauskommen.«

»Was, zum Beispiel?«

Er blinzelte und richtete sein Grinsen wieder auf Williams. »Zum Beispiel eine Rampe.« Er ließ ihnen Zeit, diesen Gedanken aufzunehmen, und fuhr dann fort: »Seht ihr, wir bauen eine große Rampe aus Eis, indem wir die Kernbohrer und Werkzeuge einsetzen, und lassen sie direkt bis zur Krone der Klippen ansteigen. Dann ziehen wir die *Slanderscree* so weit in den Westen zurück« — er illustrierte die notwendigen Manöver mit weit ausholenden Gesten seiner langen Arme — »wie nötig, setzen alle Segel und steuern sie in einem den Wind optimal nutzenden Winkel auf den Wall zu.

Wir segeln die Rampe *hinauf*«, er ließ eine Handfläche scharf über die andere gleiten, »und über die Verwerfung hinweg. Das ist es, wir haben's geschafft. Wir müssen uns nicht durch das verdammte Eis schneiden, wir müssen nur darüber hinweg...« Er hüstelte in die geschlossene Hand — »... und auf der anderen Seite eine ordentliche Landung machen, natürlich. Eine Bemerkung zum Eis noch: Es mag scharfkantig, kalt und ungemütlich sein, aber solange man über Werkzeug, schön kaltes Wetter und eine oder zwei Wärmequellen verfügt, kann man es genauso gut formen und bearbeiten wie ein Stück Seife.«

Die Reaktion seiner Begleiter war nicht gerade überwältigend. »Ich würde es vorziehen, die Druckverwerfung auf andere Weise zu überwinden«, sagte Williams schließlich.

»Ich ebenfalls.« Das kam von einem sorgenvollen Tahoding. »Ich finde deine Überlegungen höchst interessant, aber undurchführbar, Freund Skua. Wie du bereits sagtest, ist das kritische Problem die Geschwindigkeit.«

»Machst du Witze? Die *Slanderscree* hat bisher nur ein- oder zweimal alle Segel gesetzt. Du weißt, wie schnell sie sein könnte.«

»Auf ebenem Eis, ja«, räumte der Kapitän ein, »aber bergauf? So etwas wurde mit einem großen Schiff noch nie gemacht. Das ist ein auf den Sport beschränktes Manöver, das man nur auf Chiv oder in einem sehr kleinen, leichten Segler ausführen kann.«

September sah Hwang an. »Rechne das doch mal durch. Masse, Geschwindigkeit, Windstärke — laßt uns herausfinden, ob es wenigstens theoretisch möglich ist. Wir können die Rampe so anwinkeln und so lang machen, wie nötig.«

»Nicht zu lang.« Ta-hoding verfügte als alter Eissegler über eine exzellente Auffassungsgabe, was elementare Geometrie anging, ganz zu schweigen von den physischen Möglichkeiten seiner Besatzung. »Wir verfügen nur über eine begrenzte Zeit.«

»Wir werden es schaffen«, erklärte September ungeduldig. »Wir werden tun, was immer zu tun ist. Ich bin sicher, daß wir die nötige Geschwindigkeit aufnehmen und auf der Rampe bleiben können.«

»Das ist es nicht, was mir Sorgen macht.« Alle Blicke richteten sich auf Hunnar Rotbart. »Laßt mich sehen, ob ich diese neue Idee unserer Freunde verstehe.« Er ahmte annähernd Skuas aerodynamische Gesten nach. »Wir ziehen uns eine bestimmte Entfernung zurück, setzen alles Tuch und segeln mit vollem Rückenwind.«

»Das ist es, genau«, sagte September lebhaft.

»Wir segeln diese Rampe hinauf, die wir bauen sollen« — Hunnar streckte eine Pranke zum Himmel — »und katapultieren uns mit solcher Kraft über den Gebogenen Ozean, daß wir auf der anderen Seite auf beschiffbarem Eis landen.«

»Du hast es begriffen, Hunnar«, sagte September zufrieden.

»Ich bezweifle nicht, daß wir die nötige Geschwindigkeit aufnehmen können, und ich glaube, daß wir das Schiff bei dieser Geschwindigkeit ausreichend kontrollieren können, um diese Rampe hinaufzusegeln. Und doch bin ich besorgt.«

»Worüber?«

»Die *Slanderscree* ist ein großes, schweres Schiff. Sie wurde dazu konstruiert«, er machte eine schiebende Geste mit seiner rechten Tatze —, »über massives Eis zu chivanieren. Sie ist stabil, und viele Male haben wir die Stärke des wundersamen Metalls kennengelernt, das wir aus eurem kleinen Schiff schnitten, um die Kufen und ihre Streben zu bauen. Doch wurde sie trotz allem, was sie vollbracht und was sie überlebt hat, nicht dazu geschaffen, aus einer beträchtlichen Höhe zu *fallen*.« Er sah September an.

»Wenn alles nach deinem Plan verläuft und wir den Gebogenen Ozean überfliegen, was geschieht mit uns, wenn wir auf der anderen Seite auf das harte Eis prallen? Der Ozean wird nicht zerbrechen. Das aber ist etwas, was man von der *Slanderscree* nicht sagen kann. Welchen Vorteil hätten wir, wenn wir die Barriere überqueren und dabei unser Schiff zerstören?«

»Das ist etwas, das ich in keiner Weise vorhersehen kann«, antwortete September ernst, »und auch Williams und seine Freunde können das trotz all ihrer Instrumente und ihrer Gelehrsamkeit nicht, glaube ich.«

»Das volle Gewicht des Schiffes wird zuerst auf den Bugkufen lasten, dann auf dem Heck und dem Ruder«, murmelte Ethan. »Wenn wir es versuchen, und ich habe keine bessere Idee, müssen wir alles aus den Vorratslagern holen, was sich irgendwie zum Polstern eignet. Unbenutzte Kleidung, zusätzliche Pika-Pina-Seile, alles was wir haben. Wenn wir das alles zwischen die Kufen und ihre Verstrebungen stopfen, wird es helfen, den Aufprall einigermaßen abzufedern.«

»Das ist der rechte Geist, Jungchen!«

»Die Streben können trotzdem nur Stöße einer bestimmten Stärke verkraften«, erinnerte Ta-hoding sie.

»Sie bestehen aus Duralum, aus der Haut und den Innereien eines Rettungsboots«, erwiderte September. »Das gilt auch für Bolzen, Riegel und Verankerungen der Takelage. Das Holzwerk stammt von den besten Schiffsbauern und Zimmerleuten Wannomes. Selbst wenn wir eine oder zwei Streben kaputtmachen, können wir immer noch etwas Behelfsmäßiges zusammenbasteln, das die Kufen hält, bis wir das Schiff zu einem Reparatur-dock zurückgebracht haben.«

»Wenn es nur so einfach wäre.« Ta-hoding wies zum Bug. »Falls wir mehr als eine Kufe abbrechen, werden wir ankern müsen, um die Behelfsreparaturen vorzunehmen, von denen du so beiläufig sprichst. Vergiß nicht, daß der Rifs uns dort genauso leicht erwischen kann wie auf dieser Seite, wenn wir nicht rechtzeitig wegkommen. Mit zerstörten Kufen könnten wir nicht einmal vor dem Wind hersegeln. Das Schiff könnte völlig zerfetzt werden.«

Einen Augenblick lang sprach nur der Wind. Dann sagte Ethan leise: »Sieht nicht so aus, als ob wir eine große Wahl hätten. Wir sind viel zu weit von Poyolavomaar oder einer anderen bekannten Zuflucht entfernt, wo wir uns in Sicherheit bringen könnten, bevor der Sturm zuschlägt. Wenn wir hier nur herumsitzen und auf ihn warten, werden wir wirklich Probleme bekommen. Wenn wir versuchen, ihm zu entkommen, und er uns auch nur mit seinen Ausläufern erwischt, wird er uns so weit vom Kurs abbringen, daß wir genausogut nach Poyo segeln und von vorn anfangen können.«

»Könnten wir keinen Schutz im Windschatten einer Insel finden?« fragte Elfa.

Ta-hoding schüttelte den Kopf. »Wir haben keine geeignete gesehen.«

»Dann haben Ethan und Skua recht. Wir müssen es versuchen.«

Hunnar blickte seine Gattin scharf an. »Ich habe dich immer als konservativ gekannt. Haben wir zuviel Zeit unter den Himmelsleuten verbracht?«

Sie legte ihm zwei Finger auf die Lippen und ließ ihn ihre Krallen spüren. »Das ist es nicht. In deiner Begleitung würde ich alles wagen, Lebensgefährte.«

Hunnar stieß ein unterwürfiges Zischen aus. »Was immer die Tochter des Landgrafen wagt — kann ich weniger wagen?«

Sie zog die Hand zurück und wandte sich zu Ta-hoding. »Das Herrscherhaus gebietet nicht über das Eis. Dies ist dein Machtbereich, dein Schiff. Die endgültige Entscheidung liegt bei dir. Du weißt besser als jeder andere, wozu die *Slanderscree* imstande ist. Wie stehen unsere Chancen, ein solches Wahnsinnsunternehmen zu überleben?«

Ta-hoding seufzte tief und vollführte mit den Fingern seiner Rechten eine komplizierte Geste. Fünfzig zu fünfzig. Ethan hatte auf ein etwas günstigeres Verhältnis gehofft.

»Einer ist bereit, alles zu riskieren, der andere sagt gar nichts.« Katzenaugen richteten sich auf Ethan. »Was meinst du, mein Freund?«

»Warum fragst du mich? Ich bin nur Passagier auf diesem Schiff. Ich verfüge hier über keinerlei Autorität. Warum fragst du nicht Milliken?«

»Weil du nach eigenem Eingeständnis kein Abenteurer bist. Weil du und nicht Freund Milliken ein Gegengewicht zu den Auffassungen des mächtigen Skua bildest. Du bist vorsichtig, wo er tollkühn ist. Du überlegst, wo er wagt.«

»Nun, in Ermangelung einer besseren Alternative muß ich sagen, daß man im Leben nichts erreicht, wenn man nicht hin und wieder etwas riskiert. Ich gebe zu, daß wir das im vergangenen Jahr eigentlich ausgeschöpft haben, aber das ändert nichts an der Lage, vor die wir uns gestellt sehen. Ich habe natürlich leicht reden — das ist nicht mein Schiff.«

»Nein, aber es ist dein Leben«, betonte Elfa.

»Laßt uns folgendermaßen vorgehen.« Ta-hoding sprach, ohne sie anzusehen, er ging in Gedanken bereits die notwendigen Vorbereitungen durch. »Alle, die nicht direkt zur Segelbesatzung gehören, gehen von Bord, überqueren den Ozean zu Fuß und warten auf uns. So sind nicht alle gefährdet, falls es zur Katastrophe kommen sollte.«

»Dann hast du dich also entschlossen«, murmelte Hunnar.

»Kühnheit ist nicht meine Sache. Ich spiele nur mit den Würfeln, die ich bekommen habe. Hier müssen wir sie so gut werfen, wie wir können und hoffen, daß die Zwölf von selbst fällt. Wenn ich nicht einmal mehr meinem Schiff und meinen Leuten vertrauen kann, was bleibt mir dann noch?«

»Also werden wir es versuchen.« Hunnar konnte sich nicht dazu durchringen, falsche Zuversicht zu zeigen. »Ich wünschte, es gäbe einen anderen Weg. Dann müßten wir nicht mit diesem Wahnsinn fortfahren.« Er drehte sich zu Hwang um. »Meine Soldaten werden Seite an Seite mit euch arbeiten, um das Eis zu formen. Ihr werdet den Winkel der Rampe bestimmen und uns entsprechend einweisen.« Er stand auf. »Jetzt, da wir unser weiteres Vorgehen festgelegt haben, wollen wir rasch handeln. Je früher wir beginnen, desto früher sind wir fertig.«

»Und je schwerer wir arbeiten«, fügte Elfa hinzu, »desto weniger Zeit haben wir, darüber nachzudenken, was wir da eigentlich versuchen.«

Als sie die Rampe fertiggestellt hatten, war im Osten blauer Himmel wogender Schwärze gewichen. Wie Spähtrupps stießen die ersten Böen der herannahenden Sturmfront in den stetigen Westwind und ließen die Luft in alle Richtungen davonwirbeln. Eisteufel, Miniaturwirbelwinde, tanzten mit ihren Eispartikeln wie verrückt über die Ebene des gefrorenen Ozeans. Gelegentlich traf einer auf die Arbeitenden und zwang sie, ihr Werkzeug fallenzulassen und sich auf den Boden zu ducken. Einer erwischte Ethan bei geöffnetem Visier, daß ihm die Tränen in die Augen schossen. Es war, als würde man von kaltem Sand bombardiert.

Jacalan und Blanchard stellten die beiden überbeanspruchten Bohrer ab und schlossen sich den anderen

Flüchtlingen dabei an, die Südflanke des Eiswalls hinunterzugleiten und zu schlittern. Ethan und September blieben zurück und suchten Schutz unter einem mächtigen aufragenden Eisblock. Irgend jemand mußte zusehen, rechtfertigte Ethan sich.

Aus dem Nordhang der Druckverwerfung war, dem Aufgang zur Burg eines Riesen gleich, eine lange, relativ glatte Rampe gehackt und geschmolzen worden. Die Wissenschaftler und Hunnars Leute hatten ihre Arbeit gut gemacht. Wie gut, das ließ sich erst sagen, wenn der Eisklipper es tatsächlich versuchte.

Alle wußten, daß die *Slanderscree* auf dem Eiswall festsitzen würde, falls die Rampe zusammenbrach, während das große Schiff versuchte, sie zu erklimmen. Dann würden sie wahrlich und wahrhaftig in dieser isolierten Gegend gefangen sein, fern von jeder Menschen- oder Tran-Zivilisation. Angesichts dessen, was an Zeit und Mitteln zur Verfügung stand, hatten sie so stabil wie möglich gebaut. Semkin hatte die Arbeit mit den Bohrern beaufsichtigt und dafür gesorgt, daß die Lücken zwischen den massiven Eisblöcken gefüllt und abgedichtet wurden.

Schließlich blieb nichts mehr zu tun.

Ein Blick nach rechts zeigte Ethan Gestalten, die wartend auf dem Eis standen: die Krieger des Schiffs und die Mitglieder des Forschungsteams. Nur Hunnar und Elfa hatten sich ihm und September auf dem Eiswall angeschlossen. Hunnar stand mit windzerzaustem Fell aufrecht da, wie eine der sie umgebenden Eisspitzen, und schirmte die Augen mit seiner Rechten ab.

»Ich kann das Schiff kaum sehen.« Ethan kniff die Augen zusammen und blickte nach Norden, sah aber kein Zeichen der *Slanderscree*. Das würde sich bald ändern, wußte er. »Sie setzen die Segel. Ta-hoding läßt die Spieren in den Wind drehen. Ah, jetzt sind sie ausgerichtet. Die Segel füllen sich. Sie kommt!«

Sie warteten. Einige Minuten später konnten die beiden Menschen die schlanke, schnittige Gestalt des Eisklippers ausmachen, der mit hoher Geschwindigkeit auf die Barriere zuschoß. Ethan wurde verblüfft bewußt, daß er das Schiff zum ersten Mal unter vollen Segeln aus der Entfernung sah. Für einen, aus dem Gedächtnis eines Lehrers zusammengeschusterten Zwitter war es wirklich schön. Da war nichts von der Plumpheit, die man vielleicht erwarten mochte, obwohl das Fehlen eines geschwungenen Rumpfes störend wirkte. Die Unterseite des Eisklippers war völlig flach — es gab kein Wasser, durch das er schneiden mußte.

»Ich wünschte, Ta-hoding hätte eine größere Chance als fünfzig zu fünfzig«, murmelte er.

September hatte sein Visier hochgeklappt, damit es seine Sicht nicht behinderte. »Hölle, Jungchen, das ist eine bessere Chance, als sie das Leben den meisten von uns gibt.«

Ethan richtete seine Aufmerksamkeit nach Osten. Blitze zuckten zwischen kohlenstaubschwarzen Wolken. »Wann ist der Rifs hier?«

Hunnar Rotbart sah zu ihm hinunter und wandte sich dann dem herannahenden Sturm zu. »Bald, aber nicht zu bald. Ein schlimmer Sturm, sehr schlimm, aber ich glaube, er wird sich wohl leicht nach Nordwesten wenden, anstatt direkt westlich zu ziehen. Uns sind ein paar kostbare Stunden geschenkt worden. Wenn der Sturm noch weiter dreht, könnte er uns völlig verpassen. Das wäre ein Havlak voller Ironie!«

»Er kann uns aber genausogut erwischen«, wandte Elfa ein. »Außerdem: Wenn wir diese Sache nicht riskiert hätten, wären wir nicht besser dran, als wir es waren, bevor der Sturm gesichtet wurde. Wir müssen immer noch den Gebogenen Ozean überqueren. Jetzt ist nicht die Zeit zu zaudern.«

»Ich habe nicht gezaudert, meine Geliebte. Ethan fragte nach meinen Gedanken.«

»Da kommt sie!« brüllte September, beugte sich leicht

vor und zeigte auf das Eis. »Ich schwöre, Ta-hoding hat seine Klamotten auf die Leine gehängt, um noch ein Promille mehr Geschwindigkeit aus dem Westwind zu kitzeln.«

Ethan stellte fest, daß auch er sein Visier hochklappen mußte, um besser sehen zu können. Kälte schnitt in seine entblößte Haut, Nadeln stachen in seine Wange. Der Eisklipper schien mit jedem zusätzlichen Meter schneller zu werden. Die Duralum-Kufen schnitten über das flache Eis und zogen fünf hochspritzende Fächer aus Eispartikeln hinter sich her. Segel blähten sich straff an Masten und Takelwerk. Das ganze Schiff schien sich vorzubeugen, sich anzuspannen, sich zu mühen, auch noch das letzte Quentchen an Geschwindigkeit zu gewinnen. Es war nah genug, daß Ethan den Kapitän und seinen Rudergänger erkennen konnte. Sie beugten sich über das große hölzerne Rad, kämpften darum, die *Slanderscree* auf Kurs zu halten.

Ta-hoding mußte einen Befehl gebrüllt haben, denn die Spieren drehten sich plötzlich. Das Schiff legte sich auf die Seite und schwenkte wie ein um sein Gleichgewicht kämpfender Schlittschuhläufer auf den Backbordkufen scharf nach Süden. Das Manöver hatte sie vielleicht etwas Geschwindigkeit gekostet.

Uralten Instinkten folgend, duckte Ethan sich erwartungsvoll zusammen. Wenn der Eisklipper in falschem Winkel auf die Rampe traf, konnte er in alle möglichen Richtungen davongeschleudert werden, auch direkt auf sie zu. Hunnar und Elfa suchten gleichfalls Schutz. Nur September hielt die Stellung; in seinem silbrigen Überlebensanzug wirkte er wie eine seltsam deplazierte Statue.

An Bord der *Slanderscree* griffen die Matrosen, die nicht die Spieren richteten, nach festem Halt und bissen die Zähne zusammen. Ta-hoding und sein Rudergänger klammerten sich an das Steuerrad. Von der vollen Kraft des Westwinds getrieben, erreichte der Eisklipper die

Basis der Eisrampe und schoß die schiefe Ebene hoch wie eine fremdartige, aber um so wirklichere Ausgabe des Fliegenden Holländers, der gegen den Wind in den Himmel segeln will.

Höher kommend, wurde er deutlich langsamer. Ethan bemerkte, wie er das Schiff innerlich weiterdrängte, es die verbleibenden dreißig, zwanzig, schließlich zehn Meter bis zur höchsten Stelle hochzuziehen versuchte. Seine Hilfe wurde nicht benötigt. Immer noch etwa hundert Stundenkilometer schnell schoß die *Slanderscree* von der Rampe über den Kamm der Druckverwerfung hinaus. Einen Augenblick lang schien sie in der Luft zu hängen, dann begann sie in einer langsamen, anmutigen Kurve nach unten zu sinken.

Hunnar und Elfa erhoben sich, während unten auf dem südlichen Eis Soldaten und menschliche Wissenschaftler atemlos zusahen, wie der Eisklipper auf sie zuflog. Einen kurzen Moment war er ein Schiff der Luft, nicht des Eises, ein Besucher aus einer lange vergessenen Legende. Die Schönheit dieser wenigen Sekunden prägte sich allen, die zusahen, unvergeßlich ein.

Die Schönheit wurde durch zerberstende Wirklichkeit ersetzt, als das mächtige Schiff auf das Eis krachte.

Ethan verkrampfte sich, als es aufschlug. Fast jeder tat es. Der Rumpf hielt, als der Eisklipper einmal zurücksprang, wieder aufkam und seitlich wegschmierte. Scharfe sirrende und reißende Geräusche erhoben sich über den Wind, als oberschenkeldicke Spieren brachen und, ihre Segel mit sich ziehend, nach vorn über den Bug flogen. Der Gewichtsverlust trug dazu bei, daß das Schiff langsamer wurde.

Hunnar und Elfa chivanierten bereits den Hang hinunter wie ein Paar meisterhafter Skiläufer. Die chivlosen Menschen folgten erheblich langsamer.

Die Soldaten, die auf dem Eis gewartet hatten, drängten sich um die Bordleitern der *Slanderscree*, um den benommenen oder durch die Wucht des Aufpralls sogar bewußtlos gewordenen Matrosen zu helfen. Als Ethan das Deck betrat, arbeiteten Hunnars Leute bereits daran, aus Chaos Ordnung zu schaffen.

Gerissenes Takelwerk und zerfetzte Segel lagen auf den Planken herum. Die gebrochenen Spieren, die verloren am Bugspriet baumelten, waren ein größeres Problem, aber der Eisklipper konnte auch ohne sie segeln. Dank der zusätzlichen Verankerungen und Vertäuungen, die Ta-hoding hatte anbringen lassen, waren die drei Hauptmaste unbeschädigt, wenn auch einer davon gefährlich in seiner Verankerung schwankte.

Der Kapitän begrüßte sie mit leuchtenden Augen. Er drückte sich ein dickes Stück Tuch gegen die Nasenöffnungen. Es war voller Blut, doch Ta-hoding schien das nicht zu bemerken. Auch sein Hinken schien er nicht wahrzunehmen.

»Ist es so, wenn ihr in einem von euren Himmelsschiffen fahrt, Freund Ethan? Eine großartige Erfahrung, wenn auch schmerzhaft. Das Schiff«, er sah sich mit stolzem Blick um, »hat es besser überstanden als seine Besatzung.«

September nickte beifällig. »Es scheint den Aufprall gut verkraftet zu haben.« Auf den Planken und an den Aufbauten war hier und da etwas Blut zu sehen. Ein paar Matrosen würden Ruhe und Pflege benötigen, doch die meisten hatten keine ernsteren Schäden als Schrammen und Prellungen davongetragen.

Dritter Maat Kilpit eilte zu ihnen. Sein linker Arm baumelte leblos an seiner Seite wie ein Stück Seil, doch mit dem rechten salutierte er stramm. »Die Steuerbordkufe ist mitsamt Streben fast in den Rumpf durchgebrochen. Backbord scheint alles in Ordnung zu sein, ebenso die Heckkufen und das Ruder. Wie Ihr gesagt habt, Kapitän, hat das vordere Drittel des Schiffes den größten Teil des Stoßes aufgefangen.«

»Wie stark sind die Streben beschädigt?«

»Um sie richtig zu reparieren, brauchen wir eine

Werft, aber«, er zögerte, »bei Verwendung von genug Tau können wir sie behelfsmäßig sichern. Ich rate allerdings, keine scharfen Manöver nach Steuerbord zu unternehmen.«

»Werden wir nicht tun«, versicherte Ta-hoding ihm. »Stellt einen Reparaturtrupp zusammen und macht euch an die Arbeit!« Er sah nach Süden, zu den Packeisklippen und dem herannahenden Sturm. »Wir müssen uns so rasch wie möglich in Bewegung setzen. Die Verstrebung wird halten. Wir ziehen nicht in den Kampf. Es gibt hier nichts, wogegen wir kämpfen könnten, außer unseren Verletzungen und dem Wetter. Wenn wir weit im Süden in Sicherheit sind, werden wir reden und uns an diesen Augenblick erinnern, aber nicht jetzt.« Der Maat salutierte wieder, sprang hinunter auf das Hauptdeck und sammelte, zum Bug eilend, seine Arbeitsgruppe um sich.

»Ich hatte vorhin den Eindruck, daß der Rifs sich leicht nach Norden wendet«, sagte Hunnar.

»Ich habe das auch bemerkt. Er kann sich genauso rasch nach Süden wenden.« Ta-hodings Augen und Gedanken richteten sich auf den zerbrochenen Fockmast.

Alle stürzten sich auf die Reparaturarbeiten, Hwangs Gruppe schloß sich nicht aus. Sie hatten keine Erfahrungen mit Segelfahrzeugen, aber jede zusätzliche Hand wurde gern zum Holen und Bringen akzeptiert, selbst wenn sie kein Fell trug. Das Schiff war schneller wieder auf dem Weg, als irgend jemand zu hoffen gewagt hätte.

Sie entkamen dem Rifs nicht völlig. Seine Südausläufer erreichten sie, lange nachdem die Druckverwerfung achtern außer Sicht war. Irgendwie hielt der beschädigte Steuerbordausleger, in soviel festes Pika-Pina-Seil gewickelt, daß es gereicht hätte, ein weiteres Schiff auszurüsten. Bandagiert und humpelnd nutzen sie den Kuß des Rifs, um ihre Geschwindigkeit zu erhöhen, während sie südwärts flohen.

Die Windstärke des Rifs wurde nur von dem Wind übertroffen, den die Matrosen, welche die *Slanderscree* auf ihrem Flug über den Gebogenen Ozean begleitet hatten, um die Geschichte machten. Die erreichte Geschwindigkeit und die Entfernung, die das Schiff in der Luft zurückgelegt hatte, wurden mit jedem neuen Bericht größer. Einige wenige wundersame Sekunden lang waren sie geflogen, genau wie die Himmelsleute — in etwas von ihnen selbst Gebautem. Ethan hörte sich die begeisterten Berichte an und lächelte. Falls ihre Union sich weiter ausdehnte und stabilisierte, würde es diesen Tran eines nicht fernen Tages erlaubt werden, eigene Skimmer oder Gleiter und dann Flugzeuge zu fliegen. Schließlich würden sie in großen KK-Schiffen von ihrer Welt zu anderen reisen. Er fragte sich, ob das ihrer Begeisterung ein Ende bereiten würde. Technischer Fortschritt bringt auch Ermattung mit sich, sinnierte er.

Schließlich ließen sie den Rifs hinter sich, allerdings nicht die Begeisterung der Matrosen, den großartigen Flug immer wieder aufs neue zu durchleben. Die Soldaten, die die Eisbarriere zu Fuß überwunden hatten, begannen zu murren, und es kam zu einigen Raufhändeln. Niemand nahm Notiz davon. Die Tran waren von Natur aus streitsüchtig. Auf den Ausgang verschiedener Kämpfe zu wetten, half die Zeit totzuschlagen.

Aus Tagen wurden Wochen. Die Veränderung des Klimas war zu Anfang fast unmerklich, doch es dauerte nicht lange, bis alle ihre Bemerkungen darüber machten. Je weiter sie vom Äquator nach Süden vordrangen, desto wärmer statt kälter wurde es. Die hundert Meter hohen Klippen der Kontinentalplatte waren noch lange nicht in Sicht, als die Tran damit begannen, sich ihrer Kleidung zu entledigen.

Zuerst kamen die äußeren Pelze, gefolgt von Harnischen aus Hessavarhaut, dann Westen aus grobem Pika-Pina-Tuch und Unterwäsche. Bald segelte die *Slanderscree* mit einer Besatzung aus nackten Tran, die nur noch

163

ihr braunes oder graues Fell trugen. Als die Temperatur weiter stieg, fragte Ethan sich, wie lange es noch dauern mochte, bis er und seine Begleiter sich ihnen anschlossen. Aber wenn das Klima für die Tran auch unerhört heiß war, zeigte das Thermometer doch immer noch Minusgrade an. Noch war das Wetter nicht nach Shorts und nackter Brust. Aber während sie weiter nach Süden segelten, kletterten die Temperaturanzeigen unerbittlich auf die Nullmarke zu.

Mittlerweile fühlten die Tran sich nicht nur unbehaglich, sie litten sichtlich. Es wurde davon gesprochen, das Fell so kurz wie möglich zu schneiden, eine bis dahin beispiellose Abirrung. Eine rasche Abstimmung zeigte, daß es niemand schlecht genug ging, um sich der Schmach einer Rasur zu unterziehen.

Die Menschen brachten natürlich ihr Mitleid zum Ausdruck, aber im stillen waren sie erfreut. Es war jetzt möglich, sich im Schiff nur mit langer Unterwäsche bekleidet zu bewegen und ohne Kapuzen auf Deck zu stehen.

Einmal zuvor waren Ethan, Milliken und September auf vergleichbare Temperaturen gestoßen. Im Land der Goldenen Saia lebte eine isolierte Gruppe voreiszeitlicher Tran, deren Körper nie gezwungen worden waren, sich wieder an Frostwetter anzupassen. Sie waren an ein durch heiße Quellen erwärmtes Territorium gebunden. Vielleicht segelten sie auf eine ähnliche Gegend zu, überlegte Ethan, denn ausgedehnter Vulkanismus war immer noch die glaubwürdigste Erklärung für die klimatische Verschiebung, die Hwang und ihre Kollegen mit dieser Region in Verbindung brachten.

Fünf Tage später stießen sie auf etwas, das Tran-kyky seit vierzig Jahrtausenden schon nicht mehr gesehen hatte.

Die Tran im Ausguck, die das Phänomen entdeckte, raste die Takelage hinunter, gestikulierte stumm und mit aufgerissenen Augen zum Bug und verschwand unter

Deck, bevor jemand sie fragen konnte, was sie gesehen hatte. Dritter Maat Kilpit versuchte ihr zu folgen, um sie für eine derart unangemessene Meldung zu maßregeln, konnte sie aber nicht aufstöbern. Dann war das Phänomen auch für die auf Deck Befindlichen sichtbar, von denen viele versucht waren, dem Ausguck zu folgen, Kilpit eingeschlossen. Doch als Schiffsmaat war es ihm nicht gestattet, persönlichen Ängsten nachzugehen. Bebend machte er dem Kapitän Meldung.

Nicht alle reagierten mit Panik auf die Entdeckung. Einige waren keck, andere einfach neugierig. Mit Milliken Williams als vertrauenswürdigem Gewährsmann im Rücken gelang es Ta-hoding, seine Leute mit einer Erklärung zu beruhigen. Angesichts des Wirklichkeit gewordenen Schreckensmärchens ihrer Kindheit nervös und verhalten murmelnd, gingen sie an ihre Plätze zurück.

Offenes Meer!

Nun, nicht ganz, obwohl es für die verstörten Tran genauso aussah. Eine Wasserschicht — flüssiges Wasser; die Form von Wasser, die auf Tran-ky-ky nur in Häusern und Kombüsen anzutreffen war, wo es Feuer gab — bedeckte das Eis. Obwohl kaum ein paar Zentimeter dick, reichte sie völlig aus, die Transeele zu erschüttern. Ethan sah auf eines seiner Anzuginstrumente. Die Temperatur lag hier knapp über dem Gefrierpunkt.

Die Bugkufen des Eisklippers warfen nun Fächer aus Wasser anstatt Eispartikeln hoch, als das Schiff durch die Flüssigkeit schnitt. Plötzlich erinnerte die *Slanderscree* an ein Tragflügelschiff.

Die Besatzung begann sich zu entspannen, als klar wurde, daß sie nicht ins Innere der Welt stürzen würden. Die Stärke der wäßrigen Schicht blieb konstant. Hwangs Leute und Williams gaben sich die größte Mühe, ihren Tran-Gefährten zu versichern, daß die hundert Meter dicke Eisschicht nicht unter ihnen verschwinden würde.

Das war allerdings nur zu hoffen, überlegte Ethan. Die *Slanderscree* war kein seetüchtiges Schiff. Ihre Fugen waren gegen den Wind kalfatert, aber sie waren nicht wasserdicht. Fiel der Eisklipper in tiefes Wasser, konnte die Kalfaterung nicht länger als ein paar Minuten halten. Dann würde das elegante Schiff, das auf dem Eis so stabil und wendig war, sinken wie ein Stein. Ethan war sich nicht sicher, ob es in der Sprache der Tran ein Wort für Schwimmen gab.

Alle achteten jetzt auf Anzeichen von Vulkanismus. Dichte Wolken hingen am südlichen Horizont, aber keine Rauchfahnen oder aufragende Kegel waren zu sehen. Blanchards Messungen zeigten, daß der Meeresboden im Durchschnitt fünfhundert Meter unter den Kufen des Eisklippers lag, so daß die Möglichkeit von unten kommender Hitze ausgeschlossen war. Ozeanische Vulkane würden das Eis mit Sicherheit von unten und nicht von oben schmelzen.

Und mit ihrem weiteren Vordringen in süd-südwestlicher Richtung stieg, wenngleich zögernder, immer noch die Temperatur. An einigen Stellen glitten die Kufen bereits durch zehn Zentimeter tiefes Wasser, was aber auch die maximale Tiefe war. »Der Effekt verstärkt sich selbst«, erläuterte Snyek. »Nur die von der inneren Hitze des Planeten und den äußeren Gravitationskräften bewirkten tiefen Strömungen verhindern, daß die Ozeane bis in die Tiefseegräben hinunter gefrieren, aber sollte die Eisschicht je ganz durchschmelzen, würde der Vorgang sich rasant beschleunigen, da die Lufttemperatur hier über den Gefrierpunkt gestiegen ist oder getrieben wurde. Warme Luft würde mit dem wärmeren Wasser unter dem Eis zusammenwirken und eine beständige Öffnung im Eis schaffen.«

»Eisleiche«, murmelte einer der Tran, der dieser übersetzten Information gelauscht hatte.

»Es ist nur ein örtlich begrenztes Phänomen«, erklärte Ethan. »Es gibt keinen Grund zur Panik.«

»Wer gerät hier in Panik?« Fernblick richtete ihren Blick auf die Matrosen, die alle größer waren als sie. »Geht ihr an eure Arbeit zurück, oder soll ich die für euch machen?«

Leise murrend und miteinander diskutierend entfernte sich die Trangruppe.

»Danke«, sagte Ethan zu der jungen Frau.

Sie sah ihn scharf an. »Dankt mir nicht. Findet meinen Gemahl.« Sie schritt den anderen folgend davon. Schritt oder stapfte oder marschierte, fragte sich Ethan, selbst in ihrem Gang lag Angespanntheit. Eine Bombe, die bereit war, jeden Moment hochzugehen. Hoffentlich war er nicht in der Nähe, wenn das passierte.

Hunnar flüsterte in Ethans Ohr: »Es wird immer schwieriger, selbst die Ergebensten unter Kontrolle zu halten.« Er wies mit dem Kopf über die Reling. »Das ist etwas, das nie jemand zuvor gesehen hat. Sie hören sich zwar die Erklärungen von Freund Williams und seinen Begleitern an, doch im stillen glauben sie, daß dieses Wasser das Werk von Teufeln und Dämonen ist.«

»Sie wissen, daß die *Slanderscree* und unsere Werkzeuge nicht das Werk von übernatürlichen Kräften sind. Sie haben erfahren, was Wissenschaft ist.«

»Das Schiff ist etwas Wirkliches für sie, ein greifbarer Teil der Welt. Diese Eisschmelze aber ist etwas, das die ganze Welt beeinflußt. Es ist nicht einfach für sie, verständig zu nicken. Was würdest du empfinden, wenn der feste Boden unter dir plötzlich nach deinen Füßen greift? Das tut nämlich das Wasser, wenn man versucht, hindurch zu chivanieren.«

»Auf diese Weise habe ich es noch nicht betrachtet.« Die Kufen der *Slanderscree* konnten leicht durch zehn Zentimeter Wasser schneiden, doch ein Tran, der versuchte, über so eine Oberfläche zu chivanieren, würde Probleme bekommen. Es wäre so, als würde ein Mensch versuchen, durch Schlamm zu rennen. Er versuchte sich vorzustellen, wie es wäre, auf einem Betonweg zu gehen, um plötzlich festzustellen, daß die Füße in den Boden sanken.

»Hier sind nur natürliche Kräfte am Werk. Es gibt keine Gefahr.«

»Sag das den Leuten!« Hunnar deutete mit dem Kopf auf das geschäftige Deck. »Das sind nur einfache Matrosen und Soldaten, Sammler von Pika-Pina und Holz- und Steinbearbeiter. Sie sind die Tapfersten, die Wannome und Poyolavomaar hervorbringen können. Denke an die Reaktion, die es beim normalen Volk geben würde, wenn diese Widernatürlichkeit sich bis in die Heimatländer ausbreitete. Es könnte zu keiner schlimmeren Panik kommen, ginge die Sonne nicht auf.«

»Sie werden schon damit fertig.« Ethan versuchte überzeugt zu klingen.

»Sie werden es müssen«, stimmte der Ritter zu.

8

DIE KLIPPEN DES SÜDKONTINENTS waren immer noch außer Sicht, als der Ausguck auf dem Hauptmast den Schrei »Guttorbyn!« ausstieß.

Soldaten rappelten sich gelangweilt auf, um ihre Armbrüste zu laden, während andere sich Speere und Pfeil und Bogen griffen. Sie hatten die Angriffe der geflügelten Räuber so oft erlebt, daß sie mit Überdruß darauf reagierten. Die Speerträger würden jedes der Wesen abhalten, das näher an die Bogen- und Armbrustschützen herankam, die die Angreifer einen nach dem anderen aus dem Himmel holten.

Wenn man bedachte, wie viele der großen fliegenden Fleischfresser sie während der vergangenen Monate getötet hatten, war es ausgesprochen schade, daß sie nicht sonderlich genießbar waren, überlegte Ethan, während er das Schwert an sich nahm, das ihm die Besatzung geschenkt hatte. Skua September gesellte sich, seine übergroße Streitaxt locker in der Faust, zu ihm.

Als der Ausguck berichtete, es nähere sich nur eines der fliegenden Wesen dem Schiff, legte die Hälfte der Verteidiger die Waffen beiseite und wandte sich wieder ihrer Arbeit zu. Diejenigen, die noch bewaffnet waren, stritten darüber, wer als erster schießen dürfe. Das war keine leicht zu treffende Entscheidung. Es durfte kein wahlloses Schießen geben. Armbrustbolzen hatten Metallspitzen, und Metall war kostbar.

»Es ist ein großer!« rief der Ausguck. »Der größte, den ich je gesehen habe.«

»Vielleicht ist es gar kein Guttorbyn.« Ethan strengte sich an, den Punkt in der Luft auszumachen, der auf sie zuhielt. »Ich bin sicher, daß es Hunderte von Lebensformen gibt, denen Hunnar und das Volk von Sofold nie begegnet sind.«

»Seltsames Flugwesen.« September beugte sich über die Reling und versuchte Einzelheiten zu erkennen. »Da ist nichts von diesem herabstoßend geschwungenen Flug zu erkennen, den man normalerweise bei einem Guttorbyn sieht. Kommt auch viel zu tief heran.« Was auf Tran-ky-ky Flügel trug, wahrte einen respektvollen Abstand zum Eis, wenn es sich in der Luft befand — außerhalb der Reichweite von Shan-Kossiefs und anderen hinterhältigen Feinden, die unter dem Eis lauerten.

»Das ist kein Guttorbyn«, murmelte der Hüne gepreßt, »aber ich weiß sehr gut, was es ist.«

Hunnar kam zu ihnen. »Ist das nicht eins eurer fliegenden Boote?«

»Das ist eindeutig ein Skimmer. Was, zum Teufel, tut ein Skimmer hier?«

»Vielleicht hat Trell Partner zurückgelassen, von denen wir nie erfahren haben«, sagte Ethan, auf den kürzlich verstorbenen und unbetrauerten Planetarischen Kommissar Bezug nehmend.

»Unwahrscheinlich.« September versuchte auf dem näherkommenden Fahrzeug Gesichter zu erkennen. »Sie hätten sich inzwischen selbst gestellt. Der Körper ist nicht mehr viel wert, wenn der Kopf abgehackt wurde.« Er drehte sich um und brüllte etwas in Richtung der nächstgelegenen Luke. Ein Matrose drehte sich gehorsam um und hastete nach unten, um die Wissenschaftler zu informieren.

Cheela Hwang war als erste auf Deck. Williams hatte zu berichten gewußt, die Meteorologin schliefe täglich nicht mehr als vier Stunden. Ethan hatte darauf verzichtet, den Lehrer zu fragen, wie er an diese Information gekommen war.

Der Skimmer flog jetzt parallel zum Eisklipper, nahe genug, um einzelne Gestalten zu erkennen.

»Gehört nicht zu uns«, erklärte Hwang, »wir haben nämlich keine. In Brass Monkey sind Skimmer nicht erlaubt. Derartige Hochtechnologie darf unter den Eingeborenen nicht eingesetzt werden.«

»Wie Strahler, von denen ich wünschte, wir hätten welche.« September streckte den Arm aus. »Sie kommen näher. Machen dasselbe wie wir, schätze ich. Überprüfen uns.«

»Was ist mit den Regierungsleuten?« fragte Ethan die Chefwissenschaftlerin. »Könnte irgendeine Abteilung einen haben, den sie heimlich benutzt?«

Hwang schüttelte unwillig den Kopf. »Brass Monkey ist zu klein, um so etwas zu verbergen. Stünde ein Skimmer zur Verfügung, würden ihn alle benutzen wollen. Man könnte es nicht geheimhalten. Es gibt keine Luftfahrzeuge, nichts Größeres als die Eisgleiter, die du gesehen hast.«

»Könnte das Commonwealth auf Tran-ky-ky einen zweiten Außenposten unterhalten, den es absichtlich vor Brass Monkey geheimhält?«

»Regierungen können alles, Jungchen«, versicherte ihm September, »aber in diesem Fall sind sie wohl unschuldig. Diese Welt ist zu feindselig, um solche Spielchen zu veranstalten.«

Der Skimmer war nicht die einzige Überraschung. Als er dem Eisklipper ziemlich nahe kam, stellten die Reisenden verblüfft fest, daß sich auf dem kleinen Fahrzeug keine Menschen befanden. Es war ausschließlich mit Tran bemannt. Das rief unter den Matrosen der *Slanderscree* einiges an Kommentaren hervor. Die Reaktion des menschlichen Kontingents des Eisschiffs fiel erheblich stärker aus.

»Eingeborenen die Verwendung dieses Technologie-Typs zu gestatten, ist ein Verbrechen, das mit Gefängnis bestraft werden kann.« Moware war außer sich. »Allein ihnen einen Skimmer zu *zeigen*, ist schon verboten. Sie einen bedienen zu lassen ...« Er schüttelte benommen den Kopf, fassungslos angesichts einer so ungeheuerlichen Mißachtung der Vorschriften.

»Irgend jemand hat eine Menge Vertrauen zu diesen Tran«, war alles, was September zu sagen hatte.

Ethan bemerkte Grurwelk dicht neben sich. »Die da sind keine Dämonen. Sie sind von deiner Art.«

Sie sah ihn kaum an. »Dämonen kommen in vielerlei Gestalt, Himmelsmann.«

Inzwischen war der Skimmer so nahe, daß man weitere Einzelheiten erkennen konnte. Seine Besatzung war mit Westen aus Lederstreifen und entsprechenden, lokker fallenden Kilts bekleidet. Alle trugen Kappen oder Helme aus dunklem, mit Holz- und Metallbändern geschmücktem Leder. Die letzteren waren sehr aufschlußreich: Sie sahen nicht aus wie die groben Eisenarbeiten der Tran. Sie warfen zuviel Sonnenlicht zurück, ein Hinweis darauf, daß sie maschinell hergestellt waren. Natürlich, jemand der so abtrünnig war, daß er Tran mit einem Skimmer ausstattete, würde auch nicht zögern, sie mit Metallresten zu Schmuckzwecken zu versehen.

Zwei der fremden Tran traten an den Rand des Skimmers und riefen etwas zur *Slanderscree* herüber. Ethan hielt seine Trankenntnisse für ziemlich gut, doch die Worte waren ihm unverständlich. Selbst Hunnar schien einige Probleme mit dem Akzent zu haben. Mit Gesten und Wiederholungen machten die Insassen des Skimmers schließlich klar, was sie wollten.

»Sie möchten, daß wir den Kurs ändern und ihnen folgen«, gab Hunnar bekannt. »Nein, halt, das ist nicht ganz richtig. Sie *befehlen* uns, ihnen zu folgen. Bei den Sieben Teufeln!« Er wandte sich dem Ruder zu und rief: »Halte den Kurs, Kapitän!«

Die Ermahnung erwies sich als unnötig, da Ta-hoding bereits eigenständig beschlossen hatte, genau das zu tun. Die Tran auf dem Skimmer schienen sich mit jemand zu besprechen, der außer Sicht war. Es gab viel Armgewedel und heftige Gesten. Dann verschwand einer der Sprechenden nach unten und tauchte einen Augenblick später mit etwas Kleinem, Schimmerndem in der Hand wieder auf. Ein Werkzeug.

Ein Handstrahler!

Es war ein altes, überholtes Modell, doch immer noch so brauchbar, daß es ein Loch in den Rumpf der *Slanderscree* brennen konnte — oder in jemanden, der so unglücklich war, ihm in den Weg zu geraten. Der Tran führte weiter die Wirksamkeit seiner Waffe vor, während alle auf dem Eisklipper hastig Deckung suchten.

»Strahler.« September spähte über die Oberkante eines Vorratskastens. »Woher, zum Teufel, haben die Laserwaffen? Und einen Skimmer!«

»Ungeheuerlich.« Hwang lag bäuchlings auf dem Deck. »Wer immer hinter dieser Sache stecken mag, ist Anwärter für eine Gedächtnislöschung!«

Nachdem er seine Demonstration abgeschlossen hatte, winkte der Tran mit seinem Strahler achtlos in Richtung des Seglers und wiederholte das Verlangen, dieser möge wenden und folgen. Die Tran an den Kontrollen des Skimmers steuerten diesen reibungslos, hielten ihn in gleicher Entfernung von Klipper und Eisoberfläche. Sie waren offensichtlich in der Handhabung des hochtechnischen Fahrzeugs unterwiesen worden.

»Was sagen sie jetzt?« fragte Ethan Hunnar.

»Seltsamer Akzent. Sie sagen, wenn wir nicht sofort wenden, um sie zu begleiten, machen sie uns manövrierunfähig.«

Der Ritter richtete seine Katzenaugen auf seinen menschlichen Gefährten. »Können sie das mit so kleinen Waffen?«

Hunnars Frage erklärte sich aus dem Umstand, daß das Loch, welches der Tran in die Flanke des Eisklippers gebrannt hatte, kaum einen Zentimeter groß war. Was der Ritter nicht erfaßte, war die Reichweite des Strahlers. Sein Besitzer konnte aus sicherer Entfernung ein Besatzungsmitglied nach dem anderen unter Feuer nehmen; oder sie zwingen, das Ruder der *Slanderscree* zu verlassen; oder die Takelage wie Spaghetti aufschlitzen. Doch im Moment befanden sie sich innerhalb Armbrustreichweite.

Armbrüste waren keine Tran-Entwicklung. Die Tran Sofolds waren von Milliken Williams in ihrem Bau und ihrer Handhabung unterwiesen worden. Es gab eine Chance, daß die Scharfschützen der *Slanderscree* den mit Handstrahler bewaffneten Tran treffen konnten. Eine hastige Besprechung, deren Teilnehmer bäuchlings auf dem Deck lagen, wurde abgehalten.

Drei Soldaten wurden ausgewählt. Hunnar antwortete mit einer langen gewundenen Erklärung auf das Ultimatum und hielt so die Besatzung des Skimmers hin, bis die Armbrustschützen fertig waren. Dann duckte er sich, während sie sich aufrichteten und schossen.

Alle drei Bolzen fanden ihr Ziel. Die auf dem Skimmer Anwesenden reagierten fast so extrem wie diejenigen auf dem Eisschiff auf das Erscheinen des Skimmers reagiert hatten. Der Tran, der geschossen hatte, griff sich an die Brust, wo der schwere Bolzen durch seinen Lederpanzer gedrungen war. Er strauchelte zur Seite, fiel über Bord und blieb sich mehrfach überschlagend hinter beiden Fahrzeugen zurück.

Sein Gefährte, der versucht hatte, einen weiteren Strahler auf den Eisklipper zu richten, war von dem zweiten Bolzen in der Schulter getroffen worden, während der dritte seine Rippen geschrammt und ein Loch in seinen rechten Dan gerissen hatte. Er ließ die Waffe fallen und torkelte zurück in den Skimmer.

Das Fahrzeug bockte und schlingerte wild hin und her, als dessen Lenker kurzfristig die Kontrolle darüber verlor. Es verlor an Höhe, streifte das Eis, warf eine Fontäne aus Eispartikeln hoch, rammte fast in die Flanke der *Slanderscree* und gewann schließlich wieder ausreichend Höhe, während es nach Südwesten davonschoß, bevor die Armbrustschützen nachladen und ein zweites Mal

schießen konnten. Höhnische und trotzige Rufe begleiteten seine Flucht.

Voreilig, dachte Ethan. Zu schade, daß sie nicht den
Lenker des Skimmers hatten treffen können. In diesem
Fall hätte der Skimmer auf Automatik umgeschaltet,
und es wäre ihnen vielleicht möglich gewesen, ihn zu
entern. So blieben sie im Ungewissen darüber, wer ihre
Angreifer gewesen, woher sie gekommen und wie sie in
den Besitz von Commonwealth-Technik gelangt waren.

Menschen und Tran diskutierten auf dem Achterdeck.

»Vielleicht gibt es ein weiteres, unabhängiges Forschungsteam hier draußen, das die Klimaveränderung
studiert«, meinte Jacalan.

»Das ist verrückt«, widersprach Hwang. »Selbst wenn
es so wäre, würde kein halbwegs ehrenhafter Beobach-
ter hochtechnologische Waffen an die intelligenten Bewohner einer Klasse-IVB-Welt weitergeben. Und warum
haben sie uns solche Befehle erteilt? Freundliche Leute,
die reden wollen, veranstalten doch kein Übungsschie-
ßen auf einen.«

»Ich denke, wir sollten wenden und nach Brass Monkey segeln«, erklärte Ethan entschlossen. »Ja, ich weiß,
daß wir einen langen Weg hinter uns haben, und es tut
mir leid, daß ihr alle mit leeren Händen zurückkehren
müßt, aber das hier ist etwas, womit wir überhaupt
nicht gerechnet haben. Sie haben uns zwei Strahler vorgeführt. Vielleicht haben sie noch mehr. Im Augenblick,
sage ich, ist Überleben wichtiger als Zeit. Eigentlich ist
es immer wichtiger.

Die offenkundige, aus dem eben Erlebten zu ziehende
Schlußfolgerung ist, daß Menschen oder Angehörige einer anderen technisch hochstehenden Rasse in diesem
Gebiet operieren, zweifellos ohne Genehmigung. Sie
sind in etwas wahrscheinlich Illegales verwickelt. Sie haben einheimische Verbündete mit Waffen und Trans-
portmitteln ausgerüstet. Ich bin sicher, sie haben nicht

erwartet, daß wir hier erscheinen, sonst hätten wir sie nicht so mit den Armbrüsten überraschen können.«

Zweiter Maat Mousokka trat zu ihnen. »Vergebung, verehrte Freunde, Kapitän, aber die Seile, die unsere Bugkufe sichern, haben sich gelockert. Sie löst sich von den Haltestreben. Ich habe es mir selbst angesehen. Wenn wir das nicht bald richten, werden wir die Kufe ganz verlieren.«

Ta-hoding murmelte einen alten Eissegler-Fluch und sah die erwartungsvollen Menschen an. »Wir können die nötigen Reparaturen nicht durchführen, während wir uns bewegen. Wir werden anhalten müssen.«

Daran gab es nichts zu diskutieren. Die Segel wurden gerefft und die Spieren in den Wind gedreht. Die *Slanderscree* wurde langsamer und hielt dann an. Eisanker wurden ausgelegt, um sie zu stabilisieren, während Arbeiter über den Rumpf strömten und sich an die verkrüppelte Kufe machten. Zermürbtes Pika-Pina-Seil wurde in langen Stücken weggeschnitten und durch frisches ersetzt. Unbeschädigtes Tauwerk wurde abgewickelt und wieder straff befestigt.

Sie waren zu drei Vierteln fertig, als der Skimmer in Begleitung zurückkehrte. Zwei der kleinen, offenen Luftschiffe nahmen den bewegungsunfähigen Eisklipper diesmal in die Mitte. Wieder gingen alle in Deckung, die Armbrustschützen luden ihre Waffen und bereiteten sich darauf vor, das Schiff zu verteidigen. Wieder wurde von einem Skimmer auf das Schiff gefeuert. Diesmal in Form eines dicken, intensiv orangeroten Lichtstrahls, der eine der Hauptmastspieren glatt durchschnitt.

Das schwere Stück Holz stürzte wie ein abgetrenntes Glied auf das Deck, daß die Matrosen auseinanderspritzten.

»Laserkanone.« September spuckte auf das Deck. »Das wäre es. Diesmal können wir sie nicht mit Armbrüsten beeindrucken.« Er sah mit zusammengekniffenen Augen zu dem Skimmer hinüber, von dem geschossen worden war. »Bist du sicher, daß keine Menschen an Bord sind?«

»In beiden Himmelsbooten sind keine Himmelsleute«, versicherte Hunnar. »Ich sehe nur seltsam gekleidete Tran.« Das kleinere der beiden Fahrzeuge kam näher an den Eisklipper heran, während das größere in sicherer Entfernung wartete. Zum zweiten Mal wurde ihnen befohlen zu folgen.

»Wollen wir denen gehorchen?« fragte sich Hwang laut.

»Haben wir eine Wahl?« fragte September zurück.

Ta-hoding überlegte rasch. »Sagt ihnen, Sir Hunnar, daß wir nicht folgen können, da sie unser Schiff beschädigt haben. Erzählt ihnen von unseren Problemen mit der Vorderkufe. Erklärt, daß wir nur friedliche Händler sind, die neue Regionen erkunden, und daß wir nur bitten, unsere Reise fortsetzen zu dürfen.«

Ein zweifelnder Hunnar übermittelte diese Versicherung reiner Unschuld an die Tran auf dem Skimmer. Das Fahrzeug bewegte sich daraufhin unverzüglich zum Heck der *Slanderscree,* wo ein Tran mit einem Handstrahler die dicken Pika-Pina-Taue durchtrennte, welche die Ruderkufe mit dem Rad auf dem Achterdeck verbanden. Solange die Taue nicht ersetzt oder repariert waren, würde Ta-hoding das Schiff nicht mehr steuern können.

»Laserkanone«, murmelte Moware niedergeschlagen und erschüttert. »Skimmer. Hier sind üble Kräfte am Werk.«

Alle wußten, was das bedeutete. Wer immer für diese Verletzungen der entwicklungspolitischen Gesetze des Commonwealth verantwortlich war, würde wahrscheinlich keine Bedenken haben, sich einiger reisender Wissenschaftler und ihrer Begleiter zu entledigen. Sie mußten nicht einmal Menschen sein.

Während Ursprünge und Beweggründe diskutiert wurden, bewegte sich der Skimmer vom Heck der *Slanderscree* zu deren Bug. Ein schweres Tau wurde direkt unter dem Bugspriet befestigt. Durch Rufe und Gesten gaben die Skimmerinsassen zu verstehen, daß die Reparatur der Bugkufe so rasch wie möglich abzuschließen sei.

»Wir haben keine große Wahl«, sagte September zu Ta-hoding, Elfa und den anderen. »Nicht mit dem da am Hals.« Sein Kopf wies zu dem zweiten Skimmer und seiner schweren Artillerie.

»Ich bin bedauerlicherweise zu demselben Schluß gelangt«, erklärte Ta-hoding.

Am Spätnachmittag waren die Arbeiten beendet, und der Eisklipper wurde in Schlepp genommen. Hochtechnologie oder nicht, das Gewicht belastete die Maschine des Skimmers; sie kamen nur langsam südwestlich voran. Während der erste Skimmer zog, blieb der andere parallel zur *Slanderscree*, die enge Mündung seiner schweren Waffe auf die Schiffsmitte gerichtet.

»Und wenn wir ein paar unserer besten Leute am Heck herunterlassen«, schlug Erster Maat Monslawic vor, »um die Steuertaue zu reparieren?«

»Ein Gedanke«, erwiderte Ta-hoding. Er wirkte weder fett noch faul, während er böse zu dem großen Skimmer hinüberstarrte. »Vielleicht sind wir schneller als diese Himmelsboote und können ihnen entkommen.«

Ethan schüttelte den Kopf. »Du würdest doppelt soviel Wind brauchen, wie wir jetzt haben. Sie sind wendiger und schneller als die *Slanderscree*. Und nur ein Schuß aus dieser Kanone, und wir sind endgültig manövrierunfähig. Riskieren wir jetzt nichts, müssen wir nur die Taue reparieren, falls wir doch noch eine Chance zur Flucht bekommen.« Er runzelte die Stirn. »Ich frage mich, warum sie unsere Bewegungsfreiheit nicht vorsichtshalber noch weiter eingeschränkt haben.«

»Vielleicht möchten sie das Schiff als Prise«, meinte Hunnar.

»Meine schöne *Slanderscree*«, stöhnte Ta-hoding. »Alle wollen sie mein Schiff! Es ist wahrlich die größte Prise von ganz Tran-ky-ky.«

Die stolzerfüllte Übertreibung des Kapitäns war entschuldbar, fand Ethan. Es war nichts zu gewinnen, wenn man darauf hinwies, daß Tran, die Zugriff auf Laserkanone, Handstrahler und Skimmer hatten, keine Eisschiffe brauchten, egal wie groß oder anmutig diese sein mochten.

Das lange, tiefhängende Schlepptau gab allen auf dem Eisklipper reichlich Gelegenheit, ihre Kaperer zu studieren. Obwohl sie Zugang zu Hochtechnologie hatten, sahen die Tran auf dem Skimmer nicht sonderlich wohlhabend aus. Bei einigen waren Rüstungen und Kleidung schäbig und abgenutzt, während ihre charakteristische Kopfbedeckung eher überspannt als beeindruckend wirkte. Der Zwiespalt war ebenso verblüffend wie offensichtlich. Es war, als seien sie einem altertümlichen Ritter auf dem prächtigsten aller Schlachtrösser begegnet, nur um bei näherer Betrachtung festzustellen, daß er eine rostige, zerbrochene Rüstung und zerrissene Unterwäsche trug.

Sie waren dem Südkontinent näher, als sie dachten. Sie hätten die erwarteten hundert Meter hohen Klippen des Kontinentalplateaus längst gesehen — nur daß es sie hier nicht gab. Nicht hier, wo die üblichen senkrechten Felswände zusammengefallenen, verwitterten Abhängen gewichen waren. Ein paar isolierte Granitnadeln zeichneten sich vor dem Horizont ab wie einsame Wächter, die Jahrtausende der Erosion beobachtet hatten.

In unmittelbarer Nähe des Äquators gab es auch mehr Vegetation als üblich. Zerfallener Fels hatte sich in Spalten und Rissen gesammelt und war zur Krume geworden. Dennoch waren die Landpflanzen, die sich an ein Dasein unter dem Gefrierpunkt klammerten, eine jammervolle Gesellschaft, nicht annähernd so beeindruckend wie die Pika-Pina und Pika-Pedan, die draußen auf dem Eis selbst gediehen.

Den Nachmittag, den Abend und die Nacht hindurch wurden sie parallel zu den geröllbedeckten Hängen geschleppt, bis sie gegen Morgen in einen Hafen kamen, der dem von Moulokin sehr ähnlich war. Der Unterschied bestand darin, daß hier keine steilen Wände aufragten. Hier grenzte das Eis an sanft ansteigende Hänge.

Ethan wußte von ihrer vorherigen Reise, daß es sich bei solchen Häfen eigentlich um Flußläufe handelte, die unter den Meeresspiegel geraten würden, wenn das Eis während Tran-ky-kys Wärmezyklus schmolz. In zwanzigtausend Jahren würde diese Bucht völlig unter Wasser stehen.

Wenn nicht schon früher. Dieser Gedanke war genauso störend wie die Laserkanone.

Es dauerte nicht lange, und sie waren von anderen, kleineren Eisschiffen umringt. Erbärmliche Konstruktionen, durch intensiven Gebrauch und schlechtes Wetter verschrammt und ramponiert, umkreisten sie die *Slanderscree* wie Schakale eine Löwin. Einige ihrer Besatzungsmitglieder unterhielten sich angeregt mit den Tran auf den Skimmern. Sie boten keine weitere Überraschung.

Als sie sich dem Ende des Hafens näherten, kamen die ersten Klippen in Sicht. Dicke Wolken verbargen den Rand des Kontinentalschelfs. Alle Tran an Bord der *Slanderscree* keuchten und hechelten jetzt ununterbrochen. Das Wasser unter den Kufen des Eisklippers war inzwischen mehr als zehn Zentimeter tief, und denjenigen, die an die Temperaturen gemäßigter Zonen gewöhnt waren, schien es, das Klima im Innern des Hafens wolle sie zerschmelzen. Semkin schätzte, daß das Thermometer gegen Mittag erstaunliche zwei Grad *über* Null erreichen würde.

Am südwestlichen Rand des Hafens war eine Stadt erbaut worden. Ethan hatte nicht mit einer größeren Siedlung gerechnet, aber die Anwesenheit von so vielen kleinen Eisschiffen wies doch auf eine aktive, gedeihende Gemeinde hin. Der Ort selbst wirkte ziemlich belanglos und trübselig, die Steingebäude breiteten sich planlos an der Küstenlinie und die Hänge hinauf aus. Auf der gegenüberliegenden Seite des Hafens stieg eine Felswand mehrere hundert Meter ziemlich steil an, wurde flacher und verschwand in den Wolken. Ethan erkundigte sich bei Jacalan, der Geologin.

»Tut mir leid. Ich habe keine Erklärung für die dichte Wolkendecke hier, Ethan; ich habe die Ergebnisse meiner Instrumente gründlich überprüft, aber es gibt in der ganzen Umgebung keinen Hinweis auf plutonische Aktivität.« Sie wies mit einer Kopfbewegung zu dem Berg, der sich an der Nordseite des Hafens erhob. »Wenn das ein Vulkan ist, ist er entweder tot oder untätig.«

»Woher kommt dann diese Wolkendecke? Das ist kein Rifs-Sturm. *Irgend etwas* muß all diese Feuchtigkeit erzeugen.«

Jacalan zuckte die Achseln. »Frage Hwang oder Semkin. Wetter ist ihr Fachgebiet.«

Das tat er, aber beide Meteorologen hatten keine Erklärung für die dichte Wolkendecke, die über diesem Teil des Kontinents hing. Sie war Teil dessen, was zu untersuchen sie hergekommen waren, und bisher hatten ihre Studien nichts besonders Aufschlußreiches erbracht. Hal Semkin hielt trotz Jacalans Gegenargumenten an der These von den heißen Quellen fest, während Hwang versuchte, eine Theorie zu formulieren, in der Emissionen von Wärme und Feuchtigkeit aus dem Untergrund möglich waren, ohne den Ergebnissen der Geologin zu widersprechen.

Ethan ging zum Achterdeck. Ta-hoding stand immer noch bei seinem nutzlosen Steuer. »Weißt du irgendwas über diesen Ort?« fragte er ihn, die Antwort vorausahnend.

»Nichts.« Neben dem Kapitän wirbelte das große Holzrad sinnlos herum.

»Und die Matrosen aus Poyolavomaar?«

»Die Fragen wurden gestellt.« Ta-hoding klang verärgert, aber Ethan wußte, daß es nur Frustration war, die den Kapitän so knapp und scharf antworten ließ. »Dieses Land ist ihnen genauso fremd wie uns aus Sofold. An diesem Ende der Welt wurde nur von Moulokin gesprochen, und wie du weißt, war es ebenfalls unbekannt, bis wir dorthin reisten und uns mit seinen Bürgern verbündeten.« Er blickte auf die niedrig liegende Stadt, der sie sich näherten. »Wären doch die Soldaten dieser großartigen Metropole jetzt hier, um uns zu helfen.« Er wies nach Backbord.

»Was für ein armseliges Nest. Sieh nur, trotz all der frei herumliegenden Steine und Felsbrocken sind ihre Wohn- und Lagerhäuser elend gebaut. Aus dem Handel mit so einer Stadt läßt sich kein Gewinn erzielen. Ich wundere mich, daß sie überhaupt an diesem Ort existiert. Mit wem treiben die Bewohner Handel? Zwischen hier und Poyolavomaar sind wir auf niemand und nichts gestoßen.«

Tatsächlich, je näher sie kamen und je besser die Sicht auf die Siedlung wurde, desto mehr mußte man sich fragen, was sie überhaupt in dieser isolierten Region tat. Es war so gut wie kein Mörtel verwendet worden; die Lücken zwischen den unverputzten Steinen waren mit kleineren Felsen oder Kieseln ausgefüllt oder mit grobem Pika-Pina zugestopft worden. Die Dächer bestanden aus großen, flachen Steinplatten anstatt der sauber geschnittenen und geglätteten Schiefertafeln, die in entwickelten Gemeinden wie Wannome oder Asurdun üblich waren. Bis auf ein einzelnes mehrstöckiges Gebäude, das die Stadt vom linken Hang überblickte und an eine übergroße Hütte mit Zinnen erinnerte, vermittelte die ganze Siedlung den Eindruck, nicht mehr zu sein als ein unfertiger Gedanke.

»Auch keine Mauern«, stellte Ta-hoding professionell fest. »Keine Tore. Sie rechnen offensichtlich nicht damit, angegriffen zu werden. In der näheren Umgebung gibt es keine Stadtstaaten, die sie angreifen könnten.«

»Wer würde das auch schon wollen?« meinte Hunnar

verächtlich. »Was könnte man da schon plündern? Neue Gebäude, die schon wieder zusammenfallen? Bürger, die in Fetzen und Lumpen herumlaufen? Die gesamte Beute, die man hier bekommen könnte, wäre nicht den Tod eines einzigen Kriegers wert.«

Was alles nicht zu der Anwesenheit von Skimmern und Energiewaffen paßte, überlegte Ethan.

Der Skimmer mit der Laserkanone näherte sich und stieg auf Deckhöhe. Noch bevor Hunnar und September Zeit fanden, darüber zu diskutieren, ob man einen Enterversuch unternehmen sollte, war es bereits zu spät. Ihre Häscher waren darauf vorbereitet, jeden, der versuchte von Bord zu kommen, mit Handstrahlern zurückzutreiben. Der Skimmer schwebte kurz längsseits der *Slanderscree* und entließ zwei Tran auf das Deck. Dann zog er sich in sichere Entfernung zurück, die Kanonenmündung ständig auf den Eisklipper gerichtet.

Niemand behelligte die Enterer. Wären sie von ihrer Sicherheit nicht völlig überzeugt gewesen, hätten sie sich gar nicht erst auf das gekaperte Schiff begeben. Das Paar wanderte über das Deck, ignorierte die säuerlichen und bösen Blicke der Matrosen, inspizierten Takelage und Holzarbeiten. Obwohl selbst im Besitz von Skimmern und Strahlern, waren sie sichtlich beeindruckt.

Der Befehlshabende war hochgewachsen, kräftig und zu Ethans Überraschung nicht mehr der Jüngste. Nicht so alt wie Balavere Langaxt, aber älter als sonst jemand an Bord der *Slanderscree*. Sein Junker oder Leibwächter umklammerte sein Schwert krampfhaft mit der Rechten und versuchte, seine Nervosität zu verbergen. Keiner der beiden trug einen Strahler. Natürlich nicht, dachte Ethan. Sie wollten nicht in eine Lage geraten, in der ihnen jemand eine dieser wertvollen Waffen abnehmen konnte. Wer immer die Kaperung der *Slanderscree* organisiert hatte, wußte, was er tat.

Sowohl die Anwesenheit der Waffen als auch die Taktik, die ihre Häscher eingesetzt hatten, waren auf Tran-ky-ky fremd. Ethan äußerte sich entsprechend gegenüber Hunnar, der ihm vollauf zustimmte.

»Es scheint in der Tat so, daß diese Leute von deinem Volk außer Werkzeugen auch Unterweisung bekommen haben.«

Ethan fragte sich kurz, ob diese Tran eine illegale Expedition überfallen und deren Ausrüstung gestohlen hatten und ließ den Gedanken gleich wieder fallen. Die Tran waren schlau, aber es war unmöglich, herauszufinden, wie etwas so Komplexes wie ein Skimmer funktionierte, ohne irgendeine Schulung erhalten zu haben. Doch ob diese Schulung freiwillig oder unter Zwang erteilt worden war, blieb, wie praktisch alles andere, was an diesem Tag passiert war, im Bereich der Spekulation.

Der ältere Enterer hatte im Unterschied zu Hunnars rotem einen dichten braunen Bart. Ethan ließ Ta-hoding an seinem nutzlosen Steuerrad zurück und schloß sich Hunnar, Elfa, Skua und mehreren anderen an, die ihren Besuchern gegenübertraten.

Der seltsam kehlige Akzent war aus der Nähe besser zu verstehen. »Ich bin Corfu. Früher Corfu von Kerkoinhar.«

»Nie davon gehört.« Die anderen schlossen sich Hunnars Eingeständnis an.

»Das haben wenige.« Der ältere Tran schien das nicht als Schmähung aufzufassen. »Es war ein Ort, an dem es sich leben und gedeihen ließ. Nur — Corfu gedieh nicht mit ihm. Es kam zu Meinungsverschiedenheiten in ethischen Fragen. Es hieß, ich hätte einen Verwandten des Landgrafen betrogen. Es hieß, ich hätte es nicht getan. Bei einer solchen Konfrontation mußte ich unterliegen. Ich wurde verbannt.

Ich bin nur Händler, kein Jäger. Die Verbannung ist schlimm für einen Händler, desen Eigentum beschlagnahmt wurde. Doch entgegen dem Schicksal, das meine Feinde für mich vorgesehen hatten, überlebte ich — und fand hier eine neue Heimat.« Er wies zur Stadt, während das Schiff von dem schleppenden Skimmer gedreht und zu einem Dock gezogen wurde.

»Yingyapin. Kein großartiger Anblick, doch das wird sich ändern. Es ändert sich.«

»Es wird eine Menge gebaut, aber nichts, was man beeindruckend nennen könnte«, bemerkte September nachdenklich.

Corfu sah den Hünen überrascht an und studierte eingehend dessen Gesicht. »Du sprichst unsere Sprache ohne eine Übersetzungsvorrichtung.«

Ihr Besucher war nicht der einzige, der überrascht war. Außer Skimmern und Strahlern kannte dieser Tran also auch Translatoren und sprach so, als sei er vertraut mit ihnen. Gab es überhaupt irgendwelche Technologien, zu denen man ihnen keinen Zugang verschafft hatte?

»Menschen sollten unsere Sprache eigentlich nur durch solche Maschinen sprechen können.«

»Haben deine Menschenfreunde dir das so gesagt?« fragte Ethan.

Corfu richtete seine Aufmerksamkeit nun auf ihn. »Und noch einer, der spricht.« Er musterte die Menschen, die sich um ihn versammelt hatten. »Wieviele von euch sprechen Tran?«

Ethan verfluchte sich, weil er nicht den Mund gehalten hatte. Es war eine natürliche Reaktion, da er jetzt seit über einem Jahr Tran sprach, doch im nachhinein war ihm klar, daß er das Reden besser September überlassen hätte. Es wäre besser gewesen, ihre Sprachkenntnisse geheim zu halten. Jetzt war es zu spät. Dieser Corfu schien intelligent genug, um sich auszurechnen, daß die Menschen, die keine Translatoren trugen, auch diejenigen waren, die seine Sprache fließend beherrschten.

Milliken Williams rührte sich allerdings nicht, und Corfu schien gewillt, die Angelegenheit auf sich beruhen zu lassen, denn er begann die Vorzüge seiner neuen Heimat zu preisen.

»Sie ist nicht beeindruckend, richtig, doch eines Tages werden sich alle vor ihrem Landgrafen verbeugen. Ihr blickt auf die bedeutendste Stadt der Welt.«

»Es gibt keine wichtigen Städte mehr«, informierte Hunnar ihn. »Es gibt nur noch die Union.«

»Die Union? Was ist das für dummes Zeug? Zwischen Trangemeinden gibt es keine Unionen.«

»Jetzt ja. Die Stadtstaaten Wannome, Moulokin, Poyolavomaar, Asurdun und viele andere schließen sich zusammen, um eine große Union zu bilden, damit wir uns wiederum mit unseren Menschenfreunden und anderen in ihrer größeren Union des Nachthimmels verbinden können.«

»Ah, du sprichst von der Mitgliedschaft im Commonwealth.« Corfu lächelte.

Ethan hatte gedacht, er sei nicht mehr zu schockieren. Er hatte sich geirrt. »Woher weißt du vom Commonwealth?«

»Auch wir haben unsere Freunde«, erwiderte Corfu selbstgefällig. »Es mißfällt mir durchaus nicht, von dieser Union zwischen euren Stadtstaaten zu hören. Ich begrüße sie vielmehr. Sie wird uns die Verwaltung von Tran-ky-ky erheblich leichter machen.«

»Wenn du glaubst, du könntest die Welt mit zwei Skimmern, ein paar Strahlern und einer Kanone erobern, unterliegst du einem schweren Irrtum«, sagte Ethan.

Hunnar wies mit dem Kopf auf den unsicheren Leibwächter des Händlers. »Insbesondere nicht, wenn deine Armee aus Seinesgleichen besteht.«

Corfu nickte ihm zu. »Aus deinem Verhalten erkenne ich, daß du zum Adel gehörst. Ich habe genug vom Adel, Rotbart. Wenn wir von Yingyapin die Macht übernehmen, werden wir ihn abschaffen. Eine neue Ordnung wird sich anstelle der alten erheben, eine, die sich auf Können gründet anstatt auf Aristokratie.«

Hunnar knurrte unterdrückt und entblößte seine langen Fangzähne. »Ich habe meine Ritterschaft verdient, wie jeder in Wannome.«

Der Händler war nicht beeindruckt. »Einfluß bringt Ausbildung, Geburtsrecht Erziehung. Was zählt, ist die Herkunft. Und du kannst mich töten, wenn du möchtest.« Er drehte sich nicht zu Grurwelk Fernblick um, die, in einer Pranke ein Messer verbergend, hinter ihn geschlüpft war. Sie zögerte.

»Wenn ich nicht unverletzt zu meinen Leuten zurückkehre, werden sie dieses wunderbare Schiff und jeden an Bord vernichten. Deine Menschenfreunde können dir sagen, wozu unsere Waffen imstande sind.«

»Das ist uns bereits bekannt.« Hunnar warf Fernblick einen scharfen Blick zu; sie trat zurück, umklammerte aber weiter ihr Messer. Dann wies er auf die Stadt jenseits vom Dock. »Ich sehe hier nichts, was man fürchten müßte, keine unüberwindliche Armee, keine Massen entschlossener Krieger.«

Corfu lächelte amüsiert. »Wir werden erobern, ohne einer Armee zu bedürfen. Wir müssen nicht kämpfen. Ja, wir werden nicht einmal auf diese leichten Waffen zurückgreifen müssen.«

»Wie ertragt ihr die Hitze hier?« fragte Ethan. »Ich kann mir nicht vorstellen, daß irgendein Tran dieses Land für einen angenehmen Aufenthaltsort hält.«

»Du hältst es für zu warm? Ich persönlich finde es behaglich.«

»Dann bist du also krank an Geist *und* Körper«, bemerkte Elfa.

Corfus Lächeln gefror. »Meinst du? Du wirst es bald sehen.«

Williams trat vor. »Hör zu! Im Namen meiner Kollegen verlange ich zu erfahren ...«

Der weit größere Tran schlug dem Lehrer mit einer mächtigen Rückhand über das Gesicht. Milliken taumelte zurück, aus einem Mundwinkel tropfte Blut. Cheela Hwang war augenblicklich an seiner Seite. Mehrere der

Matrosen der *Slanderscree* spannten sich kampfbereit, doch Hunnar bedeutete ihnen zu bleiben, wo sie waren. Corfu ignorierte die drohende Körpersprache und musterte Williams mit bösem Blick. Es gab keinen Zweifel, daß der Händler seinen Spaß hatte.

»Du hast hier nichts zu verlangen, kleiner Mensch. Du bist mir nicht überlegen und stehst nicht über mir. Wir benutzen eure Technik, aber wir haben keine Angst vor euch. Ihr seid keine Götter, sondern Leute wie wir, die länger gelebt haben. Daher habt ihr etwas mehr Wissen und viel mehr Metall. Wir benutzen euer Wissen, wir benutzen euer Metall und eure Maschinen, aber das bedeutet nicht, daß wir auch *euch* immer benutzen müssen.« Er drehte sich um und stolzierte zum Achterdeck, unberührt von den feindseligen Blicken, die ihm folgten, unbekümmert darüber, daß ihm vielleicht jemand einen Speer in den Rücken stoßen mochte. Ethan beugte sich über die Reling und sah auf die Menge hinunter, die sich versammelt hatte, um den Eisklipper zu besichtigen. Die Bürger Yingyapins waren aus der Nähe genauso wenig beeindruckend wie aus der Entfernung: eine Gruppe ärmlicher, müder Siedler. Sie sahen nicht aus wie Eroberer. Sie wirkten elend und erschöpft.

Hunnar trat neben ihn. »Ich weiß, daß dies ein ungewöhnlicher Ort ist, doch neben der unvermeidlichen Schwäche in den Knochen spricht hier noch irgend etwas anderes zu mir. Hier ist alles anders.« Er wies auf die Menge. »So viele verschiedene Trachten. Wenn man ihnen zuhört, bemerkt man nicht nur einen seltsamen Akzent, sondern viele.«

Corfu hatte seine Inspektion des Achterdecks abgeschlossen und trat wieder zu ihnen. »Du beobachtest richtig, Edler. Was ihr euch klarmachen müßt, ist, daß Yingyapin bis vor kurzem noch weit ärmer war als jetzt.

Es hätte anders sein können, hätten wir woanders eine Stadt gegründet. Es gibt bessere Häfen, die darauf warten, daß etwas aus ihnen gemacht wird, fruchtbareres Land zum Bebauen. Hier gibt es wenig davon. Doch diese Stadt wurde auf etwas anderem gegründet: Hoffnung. Die Art von Hoffnung, die mich in Zeiten der Not aufrechthielt. Es war Hoffnung, die mich hierher brachte, und Hoffnung, die mich bleiben ließ.« Sein Arm beschrieb eine umfassende Geste.

»Alle, die ihr vor euch seht, sind vor Problemen in ihrer jeweiligen Heimat geflohen. Einige sind Ausgestoßene, einige Verbrecher, einige einfach nur arm. Daher hört ihr so viele Dialekte und seht so viele verschiedene Trachten. Yingyapin ist eine Zuflucht für die Besitzlosen und Entwurzelten, für diejenigen, die Armut und Enttäuschung hinter sich gelassen haben.«

»Sieht mir so aus, als hätten sie nur alte Enttäuschung und Armut gegen neue getauscht«, sagte Ethan.

»Vergiß nicht die Hoffnung, Mensch.«

»Welche Hoffnung?« Hunnar wies auf die baufälligen Häuser. »Ich sehe nur Elend und Ziellosigkeit.«

Corfu entwickelte eine unerwartete Beredsamkeit. »Manchmal ist Hoffnung nicht wie ein schönes Fell oder ein gutes Schwert. Sie ist nicht immer etwas, das man in der Hand halten oder unter den Füßen spüren kann. Obwohl sie in unserem Fall also nicht greifbar ist, hat sie doch Gewicht. Unsere Hoffnung ist wirklich und so fest wie ...« — er kicherte unvermittelt — »das Eis von Tranky-ky. Wenn sie eurem Staunen enthüllt wird, werdet ihr verstehen. Dann werdet ihr nicht mehr so herablassend über die armen Teufel urteilen, die ihr da vor euch seht. Ein kluger Tran trifft seine Entscheidungen nur aufgrund sämtlicher Tatsachen.«

»Tatsache ist, daß wir von Piraten entführt wurden«, knurrte Hunnar.

»Falls ihr beschließt, euch uns anzuschließen, wird euch euer gesamtes Eigentum zurückgegeben«, erwiderte Corfu unerwarteterweise. »Selbst bis hin zu diesem großartigen Segler. Noch wird euch in irgendeiner Weise Schaden zugefügt. Wir suchen Verbündete, keine Feinde.« Er hob eine Pranke, um Hunnars unwillkürlichem Protest zuvorzukommen.

»Ich weiß, was du sagen willst. Es wurde schon von anderen gesagt, die ebenso stolz und dumm waren. Warte ab, was geboten wird, bevor du deine Zusammenarbeit verweigerst.« Seine Stimme wurde dunkler, als er sich an Ethan wandte.

»Was dich und deine Leute angeht, so könnt ihr euch uns nicht anschließen, da wir uns bereits euch angeschlossen haben.«

Ethan hatte keine Gelegenheit, die Bedeutung dieser rätselhaften Bemerkung zu ergründen. Eine Laderampe schob sich vom Dock auf das Deck des Eisklippers. Die Tran, die sie bedienten, waren gezwungen gewesen zu improvisieren; mit einem Schiff von der Größe der *Slanderscree* hatten sie noch nie zu tun gehabt. Ethan bemerkte, daß der kanonenbewaffnete Skimmer immer noch da war. Seine Besatzung hatte in ihrer Wachsamkeit um kein Jota nachgelassen.

Von hier zu entkommen, würde nicht einfach sein. Und was sollte all das Gerede über ›anschließen?‹ Was gab es hier, das Hunnar Rotbart, Elfa Kurdah-Vlata und Ihresgleichen reizen könnte, sich ihm anzuschließen? Corfu hatte gesagt, sie würden es erfahren.

Der Händler chivanierte die geeiste Rampe hinauf und kehrte bald mit einer pöbelhaften und undisziplinierten Eskorte zurück, um ein Dutzend Vertreter des Schiffes in die Stadt zu geleiten.

Yingyapin wurde bei näherer Betrachtung nicht angenehmer. Wenn überhaupt, dann sank der Ort noch im Ansehen Hunnars und der Tran in seiner Begleitung. Er blieb eine rätselhafte, unscheinbare Ansammlung schon wieder zerfallender Gebäude, die hastig aus unbehauenen, unverputzten Felsbrocken zusammengeflickt worden waren. Das unbedeutendste Gebäude Wannomes war ein Meisterstück der Maurerkunst verglichen mit einem beliebigen Bau Yingyapins. Einzig der gedrungene, häßliche Kasten am Südrand der Stadt sah aus, als könne er einen kräftigeren Windstoß überstehen. Corfu nannte ihn den Palast.

Nur ein halbes Dutzend Tran bewachte die Besucher, aber jeder war mit einem Handstrahler bewaffnet. Sie waren etwas besser gekleidet als ihre Mitbürger und gingen mit ihren Energiewaffen um, als wüßten sie genau, wie sie zu benutzen waren. September war sicher, daß sie nicht einfach nur ein paar beiläufige Hinweise über ihre Verwendung erhalten hatten. Sie waren daran ausgebildet worden. Jeder Versuch, sie zu überwältigen und ihnen die Waffen abzunehmen, wäre Selbstmord gewesen. Es war viel zu früh, über solche Extreme nachzudenken.

Selbst der abtrünnige ehemalige Planetarische Kommissar Jobius Trell, dessen Pläne so sehr von seinen asurdunischen Verbündeten abgehangen hatten, war nicht so weit gegangen, seinen eingeborenen Freunden hochtechnologische Waffen anzuvertrauen. Offenkundig sah das hier jemand anders.

Ein Paar hochgewachsener, mit traditionellen Waffen ausgestatteter Tran flankierte den unscheinbaren Eingang des Palastes. Das Fehlen schwerer Bewachung sprach für sich. Sie waren durch den schmuddeligen, schlecht beleuchteten Bau marschiert, bis sie in einen größeren Raum kamen, der nur wenig besser erhellt war. Das Dekor war nicht beeindruckend und spiegelte die allgemeine Armut der Gemeinde wider — bis auf eine bemerkenswerte Ausnahme.

Von der Decke hing auf zwei Drittel Raumhöhe ein selbstversorgender Leuchtkörper von gewaltigem Durchmesser, der direkt aus einem Vortragssaal der weit entfernten Erde hierher verpflanzt schien. Sein Vorhandensein in dieser zerfallenden Bastion barbarischer Armut war so unerwartet wie die Ökobibel eines Umweltschützers im Biwak eines Großwildjägers.

Auf einem von Teilen ausrangierter Metallverkleidungen zusammengehämmerten Thron saß ein verkrümmter kleiner Tran, den Ethan zuerst für einen Jugendlichen hielt, der sich aber bei näherer Betrachtung als extrem kleinwüchsiger Erwachsener entpuppte.

»Verneigt euch alle«, verkündete Corfu großartig, »in der Gegenwart von Massul fel-Stuovic, erster Oberherr von ganz Tran-ky-ky!«

9

ETHAN WAR SICH NICHT KLAR, ob die Wachen Hunnar, Elfa oder einen der anderen Tran aus der Besuchergruppe wegen Lachens erschossen hätten, doch es gelang ohnehin allen irgendwie, ihre natürliche Reaktion auf diese erstaunliche Verkündigung zu unterdrücken. Selbst die gallige und streitsüchtige Fernblick beschränkte sich auf ein kurzes amüsiertes Bellen.

So wie er aussah, war Massul fel-Stuovic der Oberherr von gar nichts. Jeder von ihnen, auch die Damen der Gruppe, hätte ihn ohne Anstrengung mit der bloßen Faust erschlagen können.

Corfu runzelte die Stirn und hob die Mündung seines Strahlers. »Alle *verneigen* sich!«

September zuckte gleichgültig die Achseln. »Was soll's, es ist nur eine Geste. Es hat nicht viel Sinn, wegen einer Geste erschossen zu werden.« Er verbeugte sich aus der Hüfte. Ethan und Milliken ahmten die Bewegung nach.

Ihre Tran-Gefährten waren nicht so bereit zu gehorchen. Corfu zielte mit seinem Strahler zwischen Hunnars Beine und versengte den Boden mit einem kurzen Schuß. Hunnars Gesicht verspannte sich, doch er wich nicht zurück. Der Händler wollte erneut feuern, als der winzige Herrscher müde winkte.

»Es ist nicht wichtig, Corfu. Laß es sein! Was nützt es, einen potentiellen Bekehrten zu töten?«

Corfu starrte Hunnar mit zusammengekniffenen Augen an. »Nicht der hier, glaube ich. Zu starrsinnig, um sich selbst zu retten.«

»Starrsinn kann Fanatismus Platz machen, und kanalisiert kann dieser nützlich sein.« Massul winkte ein zweites Mal.

Der Händler zögerte, sein Blick verschränkte sich mit Hunnars. Dann zuckte er die Achseln, als sei es ihm gleichgültig, und steckte seine Waffe zurück in ihr Holster. »Wie Ihr befehlt, Herr.«

»Es gibt keine Oberherren auf Tran-ky-ky.« Elfa bat nicht um die Erlaubnis zu sprechen. »Es hat sie nie gegeben und wird sie nie geben.«

»Nie ist eine lange Zeit, Frau.«

»Außerdem haben wir schon vier wichtige Stadtstaaten vereinigt und bereiten uns darauf vor, uns in einer noch umfassenderen und von uns selbst geschaffenen Union einzurichten. Wir haben keine Verwendung für Möchtegern-Oberherren.«

»Eine Union, sagst du? Gute Nachricht, wenn es stimmt. Das macht unsere Arbeit um so einfacher.« Den Oberherrn schien diese Nachricht über eine konkurrierende planetenweite Regierung genausowenig zu beunruhigen wie Corfu. Im Gegenteil, er schien diese Entwicklung zu begrüßen.

»Was ist denn eure ›Arbeit‹?« fragte Ethan.

Massul studierte ihn mit kleinen, scharfen Augen. »Neugierig, ihr Menschen. Immer stellt ihr Fragen. Wenn ihr keine Befehle gebt.«

Suaxus-dal-Jagger verdrehte den Hals, um die Halle mit übertriebenem Interesse zu mustern. »Wo sind die Banner, die Familienembleme? Was für eine Art von Hof ist dies?«

»Eine neue Art«, informierte ihn der Oberherr. »Einer, der auf Leistung anstatt auf Adel und Herkunft beruht. Ich beanspruche nicht, Produkt einer uralten Erblinie zu sein. Ich habe einfach nur das Glück gehabt, zur rechten Zeit am rechten Ort gewesen zu sein. Wie viele von uns.« Er wies beiläufig auf Corfu. Dieser quittierte die Geste mit einem kurzen Nicken. Selbst hier, im innersten ›Heiligtum‹ des Palastes, drang noch soviel Wind durch die Wände, daß sich Pelz und Dan der besuchenden Tran leicht bewegten.

»Worte machen noch keinen Herrscher«, erwiderte Hunnar barsch.

»In der Tat. Nur Taten machen Herrscher. Ohne entsprechende Vorbereitungen kann man nichts Großes erreichen. Wir sind bei den Vorbereitungen. Die Ergebnisse werden schon bald allen Tran gegenwärtig werden.« Er sah Hunnar und Elfa an. »Was ich nicht verstehe, ist, was ein großartiges Schiff mit Kriegern wie euch zusammen mit einer Menschengruppe in diesem Teil der Welt tut.«

»Wir sind Freunde«, erklärte Elfa einfach.

Cheela Hwang trat vor und sprach durch ihren Translator. »Wir sind hier, um ein anormales meteorologisches Phänomen zu untersuchen. Die Luft hier ist weit wärmer, als sie sein sollte. Was Ihr sicher bemerkt habt.«

»Unser Klima sagt euch nicht zu?« Massul war eindeutig amüsiert. »Ich dachte, ihr Menschen zieht wärmeres Wetter vor.«

Das war praktisch ein offenes Eingeständnis, daß der Oberherr und seine Leute direkt von einer Menschengruppe unterstützt wurden, die illegal auf Tran-ky-ky operierte, sagte sich Ethan.

»Ja, das tun wir. Wir ziehen weit höhere Temperaturen vor als ihr. Aber das ist es nicht, was uns Sorgen macht«, erläuterte Hwang. »Das Klima hier sollte nicht so warm sein. Das Eis in der Umgebung schmilzt oben ab.«

»Nicht nur oben«, informierte Massul sie, durch den Gedanken nicht im mindesten bestürzt, »sondern auch unten.«

»Dann müßt Ihr wissen, was hier vorgeht«, entfuhr es Williams, »aber es scheint Euch nicht zu beunruhigen.«

»Warum sollte es uns beunruhigen? Alles verändert sich früher oder später.«

»Ja, aber im Falle Eurer Welt sollte es später sein. Zehn- bis zwanzigtausend Jahre später, nach unseren

Berechnungen. Irgend etwas hier ist ganz und gar nicht in Ordnung.«

»Nein!« Massul beugte sich vor. »Hier ist alles in Ordnung — bis auf euch. Ihr solltet nicht hier sein. Dagegen muß etwas unternommen werden. Alles andere hier ist perfekt.«

Dal-Jagger beugte sich zu Hunnar hinüber und flüsterte ihm ins Ohr: »Ich habe keine Angst vor diesen leichten Waffen. Wie tödlich ein Speer auch sein mag, er muß immer noch mit Mut und Kühnheit geschleudert werden. Wir können mit diesem Haufen ohne weiteres fertig werden.«

Hunnar lehnte den Vorschlag seines Junkers ab. »Vielleicht werden wir von anderen beobachtet, die ähnlich bewaffnet sind, oder es gibt irgendwelche uns unbekannte Maschinen. Wir wissen noch nicht genug, um alles zu riskieren. Warte!«

Dal-Jagger richtete sich auf, enttäuscht aber gehorsam. September hatte mitgehört und beugte sich seinerseits zu dem Junker. »Zuerst Antworten, dann Kampf. Sollte ich erschossen werden, will ich nicht voller Fragen sterben. Später ist noch Zeit genug für großartige Gesten. Sorgen wir dafür, daß wir ihren Sinn kennen, bevor wir sie machen.« Der Junker nickte widerstrebend.

»Mich interessiert etwas anderes«, wandte September sich an Ethan, während Hunnar und Elfa weiter mit Massul sprachen. »Ich bin mir nicht sicher, wer hier der Herr ist, Oberherr oder Händler. Corfu überläßt seinem Oberherren das Reden, doch wenn er etwas zu sagen hat, sagt er es, ohne um Erlaubnis zu fragen. Sieht mir nicht nach dem üblichen Landgraf-Adel-Verhältnis aus, selbst wenn er gehorcht und Hunnar nicht erschossen hat. Vielleicht hat er Gründe, sich im Hintergrund zu halten. Manchmal sind die Leute mit der wirklichen Macht nicht die, die man auf der Bühne sieht. Ihnen ist wirkliche Macht wichtiger als Selbstdarstellung. Sie bleiben hinter den Kulissen und scheuen die Öffentlichkeit.

In dieser Hinsicht unterscheiden sich die Tran, nach dem, was wir im vergangenen Jahr gesehen haben, nicht sehr von uns.«

Massul zupfte an den Fingern seiner Pranke. »Was sollen wir mit euch Menschen tun?«

»Ich würde meinen, daß unsere Freunde einige Vorschläge dazu hätten«, sagte Corfu.

»Ja. Ja, natürlich. Gut, kümmere dich darum. Ich hatte einen langen Tag und bin ermattet. Bring sie hinauf zu Shiva und laß ihn entscheiden!«

September und Ethan reagierten nicht auf den Namen, Williams und die meisten Wissenschaftler dafür um so mehr. Als sie aus dem Thronraum geführt wurden, verlangsamte der Lehrer seinen Schritt, bis er auf gleicher Höhe mit seinen Freunden war. »Das ist kein Tranname«, informierte er sie.

»Schien mir auch so«, sagte September. »Klang nicht richtig.«

»Er ist menschlicher Herkunft, aus einer der uralten Babel-Sprachen. Präterranglo. Er stammt aus einem Dialekt, der als Sanskrit bekannt war. In der Hindu-Religion war Shiva der Gott des Todes und der Zerstörung.«

»Was besagt schon ein Name«, murmelte September. »Ich bin im Juli geboren.«

»Willst du damit sagen«, fragte Ethan, »daß wir neben den Strahlern, Skimmern und Leuchten obendrein glauben sollen, daß hier uralte Menschengötter herumspazieren?«

»Wie Skua schon sagte: Es ist nur ein Name. Ich dachte nur, ihr solltet es wissen.«

Ihre Eskorte marschierte mit ihnen aus der Burg, doch statt sich wieder zum Hafen zu wenden, gingen sie westwärts aus der Stadt heraus. Corfu plauderte mit seinen Leuten und versuchte erfolglos, Hunnar in ein belangloses Gespräch zu verwickeln. Zur großen Überraschung aller hatte er mehr Glück mit Grurwelk Fernblick.

Sie schwenkten auf einen ausgetretenen Weg ein, der zwischen zwei Ruinen hindurchführte, und fanden sich auf einem Trampelpfad wieder, der im Zickzack jenen steilen Hang hinaufführte, welcher eine Seite des Hafens begrenzte. Ethan legte den Kopf zurück und musterte unsicher die vor ihnen liegende Steigung. Der Hang war ein kurzes Stück begehbar, danach machten Geröll und zerklüfteter Fels senkrechten Klippen Platz. Keiner ihrer Wächter trug Seile, Greifhaken oder anderes Bergsteigergerät bei sich. Sicher erwartete man nicht von ihnen, daß sie *dort* hinaufkletterten. Menschen waren nämlich auf jeden Fall bessere Kletterer als Tran.

Am Fuß der Klippe wandte Corfu sich nach links. Dort wand sich ein weit schmalerer Pfad an der senkrechten Felswand entlang. Ob schlecht geräumt oder absichtlich getarnt, konnte Ethan nicht entscheiden. Es war eine quälend schwierige Wanderung für die Tran. Sie waren daran gewohnt, sich ohne Anstrengung vom Wind über das Eis blasen zu lassen. Hier, auf rauhem Grund waren ihre mächtigen, klauenartigen Chiv eher eine Behinderung als eine Hilfe. Offenbar ans Klettern gewöhnt, ertrug Corfu die Anstrengung klaglos. Elfa, Hunnar und die anderen Tran der Besuchergruppe verzogen die Gesichter und versuchten den Schmerz in ihren Füßen zu ignorieren. Es mußte etwa so sein, überlegte sich Ethan, als würde man in zu engen Stiefeln auf sechs Zentimeter hohen Spikes balancieren. Man mußte langsam und vorsichtig gehen, wollte man sich nicht den Knöchel verstauchen oder Schlimmeres.

Ethan war nicht sonderlich überrascht, als Corfu schließlich vor etwas Halt machte, das wie eine nackte Felswand aussah, und einen verborgenen Schalter berührte, woraufhin eine große Platte aus grauem Schiefer aufschwang und einen gut beleuchteten Tunnel enthüllte. Sie hatten in den vergangenen vierundzwanzig Stunden so viele Überraschungen erlebt, daß er überzeugt war, jetzt könne ihn nichts mehr überraschen.

Er irrte sich.

Der Tunnel, den sie betraten, war nicht mit Hacken und Schaufeln in den massiven Fels getrieben worden. Die Wände waren glatt und eben, die Decke sanft gewölbt. Nach wenigen Schritten ging der Fels in Metall über und das Metall in Kunststoff, als der Tunnel sich in eine gewaltige, hangargroße Höhle öffnete. Ein Maschinensaal, dessen Luft erfüllt war von Summen, Brummen und Surren, elektronischer Muzak. Es roch nach Schmiermitteln, Dampf und Elektrizität.

Anblick und Geruch waren beide für Tran-ky-ky fremd und unpassend. Rohrleitungen und Kabelstränge schlängelten sich durch den Raum und verschwanden in der Ferne. Plötzlich schien das Vorhandensein von Skimmern und ein paar Strahlern bei den Tran von Yingyapin eine unbedeutende Verletzung der Bestimmungen. Wenn derjenige, der sie Massuls Häschern zur Verfügung gestellt hatte, Anwärter auf Gedächtnislöschung war, so hatte man es hier mit einer Einmischung in einer Größenordnung zu tun, die für eine physische Auflösung ausreichte.

Was immer der Zweck der Anlage sein mochte, sie war eindeutig nicht über Nacht errichtet worden. Aufbau und Größe wiesen auf Jahre der Vorbereitung hin, vom Bau ganz zu schweigen. Es war trotzdem nicht schwierig, die ganze Sache geheimzuhalten, wie September hervorhob:

»Wir sind verdammt weit weg von Brass Monkey, und bei dem auf dieser Welt herrschenden Klima könnte man wenige Kilometer vom Außenposten entfernt eine ganze Stadt bauen.«

Eine Stadt war es nicht, doch die Anlage beschäftigte eine kleine Armee menschlicher Techniker. Sie blickten neugierig von ihrer Arbeit auf, als die Parade an ihnen vorbeizog. Keiner versuchte, ihre Besucher anzusprechen. Ethan fand das sonderbar. Die Anwesenheit von Fremden in dem Komplex hätte mehr als nur Neugier hervorrufen müssen. Bestimmt wußten selbst die Naivsten unter ihnen, daß sie an einer illegalen Operation beteiligt waren. Das mochte andererseits etwas mit ihrer Zurückhaltung zu tun haben.

»Ich kann nichts von dem hier identifizieren.« Cheela Hwang studierte aufmerksam die komplexe Maschinerie. »Ich wünschte, einiger unserer Ingenieure wären hier.«

»Sei froh, daß sie es nicht sind«, sagte Ethan.

»Irgendeine Art von Bergwerk?«

»Möglich.« September rätselte wie alle anderen über den Zweck der Anlage. »Vielleicht haben sie hier ein besonders ergiebiges Erzlager oder so gefunden und bauen es heimlich ab. Das ginge nicht anders, da die Behörden keine Erlaubnis erteilen würden. Auf einer Welt der Klasse IVB würden alle Mineralien unberührt bleiben, treuhänderisch für die Eingeborenen verwahrt. Vielleicht bezahlen die Verantwortlichen — die eine Menge Kapital in dieses Unternehmen gesteckt haben müssen — Massul, Corfu und die anderen mit Strahlern, Skimmern, und so weiter.«

Je tiefer sie in die Anlage hineinmarschierten, desto offensichtlicher wurde deren Riesenhaftigkeit. Die Temperatur hier war bis dicht unter die Idealwerte für Menschen gestiegen. Corfu und seine Leute schienen halbwegs akklimatisiert, aber Elfa und die anderen Tran vom Eisklipper litten: Ihre langen Zungen hingen heraus, und sie hechelten ununterbrochen, weil ihre Körper versuchten, sich vor Überhitzung zu schützen. Ethan und seine Begleiter hatten ihre Überlebensanzüge abgeschaltet.

Corfu führte sie in einen großen Lastenaufzug. Er bot ihnen allen kaum Raum und wäre ein geeigneter Platz für den Versuch gewesen, ihre Häscher zu überwältigen. Wieder sprach sich September gegen dal-Jaggers Vorschlag aus. Auf kurze Entfernung konnte selbst ein schlecht gezielter Strahler schreckliche Verletzungen hervorrufen.

Der Aufzug senkte sich langsam und setzte sie schließlich in einem verlassenen Gang ab. Corfu führte sie zu einer Flügeltür, die sich zu einem großen runden Raum öffnete. Willkürlich angeordnete und unregelmäßig geformte Fenster an der gegenüberliegenden Wand gingen auf völlig von Nebel verhüllte Sandsteinmonolithe. Als der Dunst sich vorübergehend teilte, konnte Ethan die sanft ansteigenden Hänge eines rauchverhangenen Tals erkennen. Hoch aufsteigende Dunst- oder Rauchsäulen zeichneten einen ansonsten wolkenlosen Himmel.

Hier also war der Beweis für den Vulkanismus, von dessen Vorhandensein Hwang und ihre Kollegen so überzeugt waren. Doch irgend etwas an den massiv wirkenden Smogsäulen schien falsch. Sie unterschieden sich weder in Dicke noch in Dichte und stiegen völlig gleichmäßig auf. Ethan hatte heiße Quellen gesehen; ihre Emission war nie so regelmäßig gewesen.

»Vielleicht nutzt die Anlage, durch die wir gekommen sind, die unterirdische Vulkanhitze zur Energiegewinnung«, meinte Ethan und wies auf die Fenster. »Dieser emittierte Dampf könnte ein Nebenprodukt davon sein.«

»Vielleicht«, erwiderte September, »aber ich glaube nicht, daß Vulkanismus irgend etwas damit zu tun hat.«

Jede Gelegenheit, Septembers Gedanken weiter zu verfolgen, wurde unterbunden, als man sie in den Raum hineinstieß, der bei näherer Betrachtung an ein Konferenzzimmer mit angeschlossenem Büro erinnerte. Ihre strahlerbewaffneten Wachen stellten sich zu beiden Seiten des Eingangs auf. Corfu schritt zu den Fenstern und beugte sich flüsternd über einen hochlehnigen Sessel.

Ein kleiner dunkelhäutiger Mann erhob sich aus dem Sessel. Er stand mit dem Rücken zu ihnen da und starrte auf das rauchende Tal. Ethan fragte sich, wie der Raum von außen aussehen mochte. Wenn man nicht direkt auf ihn stieß, verschmolz er höchstwahrscheinlich perfekt mit seiner felsigen Umgebung. Selbst die unregelmäßigen Fenster würden wahrscheinlich aus der Entfernung nur schwer erkennbar sein, mochte der Grund nun Tarnung oder ästhetischer Natur sein.

Weiter Corfus Flüstern lauschend, drehte der Mann sich zu ihnen um. Ethan sah keinen Hinweis auf einen Translator im Ohr des Mannes. Daraus folgte, daß er Tran so fließend sprach wie er, September oder Milliken. Er wirkte geistesabwesend, nervös und angespannt. Er war kleiner als Williams, nicht ganz so dunkel wie dieser und von zartem Körperbau, ohne in irgendeiner Weise feminin zu wirken. Als er sprach, klang seine Stimme gedankenverloren und fast entschuldigend.

»Bitte, setzen Sie sich. Die Art und Weise, wie Sie hierher gebracht wurden, tut mir leid, aber wie Sie erfahren werden, war das unumgänglich. Bis ich festgestellt habe, wie sich Absicht und Zweck Ihrer Anwesenheit hier auf unsere Arbeit auswirken werden, muß ich vorsichtig sein.«

»Wir sind mehr an *Ihren* Absichten und Zwecken interessiert«, sagte Williams.

Der Mann wandte sich ihm mit verkniffenem Gesicht zu. »Schon mag ich Sie nicht. Bitte schweigen Sie, bis Sie angesprochen werden.«

Nicht besonders entschuldigend, dachte Ethan. Nicht alle Feuer hier brannten nur unter dem rauchenden Tal jenseits der Fenster.

Williams war erbost, schwieg aber. Es war ihren Interessen nicht dienlich, einen Zusammenstoß zu provozieren, noch bevor sie irgend etwas erfahren hatten. September trat vor und stellte Menschen und Tran vor. Der Mann lauschte höflich, während Corfu im Hintergrund dümmlich grinste. Als Skua zum Abschluß Hunnar und Elfa vorstellte und erläuterte, was sie repräsentierten, schüttelte der Mann mit gesenktem Blick langsam den Kopf, den Eindruck von jemandem vermittelnd, der eine

Büroklammer verloren und nichts anderes im Sinn hatte, als sie wiederzufinden.

»Ich habe nie von dieser Union gehört«, erklärte er, als er schließlich wieder aufblickte. »Unglücklicherweise ist es uns, abgeschnitten, wie wir hier im südlichen Teil eurer Welt sind, unmöglich, bei den Angelegenheiten entfernterer Eingeborener auf dem laufenden zu bleiben. Ich werde euch glauben, weil ich es gerne möchte. Eure Union paßt gut zu unseren Absichten hier.«

Ethan wies auf Corfu. »Das hat er auch gesagt.«

»Ja.« Der Mann bedachte den Händler mit einem dünnen Lächeln. »Corfu war mir eine große Hilfe.« Ethan fiel auf, daß Massul fel-Stuovic, Oberherr von ganz Tran-ky-ky, nicht erwähnt wurde.

»Sie müssen mir meine Unachtsamkeit entschuldigen. Ich war sehr beschäftigt, und es ist einige Zeit her, daß ich genötigt war, so etwas wie gesellschaftliche Liebenswürdigkeiten auszutauschen. Ich bin Dr. Shiva Bamapütra. Ich bin verantwortlich für die Anlage hier in Yingyapin.«

»Ganz schön aufwendig«, bemerkte September.

»Sie ist ziemlich beeindruckend, nicht wahr?«

»Genug, um selbst die Sektionsaufsicht des Commonwealth zu beeindrucken. Warum bemühen Sie sich nicht um eine Erlaubnis für was auch immer Sie hier tun? Das würde vieles für Sie einfacher machen.«

»Sie möchten sich den Anschein eines ungebildeten Bauernlümmels geben, Mr. September, aber ich glaube, ich kenne Sie besser. Ich glaube, Sie wissen genausogut wie ich, warum wir das nicht tun können. Warum, meinen Sie, haben wir unterirdisch gebaut, wenn nicht, um der Entdeckung durch diejenigen zu entgehen, die mit unseren Absichten nicht übereinstimmen würden? Wir hätten das allerdings in jedem Fall tun müssen, um Wärme zu erhalten. Wärme ist sehr wichtig für das, was wir tun, sehen Sie, und selbst Fusionsreaktoren sind in ihrer Leistung nicht unbegrenzt.«

Dann hatte es also nichts mit Vulkanismus zu tun, überlegte Ethan. »Was *ist* es denn nun? Was tun Sie hier?«

Bamaputra sah an ihm vorbei. »Etwas, das das Commonwealth nicht gutheißen würde, denke ich. Die Reaktion der Kirchenräte würde noch weit heftiger ausfallen. Sie sind alle so steif und förmlich, so traditionsgebunden und konservativ, daß sie, selbst wenn sie die Möglichkeit sähen, denen in Not zu helfen, dies nicht tun würden, wenn es sich nicht in ihre kostbaren Bestimmungen einfügt. Sie würden uns augenblicklich abschalten, trotz der Vorteile und Segnungen, die den Bewohnern dieser Welt zufallen.« Er drehte sich wieder den Fenstern zu, die auf das Tal gingen.

»Wir *transformen*.«

»Das ist ein Widerspruch in sich«, erklärte Hwang. »Diese Welt ist bereits ›transformt‹.«

Bamaputra wandte sich ihr zu. »Wie vertraut sind Sie mit Physiologie und Geschichte der Tran?«

»Wir haben einige interessante Entdeckungen gemacht«, informierte Ethan ihn.

Bamaputra musterte ihn einen Moment lang und nickte dann. »Ja, ich habe bemerkt, daß einige von Ihnen sich recht gut mit diesen Leuten und ihrer Sprache auskennen. Ich werde daher davon ausgehen, daß Ihnen die Grundlagen geläufig sind. Falls ich zu schnell bin oder etwas erwähne, das Ihnen unbekannt ist, unterbrechen Sie mich bitte, und ich werde es erläutern.

An dem, was wir hier tun, ist nichts Kompliziertes. Tief im Innern dieser Kontinentalplatte wurden drei Fusionsreaktoren installiert. Wir setzen sie nicht nur ein, um unsere Anlage hier oben mit Energie zu versorgen, sondern auch, um das Eis von unten her zu schmelzen. Es wird Sie interessieren zu erfahren, daß die Eisschicht dieser Gegend, dort wo sie an den Festlandsockel stößt, stellenweise weniger als zwanzig Meter dick ist. Das ist ein Grund, warum wir diese Halbinsel als Operationsbasis gewählt haben. Die Erwärmung der Atmosphäre in der Umgegend und das gleichzeitige Schmelzen des Eises sind nur Nebenprodukte und nicht die Hauptabsicht unserer Operation.«

»Warum?« fragte Blanchard.

»Weil diese Atmosphäre von zwei Dingen mehr braucht: Wasserdampf und Kohlendioxid. In Ergänzung zum Schmelzen der Eisschicht pumpen wir direkt Wasserdampf in die Luft. Um das Kohlendioxid zu erzeugen, das mit hochgeblasen wird, ziehen wir Sauerstoff aus der Luft und verbinden ihn mit Kohlenstoff, den wir aus großen Kohlevorkommen direkt unter dieser Station gewinnen. Es gibt beträchtliche urgeschichtliche Anthrazitflöze in dieser Gegend. Es mag seltsam scheinen, einen fossilen Energieträger zu verbrennen, nur um das Abfallprodukt absichtlich in die Atmosphäre zu blasen.«

Ethan hatte als Nichtwissenschaftler Schwierigkeiten, dem Vortrag zu folgen, obwohl Bamaputra alles so einfach wie möglich machte.

»Der Treibhauseffekt auf Tran-ky-ky ist nur schwach. Wir beabsichtigen, ihn künstlich zu verstärken, bis er genug der von der Sonne kommenden Wärmestrahlung zurückhält, um die durchschnittliche Oberflächentemperatur auf achtzehn Grad ansteigen zu lassen.«

»Wovon spricht er da?« fragte Hunnar seinen Freund schließlich.

Ethan antwortete, ohne den Blick von Bamaputra zu wenden. »Er spricht davon, die Temperatur deines Planeten beträchtlich zu erhöhen, weit über den Punkt hinaus, wo Eis stirbt.«

»Sie sprechen von einem großen Zeitraum«, wandte sich September an ihren Gastgeber. »Sie werden nicht lange genug leben, um das Resultat zu erleben.«

»Ach, da irren Sie sich aber, mein hochgewachsener Freund. Da das klimatische Gleichgewicht Tran-ky-kys so labil ist, ist es in der Tat möglich, in überraschend kurzer Zeit wesentliche Temperaturverschiebungen zu bewirken.«

»Daran verstehe ich eins nicht«, erwiderte Ethan darauf. »Warum machen Sie sich überhaupt die Mühe; all das wird auch auf natürliche Weise geschehen.«

»Ja, aber die Veränderung wird zehn- bis zwanzigtausend Jahre beanspruchen. Der Planet wird sich seines kürzeren Wärmezyklus' erfreuen und dann auf seiner gestörten Umlaufbahn wieder hinauswandern und wieder gefrieren. Dann wird erneut der absteigende Lebenszyklus einsetzen. Die Ozeane werden wieder zu Eis, die Temperatur wird weit unter den Gefrierpunkt fallen, und die Tran werden abermals gezwungen sein, in ihren Höhlen und feudalen Burgen Schutz zu suchen, darauf beschränkt, die Energien ihrer Gattung allein auf das Überleben zu richten. Nein, Sie irren sich, was die Zeit anbelangt, die wir brauchen, um das zu ändern. Sie haben Ihre Schulphysik vergessen.« Einige der Wissenschaftler verzogen die Gesichter. Falls diese Reaktion Bamaputra freute, so zeigte er es jedenfalls nicht.

»Sobald die Eisschicht durchgeschmolzen ist, wird der Taueffekt sich beschleunigen, selbst wenn die Temperatur nicht über den Gefrierpunkt angehoben wird. Das dunkle Wasser wird das bis dahin vom Eis reflektierte Sonnenlicht absorbieren und verteilen. Das Ergebnis wird ein beschleunigtes Schrumpfen der Eisschicht sowie der damit verbundenen Reflexion sein, und die Ausdehnung offenen Wassers in die nördlichen und südlichen gemäßigten Zonen. Der Meeresspiegel wird um fünfzig Meter und mehr steigen. Die Tran, die in tiefgelegenen Gebieten leben, werden gezwungen sein — wie es sonst erst in etwa fünfzehntausend Jahren der Fall wäre —, diese zu verlassen und sich auf höhergelegenem Gelände anzusiedeln. Es wird zu einer Massenwanderung von den niedrigen Inseln zum höheren Land der Kontinente kommen. Mit der Erwärmung der Luft werden diese bewohnbar, wie sie es in urgeschichtlicher

Zeit schon einmal waren. Tatsächlich werden die Tran hierher kommen.

Unsere anfänglichen Forschungen lassen darauf schließen, daß dieser, der Südkontinent in wärmeren Zeiten die höchste Bevölkerungsdichte hatte. Bei der tierischen Population wird es korrespondierende Wanderungsbewegungen und körperliche Veränderungen geben. Unter den Tran wird es zu einigen Todesfällen kommen, da auch bei ihnen der notwendige Wechsel vom Kälte- zum Wärmestadium beschleunigt wird.« Er zuckte die Achseln. »Das ist unvermeidlich.«

»Wie viele Todesfälle?« Septembers Stimme war sehr leise.

»Unmöglich, das exakt vorherzusagen. Sie sind natürlich zu bedauern, aber Sie sollten bedenken, daß es in früheren Zeiten infolge der langen, mühseligen Reisen von den Inseln zu den Kontinenten auch zu zahllosen Todesfällen kam. Diese lassen sich vermeiden.«

»Wie?« fragte Blanchard.

»Wenn das Commonwealth durch den Außenposten erfährt, was geschieht, werden die Bestimmungen außer Kraft gesetzt, um soviel Angehörige der eingeborenen Bevölkerung wie möglich zu retten. Ihre obskuren Einschränkungen sind dann außer Kraft angesichts einer ›natürlichen‹ Katastrophe, die eine große Zahl von bewußtseinsbegabten Lebewesen betrifft. Die Tran von Yingyapin, im stillen von uns unterstützt und angeleitet, werden desgleichen tun. Es liegt nicht in unserem Interesse, irgend jemanden unnötig sterben zu lassen.«

»Wie dem auch sei, Sie sind willens, eher diese Todesfälle als unvermeidliche Konsequenzen dessen zu akzeptieren, was Sie vorhaben, als Ihre Ziele zu ändern«, sagte Jacalan.

»Sie müssen bedenken, was das Endergebnis unserer Arbeit hier sein wird«, entgegnete Bamaputra betont. »Mit dem Ansteigen der Temperatur werden die Tran sich physisch verändern. Sie werden Dan, Chiv und ihr langes Fell verlieren und Jahrtausende früher in die Form der goldpelzigen Saia überwechseln. Ein weit natürlicherer Zustand. Sie werden Landbewohner sein statt Eisbewohner.

Erkennen Sie nicht, was das für sie bedeutet? Sie werden einen Schub bekommen, wie keine Trangeneration je zuvor. In einem angemessenen Klima werden sie in der Lage sein, sich richtig zu entwickeln, eine fortschrittliche Zivilisationsform zu erreichen, zu der sie imstande sind; ein Prozeß, der aber immer wieder durch das Einsetzen dieser brutalen Kälte abgebrochen wurde. Zum ersten Mal in ihrer Geschichte werden sie ein Zivilisationsniveau erreichen können, das hoch genug ist, um alle zukünftigen Attacken des Frosts zu überstehen. Im Ergebnis wird ihnen Tausende von Jahren früher eine Vollmitgliedschaft des Commonwealth anstatt einer bloß assoziierten möglich sein.

Weiterhin wird es eine unausweichliche Konsequenz der Nothilfe des Commonwealth sein, daß sie ihren neu erreichten Zivilisationsstand beibehalten können, was immer auch mit dem Klima geschehen mag, falls unser künstlich gesteigerter Treibhauseffekt nicht aufrechterhalten werden kann. Es wird die Morgendämmerung eines goldenen Zeitalters für Tran-ky-ky sein.«

Wie alle anderen hatte September schweigend Bamaputras Rechtfertigung gelauscht. Jetzt runzelte er die Stirn und rieb sich den Nacken.

»Sie wissen, daß das Herumpfuschen am Klima einer Welt durch praktisch jede wesentliche Commonwealthvorschrift streng verboten ist. Gott spielen ist nur auf unbewohnten Welten erlaubt. Der Versuch, auf einer von intelligenten Lebewesen bevölkerten Welt dauerhafte Änderungen durchzusetzen ... nun, wenn die richtigen Kreise von dem erfahren, was sie hier tun, würde ich keinen halben Kredit auf Ihre Aussichten setzen.«

»Ach ja, aber wir haben den Vorteil, auf einer so ... abgelegenen Welt zu operieren. Bis die ›richtigen Kreise'« — er wiederholte die Worte mit kaum verhohlener Verachtung — »Wind von dem bekommen, was wir tun, wird es zu spät sein, den Prozeß umzukehren. Die Meere werden bereits schmelzen, die Tran werden damit begonnen haben, sich körperlich zu verändern, und uns hier abzuschalten, würde mehr schaden als nützen.«

»Was ich nicht begreife«, sagte Ethan, »ist, was für Sie dabei herausspringt.« Er wies mit dem Kopf auf Corfu, der etwas verblüfft schien, plötzlich in das Gespräch der Himmelsleute einbezogen zu sein. »Ich meine, es ist Ihnen offensichtlich gelungen, sich seiner Mitarbeit und der dieses selbsternannten Oberherren sowie der übrigen hiesigen Bevölkerung zu versichern. Aber ich kann nicht erkennen, daß sie nötig ist. Sie könnten sich genausogut in diesem Berg einschließen und sie ignorieren.«

»Sie haben recht. Mr. Fortune. Sie sind nicht nötig — aber sie machen das Leben hier leichter. Am Ende werden wir doch die Hilfe irgendwelcher Tran benötigen. Corfu und seine Mitbürger werden uns diese zur Verfügung stellen.«

»Der Gelehrte hat mir das alles sehr sorgfältig erklärt.« Corfu zeigte auf den winzigen Bamaputra. »Es ist sehr einfach. Selbst ein Narr kann es erkennen.« Keiner seiner Zuhörer, Mensch oder Tran, nahm den Köder an. Leicht enttäuscht war er gezwungen, so fortzufahren.

»Ich sorgte — durch die freundliche Vermittlung unseres Oberherren natürlich ...« — er lächelte in einer Weise, daß klar wurde, wer in der hiesigen Tranhierarchie wo stand — »dafür, daß den Himmelsleuten bei ihrem Vorhaben Informationen und Arbeitskräfte zur Verfügung standen. Außerdem haben wir uns als Erkunder betätigt, neue Bürger für unsere wachsende Stadt rekrutiert, die Neugierigen aufgenommen und sie in der Natur des Großen Plans unterwiesen, sowie diejenigen vertrieben, die für eine Teilhabe nicht geeignet schienen.«

Bei seinen letzten Worten sah Ethan zu Grurwelk

Fernblick. Sie starrte Corfu mit gespannter Aufmerksamkeit an, sagte aber nichts.

»Wir rechneten nicht damit, eine so großartige Prise wie ein großes Schiff mit Menschen und Tran an Bord zu erbeuten, aber wie ihr gesehen habt, waren wir darauf vorbereitet, mit jeder Möglichkeit fertig zu werden.«

Seid ihr das? dachte Ethan. Ist euch wirklich bewußt, was mit euch und eurer Welt geschehen wird, wenn diesem zu kurz geratenen Wahnsinnigen gestattet wird, mit seiner Arbeit hier fortzufahren? Hat Bamaputra das wirklich so genau ausgearbeitet? Mit dem Klima einer Welt herumzuspielen ist nicht ganz dasselbe wie der Bau einer neuen Burg oder der Kampf gegen einen rivalisierenden Klan.

»Vielleicht kannst du die Himmelsleute narren«, sagte Elfa scharf, »aber uns kannst du nicht so leicht täuschen. Es ist noch mehr an dieser Sache.«

»Oh, es wird Veränderungen geben«, murmelte Corfu lächelnd. »Viele Veränderungen.«

»Richtig.« Diese Erläuterungen schienen Bamaputra nicht so sehr zu interessieren wie seine vorangegangenen. »Wenn der Meeresspiegel steigt und die Tran ihre Stadtstaaten verlassen, um hierher zu wandern, werden sie von Anfang an von den Tran abhängig sein, die sich bereits gut auf den Kontinenten eingerichtet haben. Hier kommen Massuls Leute ins Spiel. Meine Nachfolger und ich werden nicht die Zeit haben, uns mit lokalen Fragen zu befassen. Jemand anderes wird sich darum kümmern müssen, Land zuzuteilen, Flüchtlingslager einzurichten und zu verwalten, sowie überhaupt die neue vereinigte Regierung und Verwaltung zu stellen. Oberherr Massul wird bis dahin gut darauf vorbereitet sein, mit den wachsenden Einwanderungszahlen fertig zu werden.«

»Und meine Familie«, meldete sich Corfu, »meine verachtete und geschmähte Familie wird für alle Geschäfte verantwortlich sein, für Vorräte und Kleidung, Werkzeuge, Häuser und den Transport. Alles zu seinem

Preis natürlich. Ich werde vielleicht nicht mehr leben, um all das zu genießen, aber meine Kinder werden es. Der Name Corfu ren-Arhaveg wird zu neuem Glanz erwachen, und alle Tran werden ihm huldigen!«

»Meine Gönner und Geldgeber haben bereits einer langfristigen geschäftlichen Übereinkunft mit Massul und Corfu zugestimmt. Sie wird die Integration der Tran beschleunigen. Sie werden gezwungen sein, sich angesichts eines gemeinsamen Problems zu vereinigen: Diejenigen, die darauf bestehen, ihre feudale Unabhängigkeit beizubehalten, werden untergehen oder verhungern. Die aber, die kooperieren und überleben, werden Tran-ky-ky ein neues Zeitalter bringen.« Er breitete leicht die Arme aus, und über sein sorgfältig kontrolliertes Gesicht lief ein Hauch echten Gefühls.

»Verstehen Sie denn nicht? Wir tun hier nichts Unnatürliches. Wir beschleunigen nur etwas, das sowieso stattfinden wird. Wir verhelfen den Tran zu einem zehntausendjährigen Vorsprung. Alles, was wir hier zu erreichen versuchen — das Schmelzen der Ozeane, die Erwärmung des Klimas, die physischen Verwandlungen — alles das wird früher oder später passieren. Warum nicht früher?«

»Wir wissen jetzt, was für ihn dabei herausspringt«, September zeigte mit dem Daumen auf Corfu. »Aber was für Sie und Ihre ›Gönner‹ dabei herausspringt, davon wissen wir immer noch nichts.«

»Ich?« Bamaputra richtete sich zu voller Höhe auf. »Für mich ›springt dabei heraus‹, daß ich Wissenschaftler bin. Daß ich diesen Leuten helfen will, ihr volles Potential zu entfalten. Daß ich bestimmte meiner Theorien bestätigt sehen möchte.« Er entspannte sich etwas. »Natürlich wird mein Triumph ein stiller sein. Es wird keinen öffentlichen Beifall, keine Ehrungen oder Würden geben. Da all dies hier höchst illegal ist, wird mein Name und der jedes anderen, der damit zu tun hat, geheim bleiben müssen.« Er wirkte plötzlich nachdenklich.

»Vielleicht können, wie Corfu es von seinen Nachkommen sagt, Verwandte von mir versuchen, meinem Namen seinen angemessenen Platz in der Geschichte zu verschaffen. Zu Lebzeiten, dessen bin ich mir bewußt, muß ich mich mit innerer Zufriedenheit bescheiden.«

»Ich bin verwirrt.« Ta-hoding sah seine menschlichen Freunde an. »Das klingt alles dem sehr ähnlich, was ihr für uns getan habt.«

»Es ist der falsche Weg, Ta-hoding«, entgegnete Ethan. »Man kann und darf Leute nicht vereinigen, indem man ihnen mit Verhungern oder Ertrinken droht. Man bringt sie einander nicht näher, indem man sie aus ihrer Heimat vertreibt, ihre gewachsene Kultur zerstört und sich in die natürliche Ordnung der Dinge einmischt.«

Bamaputras Unterlippe schob sich vor. »Wenn die Ozeane aus natürlichen Gründen schmelzen, sterben viele. Vielleicht mehr, als wenn wir hier wären, um ihnen zu helfen.«

»Das Commonwealth wird in zehntausend Jahren da sein, um den Tran zu helfen, sonst wäre es nicht wert, daß man ihm beitritt«, gab Ethan scharf zurück.

»Warum sollten sie solange warten müssen?« Bamaputra warf Hunnar und Elfa einen durchdringenden und auffordernden Blick zu.

Hunnar antwortete nicht sofort. Er musterte den seltsamen kleinen Menschen argwöhnisch, weder von seiner Redeweise noch von seinem Gebaren besonders angetan. In den annähernd zwei Jahren, die er mit Ethan, Skua und Milliken zusammen gewesen war, hatte er viel über die Eigenarten und das Wesen der Himmelsleute gelernt. Einiges hatten ihm seine Freunde erklärt. Anderes hatte er durch die stille Beobachtung herausgefunden. Irgend etwas an diesem Shiva störte ihn.

Nicht, wie er mit den Tran umging. Diesen Corfu behandelte er gut. Es war eine Unnahbarkeit an diesem Menschen, eine unsichtbare Barriere, die er zwischen sich und jenen aufrichtete, die mit ihm sprachen. Keine Verachtung. Es war eher so, als glaubte er, er sei das einzig wirkliche, lebende Wesen im Raum. Anstatt zu Menschen und Tran hätte er genausogut zu Maschinen sprechen können. Lag das daran, daß die anderen für ihn nicht mehr als Maschinen waren, oder daran, daß er selbst so maschinenähnlich war? Hunnar war nicht sehr vertraut mit Maschinen, hatte aber im Außenposten der Menschen genug davon in Aktion gesehen, um eine Vorstellung von ihren Eigenschaften zu bekommen.

»Wie meint Ihr das?«

»Dadurch, daß ihr hierhergekommen seid, habt ihr bewiesen, daß euer Mut und eure Fähigkeiten über dem Durchschnitt der Tran liegen.« Bamaputras falsche Schmeichelei täuschte Hunnar nicht im mindesten. »Ihr wißt nun, was mit eurer Welt geschehen wird. Solange unsere Einrichtungen zur Aufnahme großer Umsiedlerzahlen noch nicht aufgebaut sind, könntet ihr immer noch in eure Heimat zurückkehren und die Euren darüber informieren, was bevorsteht. Bis auf diejenigen, die bereits in Yingyapin leben, könntet ihr die ersten sein. Ihr könntet wesentliche Vorteile genießen, indem ihr hierher kommt und uns bei unserer Arbeit helft, bevor die wirklichen Veränderungen beginnen.«

»Einen Augenblick!« Corfu war durch dieses Angebot seines menschlichen Verbündeten mehr als überrascht. »Wir könnten solche Mengen nie ...«

»Es gibt Möglichkeiten«, unterbrach Bamaputra ihn. »Wir würden damit fertig. Ich werde mit meinen Geldgebern sprechen. Ich bin sicher, wenn ihnen alles erklärt wird, werden sie einen Weg finden, die erforderlichen zusätzlichen Mittel für weitere Siedler flüssig zu machen, insbesondere, wenn es sich um eine so energische und fortgeschrittene Gruppe handelt wie diese. Die Entwicklung auf dem Kontinentalplateau könnte früher beginnen als geplant.« Er wandte sich wieder Hunnar zu.

»Ihr seht, mein Freund, Ihr und Eure Leute, ihr könntet schon bald über Tran-ky-ky herrschen.«

»Was ist mit der Linie dieses Oberherren?« fragte Ethan sarkastisch.

»Massul fel-Stuovics Familie ist klein. Wer vermag schon zu sagen, welche Gruppe sich nach einer gewissen Zeit als die stärkere herausentwickelt? Das liegt an euch. Konflikte, auch gewaltsame, unter den Tran interessieren mich nicht. Ich bin bereit, mit allen zusammenzuarbeiten, die sich gerade an der Spitze befinden. Das gilt auch für meine Gönner und Geldgeber.« Er sah zu dem offenkundig bestürzten Corfu hinüber.

»Nur die Ruhe, mein Freund. Du würdest trotzdem weiter für die Verteilung und den Verkauf aller Vorräte und Ausrüstungen zuständig sein, einschließlich aller neuen Gerätschaften, die wir zur Verfügung stellen werden.«

»Wo leben die Leute?« fragte Ethan.

»Welche Leute?«

»Die Ingenieure und Techniker, die diese Anlage betreiben.«

»Wir haben für sie ausgedehnte unterirdische Einrichtungen mit allen Bequemlichkeiten gebaut.« Bamaputra war offensichtlich durch die Unterbrechung verärgert, da er den Eindruck hatte, bei Hunnar und Elfa Fortschritte zu machen. »Bei dem herrschenden Klima sind unterirdische Einrichtungen weit praktischer. Das ist natürlich eine der Sachen, die wir später ändern werden. Warum wollen Sie das wissen?«

»Ich hatte mich nur gefragt«, erwiderte Ethan leichthin, »ob sie sich alle über das Endresultat ihrer Arbeit hier bewußt sind.«

»Es wäre unmöglich, unsere Ziele vor denjenigen zu verheimlichen, die für uns arbeiten. Sie haben alle ihre persönlichen Gründe, warum sie hier sind. Sehen Sie, mein idealistischer Freund, es existiert immer noch ein ausreichend großes Kontingent der Commonwealth-Bevölkerung, das nicht im gleichen Maß am Schicksal fremder Rassen interessiert ist wie daran, die eigenen Lebensumstände zu verbessern — die Thranx ausgenommen natürlich. Wir bezahlen sehr gut, und unsere Zahlungsweise macht es den Steuerbehörden schwer, den Weg solcher Ausgaben zu verfolgen.

Allerdings wissen nicht alle alles. Es ist sicherer, so viele wie möglich im Unklaren zu lassen. Sie ziehen das ebenso vor wie wir. Sollten sie entdeckt und vor Gericht gestellt werden, sind sie in der Lage, vor dem Lügendetektor auf rechtschaffene Unwissenheit zu plädieren. Es ist nicht schwierig, fähiges Personal zu finden, das bereit ist, unter solchen Umständen zu arbeiten, vorausgesetzt, das Stellenangebot wird entsprechend formuliert. Die Zahl der Nullen am Ende der finanziellen Zusagen ist natürlich ebenfalls sehr wichtig.«

September sah sich in dem Konferenzzimmer um. »In einem haben Sie recht. Irgend jemand hat hier eine Menge Geld hineingesteckt. Vermute ich richtig, daß diese Leute erwarten, sie bekämen das alles zurück, indem sie den dankbaren Überlebenden lebenswichtige Materialien und Güter zum Aufbau einer neuen Zivilisation verkaufen?«

»Das ist mir nicht bekannt. Ich persönlich bin nicht an Geschäften interessiert, obwohl, ja, ich war gezwungen, ein wenig über die Finanzwelt zu lernen, um mit meinen Gönnern verhandeln zu können. Ihre Mutmaßung ist insoweit richtig, wie sie geht, aber sie geht nicht weit genug. Es sind nicht nur die Tran, die von meinen Geldgebern abhängen werden.

Wenn der Meeresspiegel zu steigen beginnt, werden tiefliegende Häfen wie Brass Monkey überflutet. Ein Großteil der Insel Asurdan wird gleichfalls nicht mehr zu halten sein. Das Commonwealth wird einen neuen Standort für seinen Außenposten benötigen, ganz zu schweigen von seinen Flüchtlingslagern. Von Asurdun wird dafür aber nicht genug über Wasser bleiben.

Hier wird die Regierung nicht nur bereits vorhandene

und allen menschlichen Bedürfnissen entsprechende Einrichtungen vorfinden, sondern auch das neue Zentrum der Tran-Zivilisation. Zweifel und Bedenken, wie das alles zustande gekommen ist, werden der Notwendigkeit weichen, schnell eine Basis einrichten zu müssen.«

»Um den Flüchtlingen zu helfen«, murmelte Ethan.

»Exakt. Bei jedem Kampf zwischen Notwendigkeit und Moral wird die Moral stets unterliegen.«

»Es ist trotzdem nicht der richtige Weg«, wandte Ethan ein.

»Gibt es denn überhaupt noch einen richtigen Weg?« Alle sahen überrascht zu Mousokka, dem zweiten Maat der *Slanderscree.* »Soviel hat sich geändert, seit diese Wesen auf unsere Welt kamen.«

»Zum Besseren«, erinnerte ihn Elfa, »weil wir wissen, daß Ethan, Skua und Milliken unsere Freunde sind. Was sie nicht mit Worten, sondern mit Taten bewiesen haben.«

»Sie verändern uns. Die Himmelsleute verändern uns. Warum soll eine Gruppe besser sein als die andere? Beide sind keine Tran!«

»Warum besprecht ihr mein Angebot nicht ausführlicher?« schlug Bamaputra lächelnd vor. »Kehrt in die vertraute Umgebung eures herrlichen Eisschiffes zurück! Diskutiert darüber! Ich würde es wirklich vorziehen, wenn ihr euch entschließen könntet, mit mir zusammenzuarbeiten, statt euch zu verweigern, obwohl das letzten Endes natürlich nichts ändert.«

»Und wenn wir uns nicht dazu entschließen?«

»Ihr Tran habt wirklich eine charmante Art, auf Diplomatie zu verzichten.« Bamaputra war wieder guter Laune. »Das kann diskutiert werden, falls und wenn es dazu kommt. Belastet euch nicht mit solchen Gedanken. Wir sind hier keine Barbaren.«

»Nein«, wiederholte Corfu stolz, »wir sind hier keine Barbaren.«

»Ich stelle nicht gerne Ultimaten. Bedenkt aber, daß nichts dieses Unternehmen aufhalten wird. Es wurde zuviel darin investiert. Ihr könnt daran teilhaben oder nicht, ganz wie ihr wünscht. Geht und besprecht es unter euch! Solltet ihr noch weitere Fragen haben, wird Corfu dafür sorgen, daß sie mir übermittelt werden.

Währenddessen muß ich über *eure* unerwartete Ankunft hier sprechen.« Er starrte Ethan unverwandt an. »Devin Antal ist Werkleiter der Anlage. Es fällt auch unter seine Verantwortung.«

»Irgendwelche vorläufigen Überlegungen in der Angelegenheit?« fragte September beiläufig.

Ihr schmächtiger Gastgeber legte den Kopf zurück, um den Hünen kurz zu mustern. »Sollte mir irgend etwas einfallen Mr. September, seien Sie versichert, werden Sie und Ihre Begleiter dessen sofort gewahr werden.«

Hunnar war zu nervös zum Sitzen. Er lief mit großen Schritten durch den Speiseraum der *Slanderscree*, zupfte an seinen Dan und klickte mit den Fangzähnen.

Flucht kam nicht in Frage. Die Ankertaue des Eisklippers waren um die schwereren Pfeiler des Docks gewickkelt worden, und Corfu hatte eine Wache auf Deck postiert. Nachdem sie von der Anlage zurückgekehrt waren, hatten sie der Besatzung die Lage erläutert. Nun berieten sich die Matrosen und Soldaten draußen auf dem Deck, während Hwang und ihre Begleiter in der Messe besorgt ihre Möglichkeiten diskutierten.

Dazu kamen die anderen Menschen sowie Elfa und Hunnar. Etwas abseits saßen Ta-hoding, Suaxus-dal-Jagger und die Maate der *Slanderscree*.

»Ich verstehe nicht, was an dem Angebot, das er uns gemacht hat, so schlecht sein soll.« Der zweite Maat, Mousokka, lehnte mit gekreuzten Armen an der Wand.

»Du kannst es nicht zulassen, daß jemand deine Welt so auf den Kopf stellt«, versuchte Ethan zu erklären.

»Warum nicht?« Der Maat sah ihn scharf an und ließ seinen Blick dann durch den Raum wandern. »Ich weiß nicht, wie es mit euch steht, aber mir gefällt der Gedanke, daß es immer warm ist. Nur weil unser Wetter immer kalt ist, muß es einem doch nicht gefallen. Der winterliche Nordwind macht mir nie Freude. Wenn unsere Körper sich von selbst an wärmere Temperaturen anpassen, warum sollten wir sie dann nicht willkommen heißen?«

»Und wir könnten außerdem«, warf der dritte Maat ein, »einen Vorteil gegenüber allen anderen Tran erringen, wie dieser Mensch sagt. Mit der *Slanderscree* als Führungsschiff könnten alle aus Wannome hierher umsiedeln.«

»Das würde bedeuten, mit nichts in der Hand von vorn zu beginnen«, wandte Elfa ein. »Würdest du wirklich die Heimat deiner Vorväter für ein Versprechen verlassen?«

»Wenn richtig ist, was dieser Mensch sagt, werden wir eines Tages sowieso dazu gezwungen sein. Wir werden wie die Goldene Saia.« Kilpit sah Ethan an. »Stimmt das?«

Ethan nickte. »Aber wir sprechen über zehntausend Jahre oder mehr, bevor es auf natürliche Weise zu einer Veränderung kommt.«

»Warum nicht jetzt anfangen? Dieser Mensch sagt, seine Leute werden uns helfen. Wir werden leichte Waffen und Himmelsboote zur Verwendung erhalten.«

»Zu einem Preis«, knurrte Hunnar, »zu einem Preis, den wir nicht kennen.«

Kilpit sah Mousokka auffordernd an und zuckte dann die Achseln. »Alles hat seinen Preis. Wir können jetzt diese Menschen bezahlen oder später die Welt.«

»Was ist mit eurer Union?« fragte September ihn. »Was ist mit der Idee passiert, daß alle Tran sich vereinigen und für ein gemeinsames Ziel zusammenarbeiten?«

»Wir werden alle vereinigt, wenn die Welt wärmer wird und die Eisozeane sterben. Nur daß einige die Chance haben, vor allen anderen vereinigt zu werden.«

»Solche Gedanken widersprechen der Idee einer Union zutiefst. Entweder arbeiten wir gleichberechtigt zusammen, oder wir können überhaupt nicht zusammenarbeiten«, beharrte Hunnar.

»Zu viel zu entscheiden für einen Tag«, murmelte Tahoding. »Zu viel. Natürlich können wir dieses spalterische Angebot nicht akzeptieren. Das ist undenkbar.«

»Undenkbar für Euch vielleicht«, grollte Kilpit. »Was werdet Ihr tun, wenn die Meere schmelzen und Ihr kein Eis mehr habt, um darauf zu segeln, Kapitän?«

»Ich werde lernen, eines dieser Himmelsboote zu lenken. Oder ich werde ein anderes Gewerbe erlernen. Was ich *nicht* tun werde, ist, meine Ideale oder meine Geburtswelt zu verraten, nur weil irgendein mageres, pelzloses Geschöpf von irgendwoher mir sagt, es sei das Beste für mich.« Er starrte seinen dritten Maat wütend an. »Das ist es, was ihr, Mousokka und du, zu vergessen scheint. Wir Tran haben immer unsere eigenen Entscheidungen getroffen. Nicht immer aus den besten Gründen und Motiven, doch zumindest waren es unsere. Mir mißfällt der Gedanke, daß meine Zukunft und die meiner Kinder von jemand anderem entschieden wird, ganz unabhängig davon, daß er die besten Absichten haben mag.«

»Ich glaube nicht, daß er so wohlgesonnen ist, wie er vorgibt.« September puhlte zwischen seinen Zähnen herum. »Bei diesen ›reinen Forschung‹-Typen von Wissenschaftlern weiß man nie. Sie leben in ihren eigenen kleinen Welten. Solange sie hin und wieder eine Theorie beweisen können oder so, sind sie glücklich. Soweit es sie betrifft, kann der Rest des Universums getrost zum Teufel gehen. Er argumentiert gut, aber nicht plausibel.«

»Dann ist es abgemacht«, sagte Hunnar entschlossen. »Wir werden dieses Angebot zurückweisen.«

»Aber nicht sofort«, hielt Ethan ihn zurück. »Wir müssen es so aussehen lassen, als ob ihr zögert. So werden wir Zeit gewinnen, bis wir herausgefunden haben, wie wir hier ausbrechen können, um die Behörden zu informieren. Wenn das ein so segensreiches Unternehmen ist, aus dem angeblich die Tran den größten Nutzen ziehen, soll doch die Xenologische Gesellschaft des Commonwealth dessen Wert diskutieren, nicht wir.«

»Das spielt keine Rolle mehr.« Kilpit stand plötzlich auf und ging zur Tür. »Ihr habt eure Entscheidung getroffen. Wir unsere.«

»Wir?« Hunnars Fell richtete sich auf.

Ta-hoding stand ebenfalls auf und kniff stirnrunzelnd die Augen zusammen. »Kilpit, du bist ein guter und treuer Maat gewesen, doch jetzt gehst du zu weit. Du vergißt dich.«

»Im Gegenteil, mein Kapitän«, erwiderte der dritte Maat, mit einem Hauch der alten Ehrerbietung in der Stimme, »ich bin es, den ich nicht vergessen darf.« Mousokka stellte sich neben ihn an die Tür. »Mich selbst, meine Verwandten, die ich seit über einem Jahr nicht mehr gesehen habe, und meine Freunde.« Sein Blick zuckte durch den Raum.

»Ihr solltet euch hören! Ihr seid solange unter Himmelsleuten gewesen, daß ihr vergessen habt, was es heißt, Tran zu sein. Ich habe es nicht vergessen. Es bedeutet, zu überleben so gut man kann. Es bedeutet, darum zu kämpfen, für sich und seine Familie einen möglichst großen Vorteil zu erringen.«

»Wir hatten nichts gegen die Union«, sagte Mousokka, »da Sofold in ihr immer die erste unter gleichen gewesen wäre. Ihr seid bereit, eine noch größere Gelegenheit wegzuwerfen. Wir sind es nicht.« Er öffnete die Tür.

Bewaffnete Matrosen drangen herein. Obwohl sie sich fest an ihre Waffen klammerten, konnten nur wenige den Blick heben, um dem von Hunnar oder Ta-hoding zu begegnen. Daß sie überhaupt Waffen trugen, erklärte schon, was vor sich ging, da die Besatzung durch Corfus Leute entwaffnet worden war. Ethan versuchte angestrengt, auf den Gang hinauszusehen, um zu zählen, wieviel Meuterer es gab.

»Ihr habt euer Erbe mit Kot beworfen«, erklärte Hunnar fest. »Ihr habt der Stadt und dem Landgrafen die Treue geschworen und seid zu einem fremden Herren übergelaufen.«

»Wir haben nichts dergleichen getan«, entgegnete Mousokka unbehaglich. »Du bist es, der übergelaufen ist. Zu diesen Himmelsleuten.« Er wies auf Ethan.

»Und was habt ihr getan«, fragte Elfa verächtlich, »wenn ihr nicht zu Himmelsleuten übergelaufen seid?«

»Massul ist Tran. Ebenso Corfu. Der Mensch glaubt, er benutzt sie; sie glauben, sie benutzen ihn. Das ist einerlei. Diese Himmelsleute haben leichte Waffen und Himmelsboote. Sie sind nicht aufzuhalten. Ich bin kein Märtyrer. Märtyrer sind Narren.«

»Sie sind aufzuhalten«, sagte Ethan, »sobald wir geflohen und zurück in Asurdun sind.«

»Du wirst nirgendwohin fliehen.« Corfu drängte sich in den Raum. »Gedanken an Flucht sind vergeblich. Zumindest haben diese klugen und vernünftigen Tran«, er zeigte auf Mousokka und Kilpit, »erkannt, woher der Wind weht.«

»Der Wind«, erklärte Ta-hoding hoheitsvoll, »weht immer nach Osten.«

»Nicht immer.« Corfu grinste. »Diese Himmelsleute haben Maschinen, mit denen sie den Wind und die Bahn der Sonne selbst nach ihren Wünschen biegen können. Diese Dinge können sie für diejenigen tun, die bereit sind, mit ihnen zusammenzuarbeiten.« Er gestattete sich ein leises Kichern, das bei den Tran hauptsächlich aus einem dünnen Pfeifen bestand. »Habt ihr wirklich geglaubt, wir würden euch beratschlagen und möglicherweise eine Entscheidung treffen lassen, die nicht in unserem Interesse liegt, ohne so schnell wie möglich Verbündete unter euren Leuten zu gewinnen?« Er sah an Ethan und September vorbei auf Hunnar und die anderen Tran.

»Gebraucht eure Köpfe, meine Freunde. Kommt zu uns! Euer Stadtstaat oder Union oder wie immer ihr es nennen wollt, kann zum führenden auf ganz Tran-ky-ky werden. Tut das Vernünftige für eure Kinder und Enkelkinder, wenn schon nicht für euch selbst. Denn eins ist sicher: Vor uns ist eine neue Zeit.«

»Es wurde nötig, die Welt zu zerstören, um sie zu retten«, murmelte September, aber in Terranglo, so daß nur die anderen Menschen ihn verstanden.

Corfu sah ihn düster an und vollführte eine vielsagende Geste mit dem kurzen Schwert, das er in der Pranke hielt. »In meiner Gegenwart sprecht ihr nicht in eurer Sprache.« Ethan bemerkte, daß nicht alle Tran, die in den Raum geströmt waren, zur Besatzung der *Slanderscree* gehörten. Corfu wollte sichergehen, daß Hunnars Beredsamkeit zögernde Meuterer nicht im letzten Moment umstimmte. Es war keine gute Idee, mit einem Strahler im Rücken die Meinung zu ändern. Die Leute des Händlers würden Hunnars wütende Empörung, Elfas Verachtung oder etwas, das er oder September sagten, nicht beeindrucken.

Ta-hoding sprach mit gesenktem Kopf. »Meine Schuld. Alles meine Schuld. Ein Kapitän, der nicht die Treue seiner Leute bewahren kann, ist seinen Titel nicht wert.«

»Macht euch keine Vorwürfe«, sagte Kilpit mitfühlend. »Das hat nichts mit Euren Fähigkeiten zu tun, Ta-hoding. Es geht um das, was wir für das Beste für uns und unsere Zukunft halten.«

»Wir säumen zu lange.« Mousokka trat beiseite und wies mit seinem Schwert zur Tür. »Wir haben schon zuviel Zeit damit verbracht, auf die Worte dieser Himmelsleute zu hören und ohne Fragen zu tun, was sie möchten.«

»Wer, glaubst du, zieht an den Fäden dieser Puppe?« Hunnar wies mit dem Kopf auf Corfu.

»Niemand zieht an meinen Fäden außer mir!« Der Händler schwenkte seine Schwertspitze einen Zentimeter vor Hunnars Nase.

Der Ritter antwortete mit einem dünnen Lächeln. »Ja, es ist offenkundig, was für ein tapferer, unabhängiger Krieger du bist.«

Die beiden starrten einander einen langen Augenblick an. Ethan hielt den Atem an. Dann holte Corfu tief Luft und trat zurück. »Ich bin an meine Vereinbarung gebunden — Vereinbarung, hörst du, kein Befehl —, bis auf weiteres niemand von euch zu verletzen. Ich tue das als

Gefallen für meinen *Freund*, den Menschen Bamaputra.«
Er sah sich um.

»Diejenigen, die sich uns angeschlossen haben, werden natürlich beobachtet werden, aber schließlich werden sie alle in der neuen herrschenden Kaste eine bedeutende Stellung haben. Euch anderen wird Zeit zum Überlegen gegeben, in der ihr hoffentlich erkennt, wo eure wahre Bestimmung liegt.« Er winkte mit seinem Schwert. »Kommt jetzt!«

»Einen Augenblick«, sagte Ethan. »Ich dachte, uns würde gestattet, auf der *Slanderscree* zu bleiben.«

»Euch wurde gestattet, eure Diskussion in vertrauter Umgebung zu führen. Es wurde nichts davon erwähnt, euch länger bleiben zu lassen.« Corfu lächelte wölfisch. »Würde euch erlaubt, hierzubleiben, würdet ihr eure Zeit nur unnötigerweise mit Gedanken an eine Flucht verschwenden, anstatt zu überlegen, wo eure Bestimmung liegt. Bedacht, wie er ist, möchte Bamaputra euch solche nutzlose Ablenkung ersparen.

Ich selbst glaube nicht, daß ihr all den Wachen entkommen und mit diesem Schiff fliehen könntet, aber ich habe gelernt, daß Himmelsleute nicht gern ein Risiko eingehen. Ihr werdet in das Haus der Himmelsleute zurückgebracht, um über eure Fehler zu meditieren.«

Das war schlecht, überlegte Ethan. Solange sie auf dem Schiff waren, gab es immer die Chance, sich ihrer Fesseln zu entledigen, die Ankertaue zu kappen und Corfus Häscher zu überwältigen oder ihnen irgendwie zu entwischen. Falls sie die *Slanderscree* rückwärts auf das offene Eis manövrieren konnten, wo der Wind kräftig blies, mochten sie vielleicht sogar schneller sein als ein Skimmer.

Innerhalb der Anlage wurde wahrscheinlich mit den entsprechenden Geräten jeder Atemzug von ihnen überwacht. Sie würden nicht einmal unbemerkt auf die Toilette gehen können, ganz davon zu schweigen, durch eine wirkliche Tür zu brechen. Bamaputra riskierte nichts.

»Was ist mit unseren Freunden?« Er wies auf Elfa, Hunnar und die anderen. »Sie würden die Hitze im Innern der Anlage nicht durchstehen.«

»Ihre Gesundheit interessiert mich nicht«, erklärte Corfu brüsk, als sie unter den wachsamen Blicken der strahlerbewaffneten Wachen aus der Messe geführt wurden. Diejenigen Matrosen und Soldaten der *Slanderscree*, die zur anderen Seite übergewechselt waren, machten der Kolonne Platz. Einige sahen aus, als würden sie ihre Entscheidung bereits bereuen, aber keiner hatte den Schneid, diese Meinung in der Gegenwart der Handstrahler zum Ausdruck zu bringen. Ethan glaubte, daß man den meisten ihren Irrtum würde einsichtig machen können, doch er bezweifelte, daß er oder sonst jemand die Gelegenheit bekommen würde, ihre Loyalität zurückzugewinnen.

»Begreift«, sagte Kilpit ernst, als sie an ihm vorbei auf das Deck geführt wurden, »daß wir dies für unsere Familien und die Traditionen tun, die ihr vergessen habt. Wannome zuerst, zuletzt und für immer. So war es immer bei den Tran Sofolds, und so wird es wieder sein.«

»Es muß aber nicht«, murmelte Hunnar verbittert. »Es muß nicht. Manchmal müssen die Zeiten sich *ändern*.« Niemand schenkte ihm Beachtung.

Wieder wurden sie den steilen Weg von Yingyapin zu der unterirdischen Anlage geführt. Da die Nacht einsetzte, waren die Menschen froh, in die Erdtemperaturen im Innern des Berges zu kommen.

Eine rasche Zählung zeigte, daß weniger als die Hälfte der Besatzung des Eisklippers sich Bamaputras domestizierten Tran (wie Ethan sie inzwischen für sich bezeichnete) angeschlossen hatte. Die Meuterer waren nicht mitgekommen, sondern auf dem Schiff zurückgeblieben.

Die bloße Zahl der Meuterer war ein Problem. Obwohl sie darauf bestanden, zusammen bleiben zu dürfen, wurden die Tran und ihre Menschenfreunde getrennt. Zweifellos hoffte Bamaputra, die Zögernden zu überzeugen. Hunnar, Elfa und die anderen wurden in einen großen, leeren Lagerraum für Lebensmittel getrieben, wo die Temperatur auf einem ihnen angenehmeren Niveau gehalten werden konnte.

Als Bamaputras Sicherheitsteam die Menschen gründlich durchsuchte, bemerkte Ethan, daß September einen dieser Männer mit sonderbarer Intensität musterte. Er fragte September danach.

»Komisch, Jungchen. Die Zeit vergeht wie im Flug, doch bestimmte Gesichter vergißt man einfach nicht.«

Ethan sah ihn mit großen Augen an, dann den Mann, der der Vorgesetzte des Sicherheitsteams zu sein schien. »Du kennst ihn?«

»Das ist dieser Antal, den Bamaputra erwähnte. Devin Antal. Er und ich waren zusammen in einem kleinen Krieg, er auf der einen Seite, ich auf der anderen. Wenn er noch derselbe Mann ist, der er war, wird er es uns nicht leicht machen. Ein richtiger Tu-was-man-dir-gesagt-hat-Typ, aber auch der Typ, der sieht, wo er selbst bleibt, wenn es brenzlig wird. Das könnte ein Schlupfloch für uns sein, wenn wir die Augen offenhalten.«

Tatsächlich stellte sich der Mann, der sich Antal nannte, als Bamaputras Werkleiter vor. Er zeigte ihnen ihre neue Heimat, eine unbenutzte Arbeiterunterkunft, die von außen verschlossen werden konnte. Nach einer kurzen Ansprache, in der er sie warnte, zu bleiben, wo sie waren und keinen Ärger zu machen, verschwand er.

Zusammen in einem Krieg. Bei seltenen Gelegenheiten hatte September auf einen Konflikt angespielt, in dem er irgendeine bedeutende Rolle gespielt hatte. Doch war das in ihrer momentanen mißlichen Lage kaum hilfreich, dachte Ethan mürrisch, als er sich auf die Flexipritsche niederließ. Sie war viel bequemer als die Betten der *Slanderscree*, aber er glaubte trotzdem nicht, daß er ruhig schlafen würde.

»Unsere Gäste sind untergebracht.« Antal ließ sich auf eine Couch in Bamaputras Beobachtungsraum-Büro fallen. »Mit den Leuten vom Außenposten gab es keine Probleme. Ihre Tran waren etwas bockiger. Corfus Jungs mußten ein paar Schädel knacken.«

Bamaputra wandte sich vom Fenster ab. »Ich will nicht, daß jemand getötet wird. Jeder von ihnen ist potentiell nützlich für uns.«

»Hee!« Antal hob beide Hände. »Ich habe Corfu gesagt, daß ich ihn persönlich verantwortlich mache. Es gefiel ihm nicht, aber er hat für Ruhe gesorgt. Ich hätte einige unserer Leute nehmen sollen, anstatt es Massuls Kreaturen zu überlassen. Du weißt, wie diese Eingeborenen sind.«

Bamaputra schürzte die Lippen. »Reizbar. Undiszipliniert, streitsüchtig, unfähig, miteinander in Frieden zu leben. Zeitweilig erinnern sie mich an die Menschheit vor der Amalgamation. An das Dunkle Zeitalter.«

Antal zündete sich beiläufig ein Narkostäbchen an. »Was wirst du mit ihnen tun?«

Der Direktor der Anlage runzelte die Stirn, als der schwere Rauch sich im Raum ausbreitete, verlangte aber nicht, daß sein Werkleiter seinen Drogenkonsum einstellte. Die Beziehung der beiden Männer war die von fast Gleichen, wie zwei Boxer, die nicht gegeneinander antraten, weil sie sich gegen einen Dritten verbündeten, die sich aber völlig klar darüber waren, daß sie sich eines Tages im Ring gegenüberstehen würden.

Nicht, daß sie einen guten Kampf nicht genossen hätten, obwohl es kein echter Wettstreit gewesen wäre. Antal war ein großes, breitschultriges Individuum Ende Dreißig, ein Handlanger mit akademischem Grad. Er war etwa vierzig Kilo schwerer als Bamaputra. Doch er dachte nicht daran, sich auf eine Auseinandersetzung einzulassen. Sie brauchten einander ständig. Antal war für den tagtäglichen Betrieb der komplexen Anlage zuständig, die nach und nach Tran-ky-kys Atmosphäre umwandelte und die Eisschicht schmolz. Wenn bei den Maschinen etwas schiefging, wußte er, wie es zu reparieren war. Wenn irgend etwas anderes schiefging, nun, das war Bamaputras Sache. Er wußte, warum etwas kaputtging. Er kümmerte sich außerdem darum, daß das Geld floß.

Es war eine schwierige, nicht gerade perfekte Beziehung, aber sie funktionierte. Die Anlage hatte unter ihrer gemeinsamen Aufsicht nur ein Minimum an Betriebsstörungen zu verzeichnen. Keine der heimlichen Shuttlelandungen war von den Regierungsleuten in Brass Monkey bemerkt worden; was allerdings nicht verwunderte, da Tran-ky-ky durch seine Größe schwer zu überwachen war. Ihr Nachschub kam immer pünktlich, so daß es kein Zusammentreffen mit den regelmäßigen Schiffen des Commonwealth gab.

Wieso also untersuchte ein Eisschiff der Tran mit einem halben Dutzend menschlicher Wissenschaftler an Bord den Kontinentalschelf?

»Ich hatte erwartet, daß der Erwärmungstrend sie neugierig machen würde, aber ich hatte nicht damit gerechnet, daß sie zu einer Ortsbesichtigung imstande sind.«

»Das wäre auch nicht möglich gewesen«, murmelte Bamaputra ungehalten, »ohne dieses außergewöhnliche Eisschiff und die Zusammenarbeit mit seiner Tranbesatzung. Das, und die drei Männer, die offensichtlich einige Zeit unter ihnen gelebt haben. Eine seltsame Geschichte, das. Ohne ihre — wenngleich unfreiwillige — Einmischung würden diese Tran sich immer noch in ihren Stadtstaaten aneinanderdrücken und ihre traditionellen Kämpfe mit ihren Nachbarn und den plündernden Nomadenhorden ausfechten, anstatt sich auf Vereinigungsmissionen zu begeben, die uns nur Unannehmlichkeiten bereiten können.«

Antal paffte an seinem Narkostäbchen und entspannte sich. »Verdammt rücksichtslos von ihnen.«

Bamaputra warf seinem Werkleiter einen scharfen Blick zu. »Machst du dich über mich lustig?«

»Würde ich das wagen, Mister Bamaputra, Sir?«

Der Verwaltungsdirektor ließ es dabei bewenden. Es war jetzt nicht die Zeit für ihn und seinen Werkleiter, eines ihrer kleinen Gefechte auszutragen. »Glücklicherweise haben wir sie entdecken und herbringen können. Hätten sie wenden und fliehen können, bevor der Skimmer mit der Kanone eintraf, wäre vielleicht alles verloren gewesen.«

»Ja, aber sie konnten nicht, und wir haben sie.«

»Ich hatte gehofft, von solchen Problemen verschont zu bleiben, bis wir beide an Altersschwäche gestorben sind.«

»Sind wir aber nicht. Was soll ich mit ihnen machen?«

»Bei den Tran werden wir weiter versuchen, sie auf unsere Seite zu ziehen. Was diese anderen Störenfriede angeht: Ich würde sie am liebsten in ein Eisloch stecken und es anschließend zufrieren lassen. Eine reizvolle Vorstellung, aber ich fürchte, sie ist nicht praktikabel. Wenn sie nicht zurückkommen, wird man sie vermissen. Nicht, daß diese Bürokraten in Brass Monkey ohne Skimmer irgend etwas unternehmen könnten, aber im Falle eines Massenverschwindens könnten sie möglicherweise eine Außerkraftsetzung der Bestimmungen erreichen. Das würde bedeuten, daß noch mehr von diesen Typen hier herumschnüffeln. Und wir kommen sehr gut ohne diese Art von Aufmerksamkeit aus. Daher können wir sie nicht töten — noch nicht. Freilassen können wir sie aber auch nicht.

Der Tran, die halsstarrig bleiben, können wir uns natürlich entledigen.«

»Was ist mit diesem Trio, diesem Fortune, dem Lehrer und September, dem großen Burschen? Ich kann mir nicht vorstellen, daß man sie vermissen wird.«

Bamaputra schüttelte den Kopf. »Wenn wir sie töten, werden die anderen nur noch widerspenstiger.«

»Denkst du daran, einige von ihnen zu überreden, mit uns zusammenzuarbeiten?«

»Den Gedanken hatte ich. Ich weiß noch nichts von ihnen. Geld für solche Zwecke ist vorhanden. Das könnte einen oder zwei umstimmen, aber nicht alle, fürchte ich. Einige von ihnen werden wohl lieber Idealisten bleiben.« Er rümpfte die Nase. »In der Wissenschaft ist kein Platz für Idealismus.«

»Und wenn wir die Frauen als Geiseln behalten?«

»Zu riskant. Diejenigen, die zum Außenposten zurück dürfen, könnten versteckte Antipathien gegen die hegen, die wir hier festhalten. Es braucht nur einer nicht mitzuspielen, und wir sind verraten. Wir können nicht einen einzigen von ihnen aus der Anlage herauslassen.«

»Was also tun wir?« Antal legte seine Füße auf die Couch. Bamaputra musterte ihn angewidert, sagte aber nichts.

»Wenn wir sie weder überreden noch beseitigen können, müssen wir sie eben am Leben lassen und dafür sorgen, daß sie nichts weitertratschen. Wir sind nicht in Eile. Sie werden nicht so bald zurück erwartet, so daß wir Zeit zum Überlegen haben. Uns wird schon rechtzeitig eine Lösung einfallen. Oder ihnen. Fürs erste werden wir folgendes tun: Wir lassen sie eine Aufzeichnung machen, in der sie mitteilen, sie seien auf eine unerwartet fortschrittliche Tran-Gemeinde gestoßen, die eine einzigartige Sozialordnung aufzuweisen hat. Diese möchten sie längere Zeit neben ihren Untersuchungen der hiesigen meteorologischen Anomalien studieren. Die betreffenden Tran haben eingewilligt, sie bei sich aufzunehmen, bis sie ihre Studien abgeschlossen haben. All das kann auf einem Aufzeichnungschip untergebracht werden und mit einigen unserer Tran auf einem kleinen Eisschiff zum Außenposten gebracht werden. Diese Leute haben doch Aufzeichnungsgeräte mitgebracht, nehme ich an?«

»Ja. Wir haben ihr ganzes Zeug durchgesehen. Meßgeräte, Sonden, und so weiter. Was man erwarten würde. Keine Waffen.« Er grinste. »Können die Bestimmungen nicht verletzen, verstehst du. Sie hatten einen guten Expeditionsrecorder dabei.«

Bamaputra nickte beifällig. »Bei der Aufzeichnung werden alle lächeln und Zufriedenheit ausstrahlen. Ihr Eintreffen sollte eigentlich alle Sorgen bei der Verwaltung und den wissenschaftlichen Abteilungen beseitigen. Und wie ich hörte, ist eine neue Planetarische Kommissarin eingetroffen. Sie wird zu beschäftigt sein, sich einzurichten, um sich mit einer Forschungsgruppe zu befassen, die nach eigener Auskunft nicht in Gefahr ist. Was meinst du? Werden sie sich fügen und die notwendigen Aufzeichnungen machen?«

»Ich glaube nicht, daß es dabei irgendwelche Probleme geben wird. Ich werde jemanden einen Strahler ins Ohr stecken und drohen abzudrücken. Das sollte jedes Zögern beseitigen. Das scheint mir kein besonders mutiger oder verwegener Haufen zu sein.«

»Schön. Inzwischen läuft alles andere normal weiter. Wenn das nächste Versorgungsschiff eintrifft, werden wir die Nachricht über diese mißliche Entwicklung an die Zentrale melden. Sollen die sich doch mit dem Problem herumschlagen und eine endgültige Entscheidung treffen. So ist uns die Sache aus den Händen genommen. Ich lege keinen Wert auf die Verantwortung. Unsere Aufgabe ist es, dafür zu sorgen, daß unsere Arbeit hier ungestört weiterläuft.«

»Klingt vernünftig.«

»Wie werden sie bewacht?«

»Bewacht?« Antal inhalierte Rauch und stieß eine kleine Wolke aus. »Sie sind sicher untergebracht. Standard-Kameraüberwachung. Möchtest du, daß ich ihnen Wachen vor die Räume stelle? Die gehen nirgendwohin, und ich würde mir das Personal lieber sparen.«

»Wenn du sicher bist . . .«

»Die Tran sind in einem leeren Lager für verderbliche

Güter eingesperrt und die anderen in einer sicheren Unterkunft. Hin und wieder lasse ich sie direkt überprüfen, und dreimal am Tag erhalten sie Essen. Die Tran wissen nicht genug, um nach einem Fluchtweg Ausschau zu halten, und die Tür der Unterkunft hat eine magnetische Verriegelung. Keine Schlösser, die man knacken könnte. Die Kameras streichen die Räume alle dreißig Sekunden ab. Sie sind unzerbrechlich, reguläres Überwachungsgerät. Warum jemand von seiner Arbeit abziehen, damit er mit einem Strahler in der Hand vor einer Tür schläft? Das sind Techniker, Ingenieure und Programmierer, keine Wachposten.«

»Falls irgend jemand in einem der Räume versucht, an der Tür herumzumachen, werden die Kameras es in der Sicherheitszentrale zeigen. Wir müssen ihm dann nur sagen, er soll es bleiben lassen, sonst ...! Sie sind sich ihrer mißlichen Lage genauso bewußt wie wir. Ich glaube nicht, daß sie irgendwas versuchen werden.«

Bamaputra zögerte und nickte dann. »Das ist nicht mein Fachgebiet. Du kennst dich da besser aus.«

»Es ist auch nicht gerade meine Spezialität, aber ich würde mir keine Sorgen machen. Sie können nicht mal ungesehen aufs Klo gehen. In der Unterkunft der Tran gibt es keine Kameras, aber sie wüßten nicht mal, wie man eine magnetische Verriegelung knackt, selbst wenn man ihnen sagt, was das ist.« Er holte ein weiteres Narkostäbchen aus einer Tasche seiner Weste und hielt es dem Direktor hin. »Du wirst wohl keine von denen probieren wollen — helfen einem zu vergessen, wo man ist.«

»Ich ziehe es vor, zu wissen, wo ich bin.« Bamaputra rümpfte indigniert die Nase. »Was hat es für einen Sinn, seine Wahrnehmungen zu verzerren, wenn es soviel Interessantes zu beobachten gibt, solange sie richtig funktionieren?«

Antal setzte sich auf. »Vielleicht funktionieren meine nicht richtig, weil es mir die Socken auszieht, daß irgend jemand irgendwas Interessantes an dieser Eiskugel finden kann. Alles, was mich interessiert, sind meine vierteljährlichen Überweisungen. Muß mich jetzt um Nummer Drei kümmern; hatte Überhitzungsprobleme. Nichts Bedeutendes, aber ich will es mir lieber ansehen. Du weißt, wie launisch diese Magnetfelder sein können, die das Plasma zähmen.« Er stand auf und ging zur Tür.

»Bleibst du hier und siehst dir den Dampf an?« fragte er neugierig.

Bamaputra hatte sich den Fenstern zugewandt. »Eine Weile«, erwiderte er.

»Tu, was du nicht lassen kannst.« Antal überließ den Direktor seinen Betrachtungen. Was für ein Irrer. Er hatte es längst aufgegeben, den Mann zu verstehen. Eine Zeitlang hatte Antal ihn sogar für einen außergewöhnlich gut konstruierten und raffiniert programmierten Roboter gehalten. Die Theorie war rasch widerlegt. Er war einigen humanoiden Maschinen begegnet, und jede von ihnen war freundlicher und wärmer gewesen als Bamaputra. Er war zu distanziert, zu unbeteiligt, zu kalt für einen Roboter.

September lag auf zwei längs aneinander gestellten Pritschen und hatte die Hände unter dem Kopf verschränkt. »Nun, Jungchen, wie kommen wir hier raus?«

»Ich weiß nicht«, erwiderte Ethan und starrte auf die einzige Tür, »aber sie werden es nie wagen, uns zu töten.«

»Sag nie nie! Jeder, der bereit ist, für kommerzielle Zwecke einige Zehntausend intelligenter Eingeborener zu opfern, ist mehr als fähig, ein paar Angehörige seiner eigenen Gattung kaltzumachen.«

»Ich bezweifle nicht, daß sie es in der nächsten Minute tun, falls sie annehmen dürften, damit ungestraft davonkommen zu können; aber sie müssen wissen, daß man uns in Brass Monkey vermissen würde.«

»Sie wissen es bestimmt, sonst lägen wir wahrschein-

lich längst irgendwo unterm Eis. Je länger wir hier festsitzen und uns nicht zurückmelden, desto neugieriger
werden Hwangs Kollegen werden. Wozu dieser Bamaputra sich also auch entschließen mag, er muß es sehr
bald tun. In einer Sache hast du jedenfalls recht: Ich
glaube nicht, daß unsere unmittelbare Beseitigung bei
ihnen an erster Stelle steht. An unseren ›Gastgebern‹ ist
vieles zu mißbilligen, aber unbesonnen scheinen sie mir
nicht zu sein. Ich wäre nicht überrascht, wenn sie versuchen würden, Hwang und ihre Leute für sich zu gewinnen.«

»Das würde nie klappen.« Allein die Vorstellung
schockierte Ethan.

»Wenn man Leute lange genug bearbeitet, kann man
ihre Einstellung erwiesenermaßen ändern, ganz egal,
wie entschlossen oder pflichtbewußt sie sind. Dieser Bamaputra ist gerissen. Und er ist selbst Wissenschaftler.
Er kann in ihrer Sprache zu ihnen sprechen. Es könnte
ihm letzten Endes gelingen, einige unserer Freunde davon zu überzeugen, daß das, was er tut, wirklich im besten Interesse der Tran ist, ungeachtet der versteckten
Motive seiner ›Gönner‹.«

»Weißt du, die ganze Sache kommt mir immer noch
nicht geheuer vor.«

September drehte sich um und sah ihn an. »Was
meinst du, Jungchen?«

»Nun, ich bin in derselben Branche. Handel, Transaktionen, Im- und Export, du weißt schon. Es gibt andere,
weniger kostspielige Methoden, ein Handelsmonopol zu
sichern, als das ganze Klima einer Welt umzuwandeln.«

Ein breites Grinsen erschien auf dem Gesicht des Hünen. »Ich habe mich schon gefragt, wann es dir aufge-
hen würde.«

Ethan war verblüfft. »Du hast ähnliche Überlegungen
angestellt?«

»Man muß schon blind sein, um es nicht zu sehen,
Jungchen. Zum Beispiel könnte deine Gesellschaft ein-

fach ein solches Monopol beantragen. Obwohl es schwer ist ranzukommen, könnte es sein — vorausgesetzt, du schmierst die richtigen Leute und demonstrierst den anderen deine guten Absichten —, daß du die Genehmigung bekommst. Jedenfalls wirst du es versuchen.«

Während sie über das Offensichtliche nachdachten, waren Hwang und ihre Kollegen auf der anderen Seite des Raums in eine lebhafte Diskussion vertieft. Als sie abgeschlossen war, kamen Williams und Cheela Hwang zu ihnen herüber. Sie brachten die Bestätigung von Ethans Verdacht, aber nicht in der Weise, wie er gehofft hatte.

Es war weit schlimmer als alles, woran er gedacht hatte.

»Wir haben Berechnungen angestellt.«

»Tut ihr das nicht immer?« witzelte September.

Sie sah ihn nicht einmal an. Ihr Gesicht war aschfahl. »Wir sind das durchgegangen, was wir wissen, und haben es mit dem kombiniert, was wir in Ermangelung von Grunddaten über die tatsächlichen Raten der Eisschmelze und der Erwärmung der Atmosphäre extrapolieren können. Wir mußten schätzen, wie lange diese Anlage in Betrieb ist. Wir wissen natürlich, daß das nicht länger sein kann, als Tran-ky-ky registriert ist. Die Wahrscheinlichkeit, daß diese Leute den Planeten vor der ersten offiziellen Commonwealth-Inspektion entdeckt haben könnten, ist gering.« Sie schob den Ärmel ihres Überlebensanzugs zurück und zeigte das kleine, rechteckige Display des wissenschaftlichen Rechners an ihrem Handgelenk. Es war voll tanzender Zahlen.

»Wir sind uns unserer Ergebnisse ziemlich sicher. Wir wünschten, es wäre anders.«

Milliken Williams schien tief erschüttert. »Sie zeigen, daß dieser Bamaputra viel zu bescheiden ist, wenn er sagt, daß sie die Verhältnisse auf Tran-ky-ky innerhalb einer gewissen Zeit ändern werden. Die Oberfläche wird sich tatsächlich schnell erwärmen, sobald das Eis beginnt sich zurückzuziehen. Das Problem ist aber, daß sich die Tran-Physiologie nicht annähernd so rasch umstellen kann. Die klimatische Verschiebung wird so rapide vonstatten gehen, daß unsere Freunde sich nicht werden anpassen können.

Diejenigen, die nahe dem Äquator leben, haben eine Chance zu überleben, mit entsprechender Hilfe und Pflege. Die in den nördlichen Zonen, wo subarktische Temperaturen herrschen, werden an Überhitzung sterben, lange bevor sie den Südkontinent erreichen können, ungeachtet eines auch noch so massiven Eingreifens der Commonwealth-Behörden. Und selbst wenn es zu einem solchen Eingreifen kommt, wird eine Rettungsaktion von diesem Umfang nicht rechtzeitig in Gang gebracht werden können.« Er schnaubte angewidert. »Politik.«

»Wir sprechen nicht von Tausenden von Toten«, flüsterte Hwang. »Wir sprechen von Millionen. Genozid. Keine völlige Auslöschung, aber fast. Die Tran, die überleben, werden das als Mündel der Regierung tun, nicht als Vorreiter eines neuen ›Goldenen Zeitalters‹.«

Ethan sah die beiden nur fassungslos an und fragte: »Warum?«

»Ich sage dir warum«, antwortete Hwang gelassen. »Du erinnerst dich, was Bamaputra darüber gesagt hat, daß dieser Massul und dieser Corfu für die Hilfsmaßnahmen für die Flüchtlinge zuständig sein sollen? Ihre Arbeit wird sich ganz erheblich vereinfachen. Massul wird der Oberherr von gar nichts sein.«

September nickte verstehend. »Es paßt alles zusammen, nicht?« Er sah Ethan an. »Was passiert mit einer Welt, Jungchen, die sich rasch erwärmt, zu rasch für die Tran, um sich anzupassen? Was bleibt unter dem Strich übrig, wenn das Eis schmilzt und die Temperatur Tag und Nacht über dem Gefrierpunkt bleibt?«

»Ich kann dir nicht folgen, Skua.«

September tippte sich mit dem Zeigefinger an den

weißhaarigen Kopf. »Du mußt lernen, in globalen Begriffen zu denken, Jungchen. Siehst du, wenn es für die Tran zu heiß wird, wird es wirklich angenehm für Menschen. Was dabei herauskommt, ist eine freundliche, warme, wasserreiche Welt, deren Restbevölkerung auf eine einzelne Landmasse beschränkt ist, die ihre Bedürfnisse mehr als befriedigen kann. Eine Eingeborenenbevölkerung, so dezimiert und schwach, daß ihr bloßes Überleben vom Großmut des Commonwealth abhängt.«

»Genau«, sagte Hwang. »Diese Anlage wurde sorgfältig versteckt, damit die Klimaveränderung als das Ergebnis natürlicher Ursachen erscheinen kann. Bei der vorherrschenden Unwissenheit über diese Welt ist das immer noch möglich. Das Commonwealth wird gezwungen sein, einzugreifen, um das Überleben der Tran als Gattung zu sichern. In dem entstehenden Durcheinander werden viele Hilfsorganisationen hier Stützpunkte einrichten. Bamaputras Leute werden die ersten von vielen sein und in der besten Ausgangsposition, Vorteile aus der Katastrophe zu ziehen.«

»Vielleicht täuscht Bamaputra alle unter ihm. Vielleicht sind sie sich nicht bewußt, was sie hier wirklich tun.« Ethan wußte, daß das naiv klang, aber er fand, daß es gesagt werden mußte.

Hwang schüttelte den Kopf. »Die Berechnungen sind zu einfach, zu offensichtlich. Leute wie dieser Antal sind nicht dumm. Sie müssen wissen, was das Endergebnis ihrer Arbeit hier sein wird. Es ist möglich, daß die niederrangigen Arbeiter im Unwissen gehalten werden.«

»Begreifst du denn nicht, Jungchen? Bamaputras Geldgeber haben kein Interesse am Warenhandel. Sie haben kein Interesse an Handelsmonopolen. Sie haben Interesse an Grund und Boden. An einer ganzen Welt. Kolonien dürfen auf unbewohnten Welten errichtet werden und auf denen der Klasse I, wenn die vorherrschende Gattung zustimmt, aber auf nichts dazwischen. Tranky-ky liegt aber dazwischen. Nicht, daß sich jemand auf

Tran-ky-ky niederlassen möchte, so wie es ist. Aber steigere die Temperatur um fünfzig Grad oder so und schmelze das Eis, und es könnte ein weiteres New Riviera sein.«

»Für die Tran würde es eine Hölle werden«, sagte Williams. »Für diejenigen, die überleben, heißt das. Die Restbevölkerung würde schließlich in das Stadium der Goldenen Saia wechseln, wäre aber von so geringer Zahl, daß sie nichts gegen den Zustrom von Siedlern unternehmen könnten.«

Es blieb lange still, jeder hing seinen persönlichen Gedanken über einen Schrecken nach, größer als sie ihn sich je vorgestellt hatten.

»Seid ihr euch wirklich sicher über das Ausmaß der Erwärmung und Schmelze?« murmelte Ethan schließlich.

»Selbst wenn wir uns um zehn oder zwanzig Prozent irren sollten«, erwiderte Hwang mit belegter Stimme, »bedeutet das immer noch den Untergang der Tran als entwicklungsfähige Rasse. Sie werden nie die Möglichkeit haben, die fortschrittliche Zivilisation aufzubauen, von der Bamaputra spricht, weil sie einfach nicht mehr zahlreich genug sein werden, um das aus eigener Kraft zu tun. Sie werden völlig abhängig von den Flüchtlingsorganen des Commonwealth sein — oder von den Leuten, die hinter diesem Projekt stehen.«

Williams lächelte freudlos. »Ich sehe Bamaputras Leute vor mir, wie sie große Sorge um die Überlebenden zeigen. Das wird exzellente Public Relations für sie sein.«

September nickte wissend. »Sie haben es bis zur letzten Schraube durchgerechnet; von Anfang an — bis auf uns. Wir waren darin nicht vorgesehen. Zumindest haben wir es fertiggebracht, daß sie sich über die Schulter sehen. Nicht überraschend, daß sie uns mit solcher Vorsicht behandeln; ihnen ist völlig klar: Kommt irgend jemand von uns zurück nach Brass Monkey und fängt an zu erzählen, wird das ganze Commonwealth nicht groß genug für sie sein, um sich darin zu verstecken.«

»Dann sollten sie besser schon mal anfangen zu laufen«, sagte Cheela Hwang leise, »denn wir verschwinden von hier.«

»Nur zu gern. Es gibt da nur ein bis zwei Probleme.« Ethan sah zur Tür. »Wir sind hinter einer Metalltür gefangen, die mit Magnetriegeln gesichert ist, unter ständiger Videoüberwachung, im Innern von massivem Fels.« Seine Einwände wurden von dem sanften Surren des Spionauges unterstrichen, das den Raum abstrich.

Cheela Hwang reagierte völlig unbeeindruckt. »Hier rauszukommen ist der leichtere Teil.«

Ethan sah September an, der die Schultern hob. »Angenommen, wir bringen ein Wunder zustande und schaffen es tatsächlich, nach draußen zu kommen. Wie kommen wir dann zurück nach Brass Monkey? Ihr habt gesehen, wieviel Wachen Corfu auf der *Slanderscree* zurückgelassen hat — nicht unbedingt weil er fürchtet, wir könnten versuchen, sie zurückzubekommen, sondern um seine Mitbürger daran zu hindern, sie zu stehlen. Dann ist da auch noch das Problem der dreißig Meuterer, die sich immer noch an Bord befinden.«

»Damit werden wir fertig.«

»Du wirst ihr vertrauen müssen, Jungchen«, sagte September. »Sie ist ihrer Sache völlig sicher.«

»Wir werden es tun, weil wir müssen.« Sie wies auf ihre Gefährten, die laut Belanglosigkeiten austauschten, um die Abhöranlage zu täuschen, die höchstwahrscheinlich zusätzlich zur Kamera den Raum überwachte. »Wir haben daran gedacht, einen ihrer Skimmer zu stehlen, aber die sind mit Sicherheit noch besser bewacht als unser Schiff. Sobald wir draußen sind, müssen wir einen Weg finden, die *Slanderscree* zurückzubekommen.«

September verschränkte seine mächtigen Hände und drehte sie nach außen. »Sobald wir draußen sind, werden wir alles mögliche machen können. Das Problem ist, diese heimelige Suite zu räumen. Das scheint dir aber keine großen Sorgen zu machen.«

»Wenn uns eins geblieben ist, dann ein Übermaß an Gehirnschmalz.« Sie lächelte ihn an. »Ich habe es mit Orvil und den anderen besprochen. Das System, das uns überwacht, ist sehr einfach. Dieser Raum muß für Angestellte eingerichtet worden sein, die handgreiflich geworden sind, sich betrunken haben oder gegen die Regeln verstießen und Bestimmungen verletzten. Er wurde nicht konstruiert, um hartgesottene Kriminelle einzusperren oder ...« — ihr Lächeln wurde etwas breiter — »entschlossene, kenntnisreiche Leute, die gezwungen sind, einen Weg nach draußen zu finden. Das könnte Bamaputra oder seinem Werkleiter bald klar werden. Falls sie vorhaben, uns hier länger festzuhalten, werden sie bestimmt damit beginnen, diese Örtlichkeit sicherer zu gestalten. Ein Grund mehr, hier so bald wie möglich zu verschwinden.«

»Wir sind zu dem Schluß gelangt, daß es von Vorteil wäre, in der Nacht vorzugehen«, warf Williams ein, »obwohl es technisch gesehen hier weder Tag noch Nacht gibt. Nach dem, was wir beobachten konnten, schließen wir, daß diese Anlage nach einer typischen vierundzwanzigstündigen Tag-Nacht-Routine betrieben wird. Ein Großteil der Maschinerie, an der wir vorbeikamen, funktioniert automatisch. Bis auf das entsprechende aufsichtsführende Nachtpersonal schlafen während der Tran-ky-ky-Nacht wahrscheinlich alle.« Er sah auf die in die Manschette seines Überlebensanzugs eingebaute Uhr. »Wir sollten auch alle versuchen, ein wenig zu schlafen. Wir werden gegen Mitternacht versuchen, ob wir hier ausbrechen können.«

»Die Wachen werden nicht schlafen«, wandte Ethan ein.

»Das macht nichts, weil wir weg sein werden«, erwiderte Hwang.

»Nein, du verstehst nicht.« Er wies unauffällig mit

dem Kopf zu dem Spionauge an der Decke. »Wer immer den Monitor dieser Kamera beobachtet, wird sofort Alarm geben.«

»Nicht, wenn es nichts zu beobachten gibt.«

Ethan lächelte. »Ihr könnt kein Laken oder sowas über die Kamera werfen. Das würde eine genauso rasche Reaktion bewirken als ob wir gegen die Tür hämmern. Aus dem gleichen Grund kann man sie auch nicht kaputt machen. Wenn der Monitor in ihrer Wachstation nichts mehr zeigt, sind sie in Sekundenschnelle hier unten, um die Störung zu beseitigen.«

»Wir werden nichts von dem tun«, versicherte Williams ihm. Er sah Hwang an, und sie schienen sich über etwas zu amüsieren, das nur ihnen bekannt war. »Wer immer die Monitore überwachen mag, wird während der ganzen Nacht nichts Ungewöhnliches bemerken. Währenddessen werden wir auf dem Weg nach draußen sein.«

Ethan schüttelte den Kopf. »Dann habe ich nicht die geringste Ahnung, was ihr vorhabt.«

»Gut.« Wissenschaftlerin und Lehrer standen gemeinsam auf. »Dann werden die auch keine haben.«

»Und was ist unser erster Schritt? Was tun wir jetzt?«

Williams streckte sich übertrieben, Hwang gähnte. »Wir gehen schlafen.«

Es GEHÖRT ZU DEN schwierigsten Übungen überhaupt, Schlaf vorzutäuschen, während man tatsächlich so aufgekratzt ist, daß man kaum stilliegen kann. Das war es, was Ethan und alle anderen im Raum für den Rest des Tages bis in die Nacht tun mußten. Und zur verabredeten Zeit konnte er auch nur ruhig bleiben und die Augen fest geschlossen halten.

Leise Geräusche kamen von den Pritschen, die die Wissenschaftler zu einer Gruppe zusammengeschoben hatten. Das mußte Blanchard sein. Er und seine Kollegen hatten den ganzen Nachmittag geprobt, aber selbst wenn es klappte, dann nur sehr knapp. Das Spionauge strich den Raum alle dreißig Sekunden ab. Es würde keine zweite Chance geben. Es mußte beim ersten Mal klappen.

Eine Hand berührte sanft seine Schulter, und Ethan glitt lautlos unter der dünnen Bettdecke hervor. Er spürte die anderen sich in der Dunkelheit bewegenden Gestalten mehr als daß er sie sah. Als die Sekunden verstrichen, ohne daß bewaffnete Wachen auftauchten, um die plötzlichen nächtlichen Aktivitäten zu überprüfen, wuchs ihre Zuversicht.

Es war ihnen erlaubt worden, ihre Überlebensanzüge sowie die harmlosen in die Anzüge eingebauten Geräte zu behalten. Ihre Bemühungen mit ihren Körpern vor dem unermüdlichen Spionauge abschirmend, hatten Blanchard und seine Freunde Teile dieser Geräte ausgeschlachtet. Herausgekommen war ein winziger Sender mit minimaler Reichweite.

Sie konnten das Spionauge nicht unbrauchbar machen, da dies sofort die Sicherheitskräfte der Anlage auf den Plan rufen würde. Aber Blanchard hatte einen Weg ersonnen, dasselbe Ergebnis zu erreichen. Der Sender, den er und seine Kollegen konstruiert und auf die Kamera gerichtet hatten, störte deren Übertragungsschaltung. Anstatt alle dreißig Sekunden ein neues Bild weiterzugeben, wiederholte das Spionauge nun den Inhalt seines elektronischen Zwischenspeichers aus dem Beobachtungszeitraum zwischen null Uhr fünfzehn und null Uhr fünfzehneinhalb. Alles, was die Kamera in diesen dreißig Sekunden gesehen hatte, war ein Raum mit schlafenden Menschen. Das Spionauge würde diese Sequenz permanent wiederholen, bis die Täuschung entweder doch als solche erkannt wurde oder das Bild sich durch die mit der Zeit sich häufenden Fehler immer mehr verschlechterte.

Bis dahin hofften sie woanders zu sein.

Irgendwann mußte es auffallen, daß niemand gegähnt, sich bewegt oder auch nur im Schlaf gezuckt hatte. Sie setzten auf die Langeweile, die mit einer solchen Aufgabe verbunden war. Es war sehr wahrscheinlich, daß der Monitorbeobachter nur gelegentlich auf seine Schirme sah, und daher unwahrscheinlich, daß ihm so bald etwas vom Normalen Abweichendes auffallen würde. Mit etwas Glück würde ihr Verschwinden erst bemerkt werden, wenn ihnen ihr Frühstück gebracht werden sollte.

Verglichen mit dem Überlisten des Spionauges war das Ausschalten der Türverriegelung eine leichte Sache. In der Tür war ein kleines Fenster eingelassen. Ein Blick hindurch zeigte nicht nur, daß sich niemand in unmittelbarer Nähe befand, sondern auch, daß die Anlage während der Nachtstunden den Betrieb tatsächlich praktisch einstellte. Im Gang glommen nur ein paar schwache Lichter.

Nachdem alle leise hinausgeschlüpft waren, setzte Blanchard den magnetischen Riegelmechanismus wieder in Gang und lauschte auf das sanfte Klacken, mit dem die Tür sich wieder verriegelte. Jeder, der zufällig vorbeikam, würde sie fest verriegelt vorfinden. Und falls dieser Jemand durchs Fenster sah, würde er auf den schwach beleuchteten Pritschen reglose Gestalten erkennen. Williams hatte sich darum gekümmert, daß Kissen und Decken so drapiert wurden, daß sie menschlichen Umrissen glichen.

Blanchard übergab die Verantwortung an Skua September, der, wie sich herausstellte, von ihnen das beste Ortsgedächtnis hatte. Vorsichtig und wachsam schlichen sie sich Gänge und Treppen hinunter, aber es tauchte niemand auf, um sich ihnen in den Weg zu stellen. Um sie herum summten geschäftig Maschinen und überdeckten das Geräusch ihrer Schritte auf den Metallstegen. Die Anlage wurde offensichtlich nur von einer Minimalbelegschaft bedient.

»Hier hinunter, glaube ich«, flüsterte Williams.

September schüttelte den Kopf. In dem schwachen Licht diente sein weißes Haar als Leuchtboje, nach der sich alle richten konnten. »Hierher. Nachdem wir die Tran verlassen hatten, haben sie uns noch ein Stockwerk höher gebracht.« Lautlos wie ein Geist setzte er sich zu einer Treppenöffnung in Bewegung.

Einige Minuten später standen sie der übergroßen Tür des Kühlraums gegenüber, in dem ihre Tran-Freunde gefangen waren. Williams mußte zugeben, daß er sich geirrt hatte. September akzeptierte die Entschuldigung als Selbstverständlichkeit.

Jetzt kam der kniffligste Teil ihres Fluchtversuchs, da natürlich kein Gedanke daran war, ohne Hunnar, Elfa und ihre anderen Freunde zu fliehen.

»Siehst du irgendwas?« Ethan und die anderen blickten gespannt auf Blanchard, der sein Gesicht ans Fenster preßte und in den dahinterliegenden Raum sah.

»Zwei Einbuchtungen in der Decke. Könnten Spionaugen sein oder irgend etwas anderes. Kann keine Details erkennen.«

»Sprinklerköpfe«, schlug Semkin hoffnungsvoll vor. »Warum sollte jemand in einem Kühlraum eine Kamera anbringen?«

»Ich weiß nicht.« Blanchard trat zurück und rieb sich die Augen. »Wir müssen eben einfach hineinschlüpfen, und, wenn es Kameras sind, hoffen, daß ich die Gelegenheit habe, sie zu stören, bevor jemand aufwacht.«

Die abrupte Unruhe unter den etwa fünfzig Tran mußte unweigerlich die sofortige Aufmerksamkeit auch des schläfrigsten Beobachters erregen.

Sie warteten, während der Geophysiker sein zusammengebasteltes Gerät benutzte, um den Magnetstrom zu unterbrechen, der die Tür verriegelte. In der Dunkelheit klang das leise Klicken unnatürlich laut. September legte eine mächtige Faust um den übergroßen Griff, nickte Blanchard zu und zog die Tür dann langsam zur Seite.

Mehrere Tran rührten sich. Einer setzte sich auf und starrte in die Dunkelheit, sagte aber nichts. Blanchard hastete unter einen der dunklen Punkte in der Decke, um sein Störgerät darauf zu richten und entspannte sich mit einem Seufzer. Sprinklerköpfe. Kein Grund, wie Semkin gesagt hatte, Überwachungskameras in einem übergroßen Eisschrank zu installieren. Ethan zweifelte nicht, daß solche Geräte schließlich angebracht worden wären, um die Tran genauso im Auge zu behalten wie die Menschen. Im Augenblick aber war das kein unmittelbares Interesse von Bamaputra oder Antal. Außerdem konnten primitive Eingeborene keine Magnetverriegelung knacken. Der Kühlraum war völlig sicher.

Genauso sicher wie die Unterkunft.

Sie verteilten sich, weckten die Tran auf und gaben ihnen zu verstehen, sich weiter ruhig zu verhalten. Dunkle, pelzige Gestalten standen auf und sammelten sich. Schwaches Licht schimmerte gespenstisch durch ausgebreitete Dan und gab ihren Trägern das Aussehen riesiger Fledermäuse. Innerhalb weniger Minuten war die gesamte Gruppe geweckt. Umarmungen und Begrüßungen wurden verschoben, bis sie unter angemesseneren Umständen ausgetauscht werden konnten. Sie mußten zunächst aus der Anlage heraus.

Der Gang war leer wie ein frisch ausgehobenes Grab, und sie begannen aus dem Raum zu strömen. Die Bewegung so vieler Körper produzierte ein gewisses Maß an Geräusch, das genügte, um das leise Murmeln der Maschinen zu übertönen. Allerdings reichte es noch nicht, einen Alarm auszulösen. Zuerst mußte ihn jemand hören. Blanchard verriegelte die Kühlkammer wieder, während Ethan und die anderen mit den befreiten Tran ihr weiteres Vorgehen besprachen.

»Wir müssen versuchen, das Schiff zurückzubekommen.«

Hunnar nickte, jene seltsame nach unten und zur Seite gehende Bewegung des Kopfes, die Ethan genauso gut kannte wie jede menschliche Geste. »Es wird ein guter Kampf werden.«

»Selbst wenn wir unterliegen sollten«, flüsterte Monslawic, Ta-hodings Erster Maat. »Es ist besser im Kampf zu sterben, als in einem Käfig zu verrotten.«

September schlug dem Tran auf die pelzige Schulter. »Wir werden nicht unterliegen. Nicht, wenn wir schon so weit gekommen sind.«

Sie folgten dem Hünen, der sich mühte, den Weg zu rekonstruieren, auf dem sie in die Anlage geführt worden waren. Es gab keine Möglichkeit, das Klacken von Chiv auf Metall zu dämpfen, das nach einer Armee großer Insekten klang. Ein einzelner Nachttechniker verließ seine Anzeigen, um herauszufinden, was diese seltsamen Geräusche verursachte. Er fand es heraus: Seine Augen weiteten sich, als ihn ein halbes Dutzend Tran ansprang. Ohne das Eingreifen der Menschen hätten sie ihm die Kehle durchgeschnitten. Ethan wies darauf hin, daß der unglückliche Mann nicht für die Anlage oder ihren Daseinszweck verantwortlich war. Es bedurfte all ihrer Überzeugungskraft, die Tran zurückzuhalten, die darauf brannten, irgend jemanden zu töten. Am Ende gaben sie sich damit zufrieden, den Techniker mit einer kräftigen Gehirnerschütterung zu bedenken.

Cheela Hwang und ihre Begleiter stürzten sich wie wissenschaftliche Aasgeier auf die Taschen und den Gerätegürtel des Mannes und nahmen alles an sich, was später vielleicht nützlich sein konnte.

Niemand bewachte den Eingang der Anlage. Es wäre Personalverschwendung gewesen. Die menschlichen Insassen gingen selten nach draußen, und unbefugte Tran versuchten erst gar nicht hineinzukommen. Trotzdem verschwendeten Blanchard und Moware in Ethans und Septembers Augen wertvolle Minuten, indem sie unabhängig voneinander nach möglichen Warnanlagen suchten. Die Tran drängten sich hinter den Menschen und meinten, bereits die frostige Freiheit riechen zu können, die jenseits der massiven Tür lag.

Der Geophysiker, Hwang und Semkin arbeiteten einige Minuten an dem Öffnungsmechanismus. Dann traten sie zurück. Blanchard schloß einen Kontakt, ein Motor erwachte zum Leben, und die Tür schwenkte lautlos nach oben. Alle hielten den Atem an, doch hinter ihnen kreischten keine Sirenen in die Stille der Nacht. Auf dem nackten Hang draußen stöhnte der ewige Wind.

Die Tran waren nicht mehr zurückzuhalten. Matrosen und Soldaten strömten durch die Öffnung und sammelten sich auf der freien Fläche, die aus dem Granit geschnitten worden war. Sie saugten die frische, kalte Luft ein, spreizten ihre Dan und tanzten aus reinem Übermut auf eisbedeckten Stellen Pirouetten.

Links von ihnen lag der Pfad, der zum schlafenden Yingyapin hinunterführte. Tran-ky-kys Monde schienen auf die Serpentinen, ein dunkles, sich zwischen hellerem Fels windendes Band. Ein paar vereinzelte späte Lichter brannten in der häßlichen Möchtegernhauptstadt von ganz Tran-ky-ky.

Ethan setzte sich in Bewegung, als Blanchard hinter ihnen den Schließmechanismus der Tür anlaufen ließ. Eine Pranke hielt ihn zurück, er drehte sich um und sah Hunnar Rotbarts Katzenaugen, die leuchtend auf ihn hinunter sahen. Der Ritter lächelte zufrieden.

»Es gibt einen schnelleren Weg, mein Freund.« Er drehte sich um und präsentierte seinen breiten Rücken. »Steig auf! Leg deine Beine um meine Hüfte, genau unter den Dan.«

»Wieso, was …?«

»Streit nicht mit mir! An diesem Ort hingen wir von deiner Klugheit ab. Hier draußen in der wirklichen Welt mußt du auf uns hören. Sieh dort!« Er streckte den Arm aus, und Ethan sah, wie Hwang und die anderen Wissenschaftler auf die Rücken kräftiger Matrosen kletterten.

Blanchard rollte unter der sich schließenden Tür hervor und entging deren Rand nur um Haaresbreite. Er stand keuchend auf, das Visier seines Anzugs war beschlagen.

»So etwas habe ich nicht mehr gemacht, seit ich an der Universität war.« In seiner Stimme lag Triumph. »Fast so wie ein komplexes Spiel.« Er drehte sich zur Tür um, die wieder zu einem Teil des Hangs geworden war. »Unsere Wiederholungsschaltung täuscht sie immer noch.«

»Hoffen wir, daß das noch eine Weile so bleibt.« Ethan kletterte auf Hunnars Rücken und schloß die Finger um die Riemen, die die beiden Teile der Hessavar-Weste zusammenhielten. Dann legte er die Beine um die Hüfte des Ritters. »Was nun?«

»Das.«

Hunnar stapfte zum Rand dessen, was Ethan für einen schroff abfallenden Steilhang gehalten hatte. Bei näherer Betrachtung zeigte sich, daß der Hang nicht *ganz* senkrecht war. Er hatte Höhen nie besonders gemocht. Hier war Wasser ausgegossen worden, um ein glattes, nach unten führendes Eisband zu schaffen. Es glitzerte im Mondlicht wie ein gefrorener Wasserfall.

»Du kannst doch nicht ...«, setzte Ethan an, als Hunnar sich auch schon in die Leere abstieß.

Sie fielen. Luft strich hörbar an seinem Visier vorbei. Der Ritter breitete seine mächtigen Arme aus, spreizte seine Dan auf maximale Weite — nicht um den Wind aufzufangen diesmal, sondern um ihren Fall zu bremsen. Ethan hatte nicht den Eindruck, daß sie auch nur im mindesten langsamer wurden. Seine Finger umkrampften die Hessavar-Riemen, während sein Herz eine rasche Wanderung in die unmittelbare Umgebung seiner Kehle begann.

Auf diese Weise kehrten die hiesigen Tran, Corfu und Seinesgleichen, von der Anlage nach Yingyapin zurück. Sie verschwendeten keine Stunden damit, sich die Serpentinen hinunterzuschleppen. Es war wie Skispringen, nur daß unten keine aufwärtsgebogene Sprungschanze wartete. Da war nur solider Fels und eine Fläche, die zum Halten viel zu klein schien.

Er wagte es, die Augen zu öffnen und sah die anderen Tran die Eisrutsche hinunterschießen. Einige trugen Menschen auf dem Rücken. Ein stämmiger Matrose balancierte Skua September. Skua bemerkte Ethans Blick und winkte ihm wild zu. Sein großer Freund genoß die fast selbstmörderische Abfahrt offensichtlich in vollen Zügen.

Wunderbarerweise kamen sie unversehrt am Fuß des Hanges an. Ethan glitt von Hunnars Rücken und bemühte sich, Atmung und Herzschlag einigermaßen zu normalisieren. Er legte den Kopf zurück und sah zu dem Sims hoch, hinter dem die Tür lag, durch das sie gerade geflohen waren. Er zeichnete sich unglaublich weit oben als dünne Linie vor dem helleren Fels ab. September kam mit leuchtenden Augen auf ihn zu und schlug ihm auf den Rücken.

»Was für ein Ritt, was, Jungchen?«

»Ich könnte ohne diese Erfahrung leben.« Ethan atmete immer noch heftig durch seine Visiermembrane.

So sehr ihm auch danach war, es war nicht daran zu denken, das Visier oder gar die Kapuze zurückzuschieben, nicht zur kältesten Zeit der Nacht.

Hätten Bamaputra und Konsorten vorausschauend gedacht, hätten sie die Anzüge des Forschungsteams an sich genommen und durch normale Overalls oder vergleichbare Kleidung ersetzt. Das hätte jede Fluchtmöglichkeit weit wirksamer unterbunden als die stärksten Schlösser und die dicksten Türen. Antal hatte sich nicht den Kopf darüber zerbrochen. Warum auch? Die Gefangenen waren unter ständiger Videobeobachtung in einem ausbruchssicheren Raum untergebracht. Sie konnten unmöglich fliehen.

Die atemberaubende Talfahrt hatte die Entkommenen zu einem felsigen Sims direkt vor der Stadt gebracht. Während die Menschen sich von dem rasenden Sturz erholten, berieten sich die Tran. Hunnar, Elfa, Grurwelk und Ta-hoding kamen kurz darauf zu ihnen.

»Wir halten es für sicherer, die Stadt zu meiden. Es sollten zwar alle schlafen, aber man weiß nie, ob man nicht auf eine Wache stößt. Der Hafen ist von bequemen Eispfaden gesäumt. Je weiter wir uns von bewohnten Gebieten fernhalten, desto besser. Es wird etwas länger dauern.« Hunnar deutete mit der Tatze einen Kurs über Fels und Eis an. Auf der anderen Hafenseite, die Segel gerefft, fest an das Dock vertäut, wartete die *Slanderscree* wie eine schlafende Prinzessin in einem Traum.

»Wir gehen hier herum und dort und überqueren dann den Hafen.«

September studierte nachdenklich die vorgeschlagene Route. »Wir werden da draußen auf dem Eis völlig entblößt sein. Keine Deckung.«

»Corfus Wachen werden sich auf der Stadtseite um ein Feuer oder eines eurer magischen Heizgeräte drängen. Sie haben keinen Grund, uns irgendwo anders zu vermuten als im Berg. Was die Verräter auf der *Slander-scree* angeht, falls ihr Gewissen sie quält — was ich hoffe — werden sie keinen ruhigen Schlaf haben, sich aber auch nicht die Mühe machen, eine Wache für ein Schiff aufzustellen, das schon bewacht wird. Indem wir uns von der Hafenseite nähern, werden wir der Aufmerksamkeit von jedem entgehen, der vielleicht noch wach ist.«

»Ich wüßte auch nicht, daß wir eine Wahl hätten«, warf Ethan ein. »Und je schneller wir uns in Bewegung setzen, desto besser sind unsere Chancen. Schnelligkeit war bisher unser größter Vorteil.«

Hunnar grinste ihn an. »Also dann, Freund Ethan, bereit zu einem weiteren Ritt?«

»Solange er nicht senkrecht ist.«

Sie setzten sich in Bewegung, Tran an der Spitze, Menschen in der Mitte, Tran unter Führung des ersten Maates Monslawic als Nachhut. Die Tran benutzten den Eispfad, der parallel zum Ufer verlief, während die Menschen über den nackten Fels gehen mußten. Von Zeit zu Zeit mußten sie langsamer werden und einen Schuppen oder eine isolierte Steinhütte umgehen, doch in diesen Behausungen brannten keine Lichter. Falls es irgendwelche Bewohner gab, so schliefen sie und ahnten nichts von der verwegenen Kolonne, die so vorsichtig um sie herummarschierte.

Sollte es zu Kämpfen kommen, würde das den Tran überlassen bleiben. Obwohl das Material der Überlebensanzüge fest und haltbar war, war es nicht dazu gedacht, als Rüstung zu dienen; es sollte Wärme und klimatisierte Luft innen und nicht Schwertspitzen draußen halten. Ein kräftiger Stoß oder Schnitt im richtigen Winkel konnte das Innenfutter durchdringen und den Anzug unbrauchbar machen. Wenn sie fliehen wollten, brauchten sie funktionstüchtige Anzüge.

Elfa blieb dabei, daß sie sich unnötig sorgten. Es gab keinen Grund, auf der dem Hafen zugewandten Seite des

Eisklippers eine Wache aufzustellen. Sie würden sich unbemerkt nähern können.

Dann war es Zeit, daß Ethan wieder auf Hunnars Rücken kletterte, und einen Augenblick später ging die gesamte Gruppe hinaus auf das Eis. Hunnar hob die Arme und ließ den Wind in die gespreizten Dan fahren. Ethan spürte, wie sie Geschwindigkeit aufnahmen, schneller wurden, um dann stetig und lautlos den Hafen zu überqueren. Die Schicht geschmolzenen Wassers, welche die Oberfläche bedeckte, verlangsamte sie ein wenig, und Ethan richtete sich auf ein paar Stürze ein, aber die Tran kamen erstaunlich gut mit dem Wasser zurecht und hatten keine Schwierigkeiten, das Gleichgewicht zu halten.

Hunnars Vermutung erwies sich als zutreffend. Als sie sich dem Eisklipper näherten, konnten selbst die Kurzsichtigsten erkennen, daß weder Reling noch Ausgucke besetzt waren. Schiff und Stadt schliefen gleichermaßen tief.

Die Wissenschaftler warfen weiter besorgte Blicke zu der versteckten Anlage hinauf, aus der sie gerade geflohen waren, doch beruhigenderweise blitzten auch weiterhin weder Lichter auf, noch schrillten Alarmsirenen. Ihr Verschwinden war immer noch nicht entdeckt worden, und es würde noch Stunden dauern, bis irgend jemand die Unterkunft persönlich aufsuchte. Wenn auf dem Eisschiff alles gut ging, würden sie bis zur Frühstückszeit den Hafen hinter sich gelassen haben und über das offene Eis fliehen. Je mehr Kilometer sie zwischen sich und Yingyapin bringen konnten, bevor ihre Flucht entdeckt wurde, desto besser waren ihre Chancen, die in ihrer Reichweite begrenzten Skimmer hinter sich zu lassen.

Hunnar schwenkte zur Seite und ließ Ethan hinuntergleiten. Es war schwierig, in den Anzugstiefeln über das Eis zu gehen, aber nicht unmöglich. Die Wasserschicht machte die Sache keinesfalls einfacher. Sie mußten sich noch vorsichtiger bewegen als üblich. Das Geräusch so vieler patschender Füße schien Ethan betäubend laut.

Ein Teil der Tran begann die Bordleitern zu erklimmen, während andere unter dem Rumpf chivanierten. Sie würden die *Slanderscree* von Steuerbord entern. Eine dritte, von Skua September geführte Gruppe eilte zum Dock. Sie sollte eventuell vorhandene Wachen zum Schweigen bringen und dann ein Signal geben, woraufhin der Angriff auf den Eisklipper beginnen sollte.

Unglücklicherweise waren Corfus Krieger weder so träge noch so faul, wie alle gehofft hatten. Ein heiserer Schrei durchschnitt die Nachtluft. Ethan verkrampfte sich, als er das leise, unverwechselbar wispernde Zischen eines abgefeuerten Strahlers hörte. Hunnar murmelte irgend etwas Unverständliches und begann eine Bordleiter zu erklimmen. Es war sinnlos, jetzt zu zögern. Ethan starrte angestrengt in die Dunkelheit und sah die Soldaten und Matrosen in verzweifelter Hast nach oben klettern; auf der anderen Seite mußte jetzt dasselbe geschehen. Sie waren zahlreicher als die Meuterer, aber das war keine Erfolgsgarantie. Sie wußten nicht, wie viele Wachen Corfu an Bord des Schiffes zurückgelassen hatte und wie diese bewaffnet waren.

Dann kletterte er selbst die rauhen Trittbretter hinauf, über die Reling auf das mondbeschienene Deck. Von dort, wo gekämpft wurde, drangen erstickte Geräusche herauf. Er eilte zur gegenüberliegenden Reling und sah zur Stadt hinüber. Schreie und Rufe kamen von dem kleinen Gebäude am Ende des Docks, wo die Wachen sich verbarrikadiert hatten. Vor dem Hintergrund der Nacht blitzte gelegentlich ein Strahler mit bestürzender Helligkeit auf. In den anderen Gebäuden flammten nach und nach Lichter auf. Besorgt sah er zu dem Berg, der die gegenüberliegende Hafenseite beherrschte, doch dort wies immer noch nichts auf einen Alarm hin.

Streit und Kampf waren für die Tran ebenso natürlich wie Essen und Schlafen. Mit etwas Glück würde man im

Berg die Vorgänge in der Stadt für die üblichen handgreiflichen Auseinandersetzungen halten. Die Monitoren zeigten schließlich immer noch die friedlich schlafenden Gefangenen.

Selbst wenn die Nachricht schließlich Massul felStuovic oder Corfu erreichte, würde es einige Zeit in Anspruch nehmen, bis die unterirdische Anlage voll alarmiert werden konnte. Sofern Bamaputras Verbündete nicht über eine Funkverbindung verfügten. Aber selbst dann würde es eine Weile dauern, Antal oder jemanden mit entsprechenden Befugnissen zu wecken.

Dann bemerkte er eine fremde Gestalt, die aus dem Unterdeck hervorkam. Mondlicht glänzte auf einem blutigen Schwert. Als sie den Ausdruck auf seinem Gesicht sah, hastete Elfa zu ihm.

»Nur wenig Tote gab es«, beruhigte sie ihn. »Wir haben sie in ihren Hängematten überrascht. Der Verräter Mousokka war in Ta-hodings Kajüte. Unter den Treugebliebenen gab es einige Stimmen, sie alle abzuschlachten, aber Hunnar, zungengewandter Teufel, der er ist, blieb beharrlich dabei, daß die Schwierigkeiten der langen Reise die Rebellen genauso verwirrt und beeinflußt haben wie das Angebot dieses Händlers Corfu, und daß sie wieder in die Besatzung aufgenommen werden könnten. Bis wir uns ihrer sicher sein können, wird jeder, der keinen Widerstand geleistet und Reue gezeigt hat, von jemandem beobachtet, dessen Treue nicht in Zweifel steht. Ich selbst glaube, daß mein Gemahl zu verständnisvoll ist, aber wir brauchen jede Hand, die wir bekommen können.« Sie wies zum Hauptmast, wo Matrosen dem frostigen Wind trotzten, um die Segel zu setzen. Andere holten die Eisanker ein, während Ta-hoding die hastige Reparatur der gekappten Steuertaue überwachte. Einen Augenblick später stieß September zu ihnen, er keuchte heftig.

»Ihr habt sie nicht überrascht«, sagte Ethan vorwurfsvoll.

»Manchmal ist das Opfer nicht so kooperativ, wie man's gerne hätte. So ist das echte Leben eben, Jungchen.« In seinem Visier spiegelten sich die Monde Tranky-kys als winzige Abbilder über seinen Augen. »Wir hatten Glück, daß alles so ablief, wie es abgelaufen ist. Die Bastarde hatten Strahler.

Einer von ihnen war auf dem Klo und entwischte, bevor wir ihn niederstrecken konnten. Er sah uns kommen und gab Alarm. Der Rest von ihnen teilte sich in zwei Gruppen. Mit der einen wurden wir leicht fertig, aber die andere hielt sich gut. Ich bin mir immer noch nicht sicher, ob wir sie alle erwischt haben. Aber wir haben die hier. Da.« Er warf Ethan etwas Kleines, Silbriges zu. Einen Strahler. Ethan griff dankbar nach der illegalen Waffe.

»Älteres Modell.« September grinste. »Bamaputra traut seinen Verbündeten, scheint's, doch nicht *so sehr*. Nicht, daß man nicht wirksam damit töten kann.« Er zeigte seinen eigenen erbeuteten Handstrahler. »Sind beide etwa halb geladen. Benutze ihn nur im äußersten Notfall.«

Ethan nickte forsch und steckte die Waffe in seinen Gürtel. Er war kein Soldat, doch hatte er im vergangenen Jahr eine Menge Kämpfe hinter sich gebracht, und der Strahler konnte selbst von einem Kind bedient werden. Oder einem primitiven Fremden, der mit Hochtechnologie nicht vertraut war. Man richtete ihn auf ein Ziel und zog so oft wie nötig am Abzug, bis die Ladung aufgebraucht war. Er konnte mindestens genauso gut treffen wie einer von Corfus Tran.

Der Eisklipper ruckte an, daß er fast hingestürzt wäre. Ta-hoding wandte sich vom Heck ab und ging zum Steuerrad.

»Was meinst du, Kapitän?« fragte September.

Ta-hoding hatte kaum Zeit zu antworten. Er prüfte das Steuer, überwachte die Unterbringung der Eisanker und sorgte dafür, daß die Segel möglichst rasch und effektiv gesetzt wurden. Über das Heck kamen immer noch Rufe und wurden von einem Matrosen bei der Achterreling an ihn weitergegeben.

»Die Steuerung wird eine Weile halten, Freund Skua, aber nicht bei starkem Wind oder hoher Geschwindigkeit. Wir werden sie voll belasten, und wenn sie reißt, werden wir halten und sie wieder spleißen müssen, aber keinen Augenblick früher.«

»Dazu wirst du keinen Widerspruch von mir hören.« Dann weiteten sich seine Augen, und er brüllte warnend auf.

Sein Strahler schien direkt in Ethans Gesicht loszugehen, und auf seiner Netzhaut tanzten Sterne. Als er sich umdrehte, sah er einen Yingyapin-Soldaten von der Reling fallen, das Gesicht erstarrt, Haut und Pelz in Flammen, wo der Strahl ihn getroffen hatte. Während Ethan sich vom Deck aufrappelte, stapfte September zur Reling, spähte hinüber und gab befriedigte Laute von sich.

»Dir macht das Töten Spaß, nicht wahr, Skua?« Ethan strich sich über den Überlebensanzug.

Der Hüne drehte sich zu ihm um. »Nein, Jungchen, du verstehst das völlig falsch. Ich habe überhaupt keine Freude am Töten. Was mir gefällt, ist meine Feinde zu vernichten. Das war schon immer Teil meiner Natur und wird es immer bleiben.«

Der Eisklipper ächzte und wieder taumelte Ethan. Mehrere Hauptsegel waren gesetzt, und jetzt füllte der Wind auch die Focksegel. Ta-hoding behandelte das Ruder behutsam wie ein Baby und ließ das Schiff, vollen Gebrauch von den Spieren machend, vom Dock abrükken. Die ersten Strahlen der Morgenröte küßten die Spitzen des Hauptmastes mit flüssigem Gold.

Sie waren auf dem Weg.

Es schien Ethan, daß jede Planke, jeder Nagel und Bolzen krachte und knarrte, als der Kapitän sein Schiff auf das Eis lenkte. Ta-hoding versuchte das Schiff mit Wind und Spieren zu lenken, um die notdürftig gespleißten Steuertaue so wenig wie möglich zu belasten. September winkte Ethan zu sich an die Reling.

Eine kleine bewaffnete Menge versammelte sich auf dem Dock. Es waren keine Strahler zu sehen. Die Pfeile und Speere, die sie ihnen hinterherschickten, blieben weit hinter dem Schiff zurück, während Ta-hoding dessen Bug herumbrachte und auf die Hafenöffnung richtete.

Ein paar von Massuls Kriegern chivanierten mehr zur Schau auf das Eis hinaus. Sie waren keine wirkliche Bedrohung für die *Slanderscree*. Sie schossen heran, warfen einen Speer oder eine kleine Axt, falteten ihre Dan zusammen und schwenkten nach rechts oder links ab, um nicht in die Reichweite der Waffen des Eisklippers zu geraten. Ein Bogenschütze wagte sich zu weit vor und bekam ein paar Armbrustbolzen ab. Das machte allen Gedanken an eine weitere Verfolgung ein Ende.

Sie glitten aufs offene Eis hinaus, und noch immer gab es oben am Berg keine Anzeichen für eine Reaktion. Ethan fragte sich, wie Massul auf eine umfassende Erklärung dessen reagieren würde, was Bamaputra und seine Leute tatsächlich vorhatten. Würde er glauben, daß seine Schirmherren und Geldgeber nicht die Absicht hatten, ihm zu helfen, sondern vielmehr den Tod von Abertausenden seiner Art zu verursachen, damit sie anschließend seine Welt stehlen konnten? Daß er nur dem Namen nach Oberherr sein würde, der über ein paar traurige Überreste eines einstmals stolzen und unabhängigen Planetenvolkes herrschte?

Und Corfu? Wozu taugte ein Handelsmonopol, wenn die meisten Kunden tot waren?

Nicht, daß es etwas geändert hätte. Selbst wenn sie beide Tran von der Wahrheit überzeugen könnten, würde Bamaputra sie einfach zugunsten williger Helfershelfer fallen lassen. Unter allen Gattungen gab es immer diejenigen, denen Versprechungen wichtiger waren als die Wahrheit. Er würde aber wohl auch gar nicht die Chance bekommen, sie zu überzeugen.

Ta-hoding wirbelte das Steuerrad herum, die mögliche Belastung der gespleißten Kabel jetzt nicht mehr achtend, und brüllte seinen Matrosen zu, Segel zu reffen. Ethan runzelte die Stirn. Das war der letzte Befehl, den er vom Kapitän erwartet hatte.

Er stürzte, gefolgt von September, zum Bug. Dort standen sie Seite an Seite und sahen nach unten, während die *Slanderscree*, die gerade begonnen hatte, Geschwindigkeit aufzunehmen, zum Halten kam.

Im Licht der aufsteigenden Sonne schimmernd, blokkierte eine Sperre aus riesigen, X-förmig verschweißten Metallträgern ihren Weg. Diese waren über ein langes, dickes Metallrohr miteinander verbunden, so daß das Ganze wirkte wie ein kurzes Stück immens vergrößerten Stacheldrahts. Jedes X ruhte auf einem Paar Metallkufen, denen nicht unähnlich, die den Eisklipper trugen. Das gesamte gigantische Tor hatte seinen Angelpunkt in einem Bauwerk auf einer Landspitze genau westlich der Stadt. Stetiges Licht hinter den Fenstern aus echtem Glas ließ auf eine unabhängige Energieversorgung schließen. Selbst auf die Entfernung konnte Ethan die Massen bewaffneter Tran erkennen, die sich auf der felsigen Halbinsel versammelten, um die Torstation zu schützen.

Die Sperre riegelte den Hafen völlig von dem dahinterliegenden offenen Eisozean ab. Selbst wenn sie irgendwie die Energiezufuhr zu den kleinen Maschinen unterbrechen konnten, die das Tor bewegten, hieß das nicht, daß sie es dann bewegen konnten. Nicht wenn der Angelpunkt verriegelt oder blockiert war. Die X-Spitzen befanden sich vier Meter über dem Eis, das verbindende Metallrohr auf halber Höhe. Das war keine notdürftige Konstruktion wie die Häuser, sie wirkte stabil und unverrückbar. Ihre Flucht war zu Ende. Sie waren gefangen.

Ein Blick zurück nach Yingyapin zeigte, daß die Tran inzwischen umherschwärmten wie Ameisen. Wahrscheinlich sprach in genau diesem Augenblick jemand über eine Funkverbindung mit der Anlage. Es konnte sogar sein, daß Antals Sicherheitsabteilung diese Hafensperre per Fernbedienung in Position gebracht hatte. War das der Fall, erklärte es, daß von oben keine Reaktion erfolgt war. Es gab keine Eile — die Entkommenen würden nirgendwohin kommen. Ausreichend Zeit, den Skimmer mit seiner Laserkanone loszuschicken und die Flüchtlinge zurück in ihre Zellen zu eskortieren. Und, das war Ethan klar, eine zweite Chance, den Monitor-Trick anzuwenden, würden sie nicht bekommen.

Währenddessen ruhte die *Slanderscree* auf dem von Wasser bedeckten Eis, und an Bord versuchte man in verzweifelter Hast zu entscheiden, was man tun sollte.

»Können wir das Schiff halten?« fragte sich Suaxus-dal-Jagger laut.

»Nicht gegen schwere Energiewaffen«, erwiderte Ethan.

»Angenommen«, sagte Budjir, »wir drohen, es zu verbrennen? Das wäre den Himmelsleuten hier zwar egal, aber diesen Corfu gelüstet es fast verzweifelt nach ihm. Er würde zumindest mit ihnen diskutieren und argumentieren, daß sie warten und uns aushungern könnten, da wir nicht fliehen können.«

»Hm, ja, das ist ein Gedanke«, murmelte September. »Bamaputra ist nicht der Typ, der irgendwas verschwendet. Und wir dürfen auch nicht vergessen, daß er unsere gelehrten Freunde lebend braucht, falls irgendwelche neugierigen Typen vom Außenposten kommen, um herauszufinden, was mit ihnen passiert ist. Ich glaube, du hast recht, Budjir. Ich denke, sie werden sich mit dem Schießen zurückhalten. Sie sehen, daß wir hier festsitzen, warum also nicht einfach warten? Besser für sie, wenn wir still und leise aufgeben. Nur daß wir noch nicht aufgeben. Wir werden uns absetzen.«

Ethan warf ihm einen Seitenblick zu. »Du hast gerade gesagt, daß wir hier festsitzen.«

»Die *Slanderscree* sitzt fest. Wir nicht.«

»Versteh mich nicht falsch, Skua. Ich möchte genauso wenig dorthin zurück wie du. Aber ich glaube nicht, daß wir es zu Fuß zurück nach Brass Monkey schaffen.«

»Ich bin auch nicht gerade gut im Eisrutschen, Jungchen. Deshalb werden wir eins von den Rettungsbooten nehmen.«

»Erwägst du ernsthaft, in einem dieser winzigen Segler zu eurem Außenposten zurückzukehren?« fragte Hunnar ungläubig.

»Nicht nach Brass Monkey, nein. Aber wenn wir es bis zu den nördlichen Schiffsrouten in der Nähe Poyolavomaars schaffen, können wir einen der Handelssegler anrufen und uns für den Rest des Weges gegen Bezahlung mitnehmen lassen. Wenn wir es soweit schaffen, wird der junge Landgraf uns ein anständiges Schiff samt Besatzung geben, mit dem wir bis zum Außenposten segeln können.«

»Ich komme mit«, rief Ta-hoding.

»Irgend jemand, der Befehle geben kann, muß beim Schiff bleiben«, wandte Ethan ein.

»Monslawic kann den Befehl übernehmen. Das hat er schon bewiesen. Ohne mich habt ihr keine Chance.«

»Darüber könnte ich mit dir streiten«, erwiderte September, »aber das hat wenig Sinn. Es wird gut sein, dich am Ruder zu haben, Kapitän. Ich denke, wir sollten auch diese Fernblick mitnehmen. Sie kennt die Gegend zwischen hier und Poyo besser als wir alle.«

»Ich würde sie lieber zurücklassen«, brummte Hunnar.

»Ich habe sie auch nicht gerade ins Herz geschlossen, aber wenn du versuchst, deinen Hals und die Hälse deiner Freunde zu retten, haben persönliche Neigungen und Abneigungen in den Hintergrund zu treten. Du mußt sie ja nicht heiraten, sondern nur mit ihr segeln. Und wie steht es mit einem Repräsentanten unseres wissenschaftlichen Kontingents?«

»Am besten Milliken.« Ethan sah zum Deck hinunter, wo Williams in eine lebhafte Diskussion mit Cheela Hwang und Snyek dem Glaziologen vertieft war. »Er weiß, wie es hier draußen auf dem Eis ist. Die anderen nicht.«

Hwang und ihre Kollegen stimmten zu, daß der Lehrer am besten für die Reise geeignet war. Das hatte Ethan erwartet. Wenn sie eins nicht waren, dann unvernünftig. Was er nicht erwartet hatte, war die Wildheit, mit der Hwang den Lehrer zum Abschied küßte.

»Also sechs«, sagte Hunnar, während sie zusahen, wie die Matrosen eines der Rettungsboote des Eisklippers losmachten. »Drei Tran, drei Menschen.«

»So gehe dann, mein Gemahl«, murmelte Elfa sanft. »Gleite vor dem Wind zurück zu mir. Ich werde hier auf dich warten.« Die Matrosen zogen an Flaschenzügen und Seilen und schwenkten den kleinen Segler außenbords.

»Bis zum nächsten Abend.« Hunnar streckte seine rechte Tatze mit nach oben gekehrter Innenfläche aus, sie verschränkten die Finger und trennten sich dann. September war bereits im Rettungsboot, fing Vorratssäcke auf und verstaute sie. Williams folgte, dann Grurwelk Fernblick, Hunnar, Ethan und schließlich Ta-hoding, der heftig prustete und sich bemühte, es zu verbergen.

Da sie nur zu sechst waren, hatten sie reichlich Bewegungsfreiheit. Das Boot war eine kleine Ausgabe der *Slanderscree* und verfügte über vier Kufen anstatt fünf, eine Ruderpinne anstatt eines Steuerrads und einen umklappbaren Mast. Die in der Mitte aufragende Kajüte bot den einzigen Schutz gegen den allgegenwärtigen Wind. Als sich alle ihren Platz gesucht hatten, schoben die Matrosen das kleine Eisboot auf die Metallbariere zu. Die Kajüte paßte gerade unter dem Verbindungsrohr hindurch.

Dann waren sie auf der anderen Seite. Ta-hoding, Hunnar und September mühten sich mit dem Mast ab, richteten ihn auf und verankerten ihn an seinem Platz direkt vor der Kajüte. Das einzige Segel wurde gesetzt und am äußeren Ende des Baums befestigt. Als der Wind das Pika-Pina-Gewebe füllte, entfernten sie sich rasch von der Metallbarriere, und der Hafen und die Berge fielen hinter ihnen zurück. Der Rumpf des auf der anderen Seite der Sperre gefangenen Eisklippers war deutlich zu erkennen. Niemand jubelte ihrer Flucht zu, kein Ausguck winkte ihnen von seinem luftigen Posten nach. Wenn sie Glück hatten, würden sie sich davonmachen können, ohne von den Gegnern am Ufer bemerkt zu werden, da deren Aufmerksamkeit sich — hoffentlich — auf das weit größere Eisschiff konzentrierte.

Als sie aus dem Schutz des Hafens glitten, blähte der Westwind das Segel, und sie nahmen noch mehr Geschwindigkeit auf. Von der Bugkufe spritzte gefrierendes Wasser hoch und überschüttete alle an Bord. An Baum, Reling und Kajütendach begannen sich Eiszapfen zu bilden. Wasser war etwas, mit dem fertig zu werden kein Schiff Tran-ky-kys gebaut war.

Mit einem Ersatzsegel aus einem Stauverschlag des Rettungsboots brachten sie eine behelfsmäßige Abschirmung zwischen Bug und Mast zustande. Sie wurden dadurch etwas langsamer, aber das Spritzwasser wurde abgehalten. Williams hatte die ganze Zeit nur über das Heck nach hinten gesehen.

»Keine Skimmer. Das bedeutet, Bamaputra und seine Leute wissen nicht, daß wir uns abgesetzt haben. Könnte sein, daß sie uns eine ganze Weile nicht vermissen werden.«

»Rechne nicht damit«, erwiderte September und wischte Eiskristalle vom Rand seines Visiers. »Antals erste Maßnahme wird es sein, die Köpfe zu zählen. Sie werden vielleicht nicht gleich bemerken, daß das Rettungsboot fehlt, aber uns werden sie ganz bestimmt vermissen. Ich bin aber sicher, deine liebe Freundin wird sie so lange wie möglich aufhalten.«

»Ja, Cheela sollte eigentlich ...« William unterbrach sich und musterte ihn mißtrauisch. »Liebe Freundin? Was veranlaßt dich, so etwas zu sagen, Skua?«

»Ach nichts, überhaupt nichts, Milliken. Nur daß sie dich bei eurem Abschied auf dem Deck ganz schön am Wickel hatte.«

Zu seiner Erleichterung war die Haut des Lehrers so dunkel, daß sie nicht zeigte, wenn er errötete.

12

Tran-ky-kys gefrorener Ozean umgab sie, die Küstenlinie des Südkontinents fiel rasch zurück und es gab immer noch keine Anzeichen für die erwarteten Verfolger. Ethan begann zu glauben, daß sie es geschafft hatten.

September stand rechts neben Ta-hoding, beschirmte sein Visier mit der Hand und spähte in die aufsteigende Sonne. »Wenden wir uns etwas nach Osten, Kapitän.«

»Osten? Aber Poyolavomaar liegt nordnordwestlich.« Der Wind zauste sein dichtes Fell. Wie Hunnar und Grurwelk schien er die Kälte nicht wahrzunehmen.

»Eben. Das ist genau die Richtung, wo sie uns erwarten. Besser, wir verschwenden ein paar Tage, indem wir nach Osten segeln, bevor wir uns nach Norden wenden. Sobald wir erstmal sicher sein können, daß wir sie los sind, können wir wieder auf Poyo zuschwenken. Bedenke, daß die Reichweite dieser Himmelsboote durch die Treibstoffmenge begrenzt ist, die sie mitnehmen können. Je mehr sie verschwenden, indem sie uns dort suchen, wo wir nicht sind, desto unwahrscheinlicher ist es, daß sie uns finden. Es ist verdammt sicher, daß wir ihnen nicht davonsegeln können. Nicht in diesem Zeug.« Er wies über die Reling.

Es schien Ethan, daß die Wasserschicht über dem Eis in der kurzen Zeit, die sie eingesperrt gewesen waren, um einen Zentimeter gewachsen war. Das war natürlich unmöglich. So eine Zunahme erforderte Monate der Erwärmung. Aber dem Gefühl, ihr kleiner Eissegler würde sich jeden Augenblick in ein Boot verwandeln, war nur schwer zu entrinnen.

Gegen Mittag hatten die die Grenzen des Kontinentalplateaus markierenden Klippen die ungewöhnlichen

sanften Hänge des Hafens ersetzt, den sie hinter sich gelassen hatten. Die Sonne schien hell und stechend, für
die drei Tran war die Luft immer noch warm, allerdings
nicht so warm, daß die drei Menschen erwägen konnten,
ihre Anzüge abzulegen. Sie konnten aber immerhin auf
ihre Kapuzen und Visiere verzichten. Es war ein wenig
Kälte wert, Tran-ky-kys reine, saubere Luft direkt einzu-
atmen.

Mit zurückgeschlagenen Kapuzen konnte man besser
hören, so daß alle das tiefe, summende Winseln praktisch gleichzeitig hörten. Es war laut genug, um das Pfeifen zu übertönen, mit dem der Wind durch die Takelage
des kleinen Boots strich. September eilte zum Heck, wo
er zähneknirschend gegen das Eis und ein ungnädiges
Schicksal wütete.

»Wie haben sie uns gefunden? Wie?« Er umklammerte den erbeuteten Strahler mit seiner mächtigen Faust,
obwohl er wußte, daß dieser nicht viel gegen einen
schwerbewaffneten Skimmer nutzen würde. Ethan
nahm die andere Handwaffe.

»Ich bin nicht sicher, ob sie uns diesmal die Gelegenheit geben werden, Fragen zu stellen.« Er gestikulierte
mit dem Strahler. »Vielleicht kommen sie nahe heran,
um zu sehen, ob wir es sind, und wir können sie einzeln
abschießen.«

»Vielleicht.« Septembers Ton zeigte deutlich, wie er
ihre Chancen einschätzte. »Hängt davon ab, wer an
Bord ist: Menschen, Tran oder beides.«

Grurwelk war neben sie getreten. Jetzt streckte sie den
Arm aus. »Dort ist es.«

Mehrere Minuten verstrichen, bis das Luftkissenfahr-
zeug so nahe herangekommen war, daß die weit
schlechter sehenden Menschen die silbrige Silhouette
ausmachen konnten. Sie kam rasch heran, immer drei
Meter über dem Eis bleibend.

»Gute Suchgeräte«, murmelte September unglücklich.
»Ich hatte darauf gehofft, daß sie keine tragbaren Appa-

rate haben. Offensichtlich habe ich mich geirrt. Oder vielleicht haben sie nur gut geraten.«

»Vielleicht sind wir jetzt am Zug.« Ethan versteckte seinen Strahler. »Sie wissen möglicherweise, daß wir die hier an uns gebracht haben, aber sie wissen nicht sicher, ob wir sie bei uns haben. Sie könnten glauben, daß sie immer noch auf der *Slanderscree* sind.«

September zögerte und schob seinen Strahler dann in eine Hosentasche. »Möglich. Nicht wahrscheinlich, aber möglich. Wir werden es nur zu bald erfahren.« Ihm schossen Tränen in die Augen, als er in den scharfen Wind blickte. »Was ist mit der schweren Artillerie?«

»Ich fürchte, die Waffe, von der du sprichst, ist immer noch auf dem Himmelsboot befestigt.« Hunnar wies mit dem Kopf auf die verborgenen Strahler. »Könnt ihr sie mit diesen kleineren Lichtwaffen erreichen?« fragte er mehr hoffend als zuversichtlich.

»Nicht wenn sie außer Reichweite bleiben«, antwortete September. »Bereitet euch besser darauf vor, das Schiff zu verlassen, wenn sie schießen. Eine schwere Energiewaffe wird aus diesem Boot Späne machen. Die Luft im Holz wird explodieren und das übrige wird brennen.«

»Das Boot verlassen?« Ta-hoding klammerte sich an die Ruderpinne und sah unbehaglich auf die Schicht kalten Wassers, durch die ihre Steinkufen schnitten. »Was, wenn wir durch das Eis zur Mitte der Welt fallen?«

»Mach dir darüber keine Sorgen«, beschied Ethan ihn grimmig. »Du wirst erfroren sein, bevor du ertrinken kannst.«

»Sie werden langsamer.« September blinzelte sich die Tränen aus den Augen. »Verdammt. Sie müssen vermuten, daß wir die Strahler haben.«

»Kannst du erkennen, wieviele es sind?«

»Mit Sicherheit zwei Tran«, sagte Hunnar ruhig. »Mindestens zwei von euch. Einer steuert, der andere sitzt hinter der großen Lichtwaffe.«

»Sie riskieren nichts«, grollte September. »Worauf warten sie denn noch? Warum erledigen sie uns nicht?«

»Vielleicht haben sie Probleme mit der Kanone«, meinte Ethan hoffnungsvoll. »Eine Menge Schlachten wurden durch Waffen entschieden, die im kritischen Augenblick nicht funktionierten.«

»Sie werden uns wohl eher zählen.«

Die Verzögerung dauerte nicht lange, und auch mit der Laserkanone war alles in Ordnung. Ein intensiver Ausbruch energiereichen Lichts strahlte vorübergehend heller als die Sonne. Es traf nicht das Rettungsboot, sondern das vor und unter ihm liegende Eis.

Kufen fanden keinen Widerstand mehr, der kleine Segler brach seitlich aus und der Mast knickte ein, als das Eis unter der konzentrierten Hitze verdampfte. Sie schlingerten wild nach Backbord. Hunnar atmete heftig ein und packte die Ruderpinne. Grurwelk fluchte, als sie über Ethan rollte, während Ta-hoding ein hastiges Gebet hervorstieß.

Sie sanken nicht. Die Eisschicht war zwar überall um sie herum zertrümmert, aber nicht vollständig zerschmolzen. Das Rettungsboot ruhte zum Teil auf einer großen Scholle, die unter der Steuerbordkufe verblieben war. Als sie Backbord wegsackten, begann Wasser durch die Planken zu sickern. Es sammelte sich um Ethans Füße, als er sich hochkämpfte. Der Überlebensanzug hielt es von seiner Haut fern.

»Was, zum Teufel, tun sie?« fragte er, als im selben Moment ein weiterer Blitzschlag der Kanone das Eis rechts von ihnen verdampfte. September hatte sich hinter die Reling geduckt, jetzt hob er den Kopf, um zu ihren Angreifern hinüberzuspähen.

»Katz und Maus«, murmelte er gepreßt. Ein neuer Energiestoß zerschmolz weiteres Eis vor ihnen. »Sie haben vor, uns in offenem Wasser festzuhalten, bis wir sinken.«

»Und wenn wir nicht sinken?«

»Ich bin sicher, sie finden eine Möglichkeit, die Sache zu beschleunigen. Werden das Heck wegschießen oder sowas.«

Ethan holte seinen Strahler hervor. »Wir müssen auf sie schießen. Wir können hier doch nicht einfach herumsitzen!«

September legte ihm zurückhaltend die Hand auf die Schulter. »Vielleicht wollen sie das herausfinden: Ob wir die Waffen haben oder ob sie auf der *Slanderscree* sind. Spar die Ladung. Sie sind immer noch außer Reichweite. Wenn wir nicht feuern, glauben sie vielleicht, wir haben sie nicht, und kommen etwas näher.« Er leckte sich die Lippen. »Sie sind nicht mehr weit weg. Na kommt schon, wir sind hier unten so hilflos, wie man nur sein kann. Kommt her und seht es euch aus der Nähe an!«

Inzwischen trieben sie auf offenem Wasser von der Ausdehnung eines kleinen Teichs. Kleine Wellen wiegten das Rettungsboot, das sich weigerte zu sinken. Williams fand in der Kajüte ein paar Töpfe, und bald schöpften er und Ta-hoding wie wild. Kein Zweifel, daß die auf dem Skimmer diese letztlich vergebliche Aktivität höchst amüsant fanden.

Dann wurden sie alle zurückgeworfen, als sich das Wasser unter ihnen hob.

Es mußte ein Fisch gewesen sein. Ethan wußte nicht, wie er das Geschöpf sonst nennen sollte, denn er konnte nur einen flüchtigen Blick darauf erhaschen. Williams, der es besser hatte sehen können, hielt es für die größte Seegurke des Universums. Das Wesen hatte eine gefleckte, ledrige Haut, aus der tentakelähnliche rote und purpurne Pseudopodien hervorwuchsen, und es schnappte sich den schwebenden Skimmer so beiläufig wie eine Forelle eine Fliege. Es hing einen Moment in der Luft, ein Farbstreifen vor dem reinen Blau des Himmels, der hintere Teil des Skimmers baumelte an hornigen Lippen. Als es unter das Eis zurückglitt, sprangen die beiden Tran, die hinten gesessen hatten, ab.

Die durch das Wegtauchen erzeugte Welle zerschmetterte weiteres Eis und ließ das Rettungsboot wild tanzen. Ethan und seine Gefährten waren dieser monströsen Lebensform, die in den dunklen Tiefen der auf ihrem Grund immer noch flüssigen Meere lebte, bisher erst einmal begegnet. Zweifellos verfügte auch diese Erscheinung, die sie unabsichtlich, wenn auch nur kurzfristig gerettet hatte, über ein Wärmezyklus-Stadium, genau wie die Tran und alle anderen Bewohner dieser gefrorenen Welt. Vielleicht hatte das Wesen Augen; Ethan hatte allerdings keine bemerkt. In den kalten, lichtlosen Tiefen traten andere Sinne in den Vordergrund. Wahrscheinlich hatte der schwimmende Leviathan die Vibrationen des Skimmers gespürt.

Was würde er mit dem auf dem Wasser treibenden Rettungsboot anfangen?

Ethan zwang sich, ruhig zu bleiben. In Umriß, Größe und Bewegung unterschied sich ihr kleines Boot wenig von den Eisschollen, die es überall umgaben. Er erhob sich auf die Knie und spähte über den Bootsrand. Von dem Skimmer war keine Spur mehr zu sehen. Eben noch hatte er in der klaren Luft gehangen und sie gepeinigt. Jetzt war er verschwunden, zusammen mit seiner hochtechnischen Bewaffnung und Kommunikationsausrüstung sowie seiner Besatzung.

Nun, nicht der ganzen Besatzung. Gerade als Ethan sich nach ihnen umsah, verschwand einer der Tran, die im letzten Augenblick abgesprungen waren, im aufgewühlten Wasser. Der andere klammerte sich an eine kleine Eisscholle und schaffte es irgendwie, sich hinaufzuziehen. Er lag da, triefend naß, völlig verängstigt, atmete schwer und starrte auf das tote Eis, das ihn umgab. Ethan fragte sich, wie lange er es durchstehen mochte. Die Tran konnten zwar extreme Kälte ertragen, aber auf Feuchtigkeit war ihr Metabolismus nicht eingerichtet.

Ta-hoding klammerte sich an die Ruderpinne. »Als nächstes wird es uns holen. Wir sind erledigt, verloren.«

»Wir schwimmen immer noch«, knurrte September, »und sei gefälligst leiser. Das Ding könnte Ohren haben, die so groß sind wie sein Maul.«

Sie warteten, tanzten zwischen Eisschollen und Matsch auf und ab, erwarteten, jeden Augenblick verschlungen zu werden. Es geschah nichts. Nicht in fünf Minuten, nicht in zehn. Eine halbe Stunde später trieben sie immer noch auf dem Wasser.

September richtete sich auf und flüsterte: »Hat jemand von euch irgendwelche Augen gesehen?« Alle schüttelten den Kopf. »Dann kann es nicht sehen, oder falls doch, nicht gut. Arbeitet wahrscheinlich mit Ultraschall oder dem Druck, den andere Wesen erzeugen, wenn sie sich durch das Wasser bewegen, oder es nimmt überhaupt nur Bewegung wahr. Vielleicht haben die Vibrationen des Skimmermotors es nach oben gelockt. Vielleicht weiß es nicht mal, daß wir hier sind.«

»Es könnte inzwischen Kilometer entfernt sein«, meinte Williams hoffnungsvoll.

»Sicher, und es könnte auch sehr schnell wieder hier sein. Also leise, und keine hastigen Bewegungen!«

»Eine Legende«, murmelte Hunnar. »Ein Geschöpf der Hölle.« Er spähte vorsichtig über den Bootsrand, konnte aber nicht tiefer als einen Meter in das dunkle Wasser hineinsehen. »Etwas aus den Tiefen der Erinnerung. Ich hoffe, es bleibt dort. Falls wir es mit solchen Wesen zu tun bekommen, wenn unsere Welt sich erwärmt und das Eis schmilzt, kann ich nur hoffen, daß die Meere auf immer gefroren bleiben.«

»Was sollen wir jetzt tun?« fragte Ta-hoding. »Warum sinken wir nicht in die Mitte der Welt?«

»Wir schwimmen.« Hunnar hatte Schwierigkeiten mit dem ungebräuchlichen Wort. »So wie ein kleiner Chiafbeutel in einer Schale mit Suppe schwimmt.« Er studierte aufmerksam ihre Umgebung. »Wir müssen irgendwie zurück auf das Eis.«

»Was ist mit dem da?« Williams wies auf den erschöpften Überlebenden des Skimmers, der auf seiner Eisscholle lag.

»Was soll mit ihm sein?« höhnte Hunnar. »Soll er einfrieren, soll er verhungern. Er ist schon tot.« Er wandte sich ab und bewegte sich zum Bug. Grurwelk blieb, den Blick starr auf den unglücklichen Tran gerichtet, im Heck zurück.

»Wir könnten paddeln«, schlug Ethan vor, »nur daß wir nichts zum Paddeln haben.«

»Und wir wollen im Wasser keine Vibrationen erzeugen«, erinnerte September ihn. Er wühlte in den Stauverschlägen, bis er gefunden hatte, was er suchte. Dann befestigte er ein Ende des Piki-Pina-Seils an einem Doppelhaken im Bug. Zuerst glaubte Ethan, er wolle irgend etwas mit dem Eisanker anstellen, doch der blieb in seiner Haltung.

»Was hast du vor, Skua?«

September grinste ihn an. »Ist über ein Jahr her, daß ich Gelegenheit hatte zu schwimmen. Ich erinnere mich aber noch, wie das geht.«

Ethan sah ihn ungläubig an. »Wenn du in das Wasser steigst, wirst du erfrieren. Ein Überlebensanzug ist kein Raumanzug. Er ist dazu gedacht, in der Luft zu funktionieren. Außerdem weißt du nicht, ob man mit ihm überhaupt schwimmen kann.«

»Schätze, wir müssen es herausfinden. Eins ist nämlich sicher: Wir können hier nicht einfach rumsitzen. Über kurz oder lang wird sich das Holz vollgesogen haben. Dann werden wir alle schwimmen.« Er wickelte sich das andere Ende des Seils um die Hüfte und zeigte dann nach links.

»In dieser Richtung sind eine Menge größerer Schollen. Wenn ich mich daran abstoßen kann, schaffe ich es bis zum Rand und werde dann versuchen, das Boot heranzuziehen. Wenn wir dann alle auf dem Eis sind und am Seil ziehen, können wir es vielleicht aus dem Wasser bringen. Vergiß nicht, daß es keinen richtigen Rumpf hat. Es ist nicht viel mehr als ein Floß mit Kufen und einem Mast. Nicht annähernd so schwer wie ein wirkliches Boot.« Er hielt einen Fuß ins Wasser.

»Du wirst deine Anzugsysteme überlasten«, sagte Williams. »Das Wasser wird ihn gegen deinen Körper pressen, du wirst die isolierende Luftschicht verlieren. Es wird nichts zwischen dir und dem Material geben, das es heizen könnte. Und wenn am Halsstück Wasser eindringen sollte ...«

Er mußte den Satz nicht beenden. Falls das Eiswasser in den Anzug lief, würde das Material nicht mehr außen von innen unterscheiden können. Die Thermosensoren würden die Wassertemperatur als Körpertemperatur interpretieren und entsprechend reagieren. Die Beheizung würde praktisch eingestellt werden, und in dem Wasser unter dem Rettungsboot mußte ein ungeschützter menschlicher Körper innerhalb weniger Minuten an Unterkühlung sterben.

»Keine Angst, Jungchen. Ich war immer ziemlich gut darin, den Kopf über Wasser zu halten.«

Damit ließ er sich, noch immer die Reling umklammernd, in den Teich gleiten, bis er auf Brusthöhe eingetaucht war.

»Wie ist es?« fragte Ethan besorgt.

September antwortete mit einem Lächeln, aber man sah, daß es gezwungen war. »Ich fürchte, es wird ein wenig kühl. Wir werden sehen.« Er atmete tief durch, ließ die Reling los und sackte ins Wasser, drehte sich um und schwamm mit vorsichtigen Brustzügen auf die gut zehn Meter entfernte stabile Eisschicht zu.

Schweigend verfolgten die anderen sein Vorankommen, teilten ihre Aufmerksamkeit zwischen seiner schwimmenden Gestalt und dem dunklen Wasser, das ihn umgab. Würde das plötzliche Vorhandensein von Licht weitere neugierige Bewohner der Tiefen anlocken? September kam voran, er schwamm lautlos und kraftvoll, ohne eine einzige überflüssige Bewegung. Er erreichte die Kante der Eisschicht, ohne daß etwas aus dem Ozean aufgestiegen war.

Das nächste Problem war offensichtlich. September war kein Seehund, der im Wasser so kräftig beschleunigen konnte, daß er sich auf das Eis katapultieren konnte. Die Kante bot herzlich wenig, um sich daran festzuhalten.

Er versuchte es mehrmals, glitt aber immer wieder zurück ins Wasser. Paradoxerweise hätten die Tran, die nicht schwimmen konnten, ihre langen, kräftigen Krallen in das Eis schlagen und so leicht herausklettern können. Septembers Hände aber waren von den Handschuhen seines Anzugs umschlossen.

Nach mehreren erfolglosen Versuchen griff er ins Wasser und fischte ein treibendes Eisstück heraus. Damit hämmerte er an einer Spalte am Rand des Lochs; wassertretend und sich gleichzeitig mit linkem Arm und linker Schulter abstützend, verhinderte er, daß er abrutschte.

Irgendwie gelang es ihm, einige flache Löcher zu schlagen. Dann zog er sich mit beiden Händen hoch, bis er bäuchlings auf dem Eis lag. Es war Ausdruck seiner Erschöpfung, daß er sich eine Zeitlang nicht rührte, um auf die Gratulationen seiner Gefährten zu reagieren. Das Wasser bildete sofort eine Eiskruste auf der Außenhaut seines Anzugs, der seine Körpertemperatur allmählich wieder normalisierte.

Obwohl das Eis dort, wo er lag, ziemlich dick zu sein schien, krabbelte September noch drei Meter weiter, bis er sicher war, daß es ihn stehend tragen würde. Er stand auf, grub die Füße in eine Vertiefung und lehnte sich zurück.

Unendlich langsam begann das Eisboot sich zu bewegen. Dann setzte September seinen Körper als lebende Seilwinde ein, wickelte das Tau langsam auf und zog das vollgesogene Boot mitsamt Passagieren auf sich zu. Fast eine Stunde verging, bevor der Bug gegen das Ufer stieß.

»Ich gehe als erster«, sagte Williams. »Ich bin der Leichteste.«

»Richtig. Wenn du durchbrichst, schnapp dir das Seil und zieh dich auf Skua zu«, riet Ethan ihm.

Williams nickte, trat behutsam über den Bug und setzte erst den einen, dann den anderen Fuß auf. Das Eis hielt.

»Stabil«, sagte der Lehrer zufrieden. Er ging zu September hinüber und legte sich mit in das Seil. Ethan war der Nächste, dann folgten Hunnar, Ta-hoding und schließlich Grurwelk, die immer noch auf den einsamen Überlebenden blickte, der auf seiner Eisscholle ziellos dahintrieb.

Von ihrem gemeinsamen Gewicht befreit, hatte das Rettungsboot jetzt weniger Tiefgang. Unter Septembers Anleitung zogen sie alle mit voller Kraft an dem Seil, bis Ethan glaubte, seine Arme würden ihm ausreißen. Sobald sie den Bug auf dem Eis hatten, ging es einfacher. Sie ließen aber nicht nach, bis der kleine Segler ein gutes Stück von dem offenen Wasser entfernt war.

Das mehrere Zentimeter hoch stehende Wasser ignorierend, das ihre Füße umspülte, brachen sie die Eiszapfen ab, die sich an Seiten und Boden des Boots gebildet hatten. Hunnar und Ta-hoding mühten sich mit dem umgefallenen Mast ab, während Williams das Segel straffte.

Ethan runzelte die Stirn und ging zu Grurwelk Fernblick hinüber, die immer noch auf das Wasser starrte. Von dem letzten überlebenden Tran des unglücklichen Skimmers war nichts mehr zu sehen.

»Schließlich doch untergegangen, wie?«

Sie nickte knapp, wandte sich ab. Zu seinem Erstaunen bemerkte er Tränen in ihren Augen. Es kam äußerst selten vor, daß Tran weinten.

»Ich verstehe nicht«, sagte er und sah sie groß an. »Er war einer von denen, die uns töten wollten.«

»Ich weiß. Einer von denen, die sich mit Auswurf wie

diesem Corfu und seinem rotznasigen kleinen Möchtegernoberherren verbündeten. Aber er war auch mein Mann. Ich bitte dich um einen Gefallen: Erzähl es nicht den anderen. Es bedeutet nichts mehr. Und es wäre nicht gut für mich.«

Ethan schluckte hart. »Ich verstehe. Ich werde kein Wort sagen.«

Sie brachte ein angedeutetes Lächeln zustande. »Ich danke dir für diese kleine Gefälligkeit. Es scheint, daß äußere Erscheinung und Anstand nicht immer übereingehen.«

Ethan sah hinter ihr her, während sie zu den anderen ging, um ihnen dabei zu helfen, das Rettungsboot für die Reise vorzubereiten. Sie blickte sich kein einziges Mal zu dem offenen Wasser um.

Der Mast hielt, das Segel hielt. Sie waren unterwegs nach Poyolavomaar. Im Innern der Kajüte drängten sich drei Menschen um einen steinernen Kochherd. Da die Kajüte über Wasser geblieben war, war auch der Herd mit seinem leicht entzündlichen Inhalt trocken geblieben. Jetzt brannte er mit kleinem, aber intensivem Feuer, der Rauch stieg durch einen Röhrenknochen, aus dem das Mark entfernt worden war, nach oben. Die Flamme erhitzte die Steinwände des Ofens, die wiederum in der gesamten Kajüte eine luxuriöse Wärme verstrahlten. Die Hitze hätte die Tran zur Verzweiflung getrieben, für die Menschen aber war sie ein Echo der Heimat.

September hatte seinen Überlebensanzug ausgezogen und aufgehängt, damit er trocknen und sich erholen konnte. Seine nackte Gestalt nahm eine volle Seite der Kajüte ein. Ein paar dicke Felle waren über seine Beine gebreitet, und wie seine Gefährten hielt er die Hände zum Feuer, bis die Haut sich zu lösen drohte. Er zitterte nicht mehr.

»Tolle Dinger«, sagte er mit einem Blick auf seinen Anzug, der wie eine abgeworfene Haut an seinem Haken hing, »aber sie sind nicht allmächtig. Ich hatte wirklich geglaubt, jetzt sei alles verloren, weil ich nicht auf dieses verflixte Eis kraxeln konnte. Ich spürte, wie meine Beine langsam taub wurden — oder ist das ein Widerspruch in sich?«

»Wenn du nicht geschwommen wärst«, erklärte Williams, »würden wir immer noch dort auf dem Wasser treiben und darauf warten, daß wir sinken.«

»Oder verschluckt werden«, fügte Ethan hinzu. »Meinst du, sie werden den anderen Skimmer losschikken?«

»Das bezweifle ich.« September zog seine Hände zurück und schob sie mit einem behaglichen Lächeln unter die Felle. »Es wird eine Menge Geschrei und Gebrüll geben, wenn dieser Skimmer nicht zurückkommt. Es wird für Antal und seine Leute selbstverständlich sein, daß es einen oder zwei Tage dauern kann, uns zur Strecke zu bringen. Bis ihnen klar wird, daß ihre Killer nicht zurückkommen, werden wir so weit weg sein, daß sie uns nicht mehr finden. Ihnen bleibt dann nur noch zu vermuten, daß ihre Leute uns erwischt und dann auf dem Rückweg einen Unfall gebaut haben oder so.« Er grinste. »Bamaputra wird eine Weile lang nicht besonders gut schlafen.« Er streckte sich auf der Bettbank aus und gähnte. »Und wenn es euch jetzt nichts ausmacht — ich bin ziemlich müde.«

Sie waren alle erschöpft, sagte sich Ethan. Mit Ta-hoding an der Ruderpinne gab es keinen Grund, sich Sorgen zu machen. Er legte sich in die Nähe des herrlichen Feuers und schloß die Augen.

Das letzte, was er durch das hintere Kajütenfenster sah, war Grurwelk, die dicht neben Ta-hoding stand und dorthin zurücksah, woher sie gekommen waren.

Ethan konnte den Schleier, den sie über ihre Gefühle legte, während der Reise nach Poyolavomaar nicht durchdringen, aber er war froh, daß sie mitgekommen war. Wie immer es in ihrem Innern aussehen mochte, sie nahm sich zusammen und widmete all ihre Energie der Aufgabe, den Kurs wiederzufinden, auf dem sie hergekommen waren. Wenn Ta-hodings Navigationsfähigkeiten und Hunnars Richtungssinn nicht reichten, war sie bereit und willens, einen Weg anzugeben, der auf ihren Erinnerungen an vorherige Reisen in diese Region beruhte. Nach und nach begannen die anderen in ihr ein vollwertiges Mitglied ihres Unternehmens zu sehen und auf ihr Können zu vertrauen. Ta-hoding nahm ihre Kühnheit als Herausforderung und begegnete ihr mit eigenem Wagemut.

Fünf Tage später konnte der Kapitän ein Beispiel für seine Tapferkeit geben, als sie von einem Wyrsta überrascht wurden. Wenngleich nicht so gewaltig wie ein Rifs, stellte er doch eine subtilere Gefahr dar, da er aus schnell wirbelnden Eispartikeln bestand. Diese bildeten eine weiße Wand, die ihnen jede Sicht nahm. Wer am Bug saß, konnte nicht über die Kajüte hinausblicken.

Ein weniger zuversichtlicher Schiffer hätte sofort den Bug in den Wind gedreht, die Eisanker gesetzt und gewartet, bis der Sturm vorüber war. Nicht so Ta-hoding. Mit der Versicherung Fernblicks, daß zwischen ihnen und ihrem Ziel keine Hindernisse lägen, segelte er mit voller Geschwindigkeit weiter. Nach einem halben Tag war der Sturm über sie hinweggetobt. Erst dann ließ der Kapitän sich überreden, Hunnar das Ruder zu überlassen. In seinem Fell und seinem Bart hatten sich Eispartikel festgesetzt, bis er an eine katzbärige Version des Weihnachtsmanns erinnerte.

»So ungefähr stelle ich mir einen Sandsturm vor, nur daß hier Eis den Sand ersetzt«, sagte Williams.

»Ich könnte einen netten, heißen Sandsturm jetzt gut vertragen.« September lehnte an der Kajüte und sah prüfend zum südlichen Horizont. »Alles, was warm ist.«

»Immer noch keine Anzeichen von Verfolgern.« Hunnar stützte sich auf die Reling. »Können die Vorrichtungen von euch Himmelsleuten ein fliehendes Boot selbst durch einen Wyrsta aufspüren?«

»Hängt davon ab, welche Geräte benutzt werden«, meinte Ethan. »Ich denke, das Eis könnte Hochauflösungsradar unmöglich machen, und ich weiß nicht, was es mit Infrarot macht. Ich beginne langsam zu glauben, daß wir es schaffen könnten.«

»*Falls* wir den Punkt finden, wo wir die *Slanderscree* über die Packeisklippen gebracht haben, und *falls* wir dieses Boot in entgegengesetzter Richtung schieben, ziehen oder sonstwie transportieren können«, erinnerte September ihn.

Ethan machte ein langes Gesicht. »Daran hatte ich gar nicht mehr gedacht.«

»Mach dir keine Sorgen, wir werden diese Stelle finden«, versuchte Williams ihn aufzumuntern, »und wir werden hinüberkommen, und wenn wir es auf dem Rükken tragen müssen. Auf jeden Fall wird uns bei der Übung warm werden.«

»Ich würde einen Induktionsheizer vorziehen«, murmelte Ethan und verschränkte die Arme vor der Brust.

Sie bewältigten die Überquerung — auch wenn Ethan glaubte, sein Kreuz würde brechen und seine Beine den Dienst versagen —, genau wie sie den weiten Weg bis zum fernen, freundlichen Hafen Poyolavomaars schafften. Trotz ihrer Erschöpfung bestand der Landgraf darauf, daß sie sofort zu ihm kämen, woraufhin sie in einem vertraulichen Versammlungsraum Platz nahmen, um den neugierigen Blicken und dem spekulativen Klatsch der Höflinge zu entgehen. Als T'hosjer T'hos schweigend ihrer Erzählung lauschte und nur gelegentlich mit einer knappen, gezielten Frage unterbrach, wurde Ethan klar, daß, so sehr er persönlich Hunnar Rotbart auch mochte, der Landgraf Poyolavomaars der Geeignetere war, sein Volk und seine Welt in den Räten des Commonwealth zu repräsentieren.

Zwischendurch: ▓▓▓▓▓▓▓▓▓▓▓▓▓▓▓▓▓▓▓▓▓▓▓▓
▓▓
▓▓
▓▓
▓▓
▓▓▓▓▓▓▓▓▓▓▓▓▓▓▓▓▓▓▓▓▓▓▓▓▓▓▓▓▓▓▓▓▓▓▓▓
▓▓
▓▓▓▓▓▓▓▓▓▓▓▓▓▓▓▓▓▓▓▓▓▓▓▓▓▓▓▓▓▓▓▓▓▓▓▓▓▓
▓▓

▓▓▓▓▓▓▓▓▓▓▓▓▓▓▓▓▓▓▓▓▓▓▓▓▓▓▓▓ Ethan ist froh,
nach der Eiseskälte einen sicheren Hafen gefunden zu haben:
Das heiße Getränk ist so willkommen, daß keiner fragt, was
der Landgraf eigentlich servieren läßt. ▓▓▓▓▓▓▓▓▓▓▓▓
▓▓
▓▓▓▓▓▓▓▓▓▓▓▓▓▓▓▓▓▓▓▓▓▓▓▓▓▓▓▓▓▓▓▓▓▓▓▓▓▓
▓▓▓▓▓▓▓▓▓▓▓▓▓▓▓▓▓▓▓▓▓▓▓▓▓▓▓▓▓
▓▓
▓▓
▓▓
▓▓▓▓▓▓▓▓▓▓▓▓▓▓▓▓▓▓▓▓▓▓▓▓▓▓▓▓▓▓▓▓▓
▓▓

▓▓▓▓▓▓▓▓▓▓▓▓▓▓▓▓▓▓▓▓▓▓▓▓▓▓▓ Wir in unserem
bequemen Sessel sind da wählerischer: Eine heiße Stärkung
für zwischendurch heißt für uns nur... ▓▓▓▓▓▓▓▓▓▓
▓▓
▓▓
▓▓
▓▓▓▓▓▓▓▓▓▓▓▓▓▓▓▓▓▓▓▓▓▓▓▓▓▓▓▓▓▓▓▓▓▓▓▓
▓▓▓▓▓▓▓▓▓▓▓▓▓▓▓▓▓▓▓▓▓▓▓▓▓▓▓▓▓
▓▓
▓▓
▓▓
▓▓

Zwischendurch: ███████████████████████████
███████████████████████████
█████████████████████

Die geschmackvolle Trinksuppe für den kleinen Appetit. –
In Sekundenschnelle zubereitet. Einfach mit kochendem
Wasser übergießen, umrühren, fertig. ████████████████
████████████████████████████
████████████████████████████
██████████████████ Viele Sorten – viel Abwechslung.
██████████████████████████
█████████████████████████████
████████████████████ Guten Appetit!

Er war vorschnell, mahnte er sich. Es mochte sein, daß nichts zu repräsentieren übrigbleiben würde.

Als sie geendet hatten, wurde auf Geheiß von T'hosjer T'hos ein Tablett mit heißen Getränken hereingebracht. Er sah schweigend zu, wie seine Gäste ihre Kelche leerten, die dankbaren Menschen kamen nicht einmal auf den Gedanken, zu fragen, was sie enthielten. Er sprach wieder, als ein Diener die Gefäße nachfüllte.

»Ich verstehe Euer Volk nicht, Freund Ethan. Was diese Leute versuchen, spottet jeder Vernunft.«

»Macht Euch darüber keine Gedanken.« September lehnte sich in seinem Sessel zurück, hielt sich den heißen Kelch gegen die Stirn und legte die Füße auf einen prächtig geschnitzten Tisch. »Wir Menschen studieren jetzt seit etwa zehntausend Jahren an unserer eigenen Intelligenz herum, und wir verstehen uns selbst auch nicht.«

»Aber warum dies? Warum Zehntausende unschuldiger Kinder und Erwachsener zum Tod verurteilen? Wir wären erfreut, unsere Welt mit jedem von euch zu teilen, der unter uns leben möchte.«

September drohte dem jungen Landgrafen schelmisch mit den Fingern. »Ah, aber in diesem Fall müßten sie Euch bezahlen, die Commonwealth-Gesetze verlangen das.«

»Wann immer intelligente Wesen nur als statistisches Material behandelt werden, das die Gewinn- und Verlustrechnung beeinflußt, ist die Moral das erste Opfer«, erklärte Williams ernst.

»Diese Leute müssen natürlich aufgehalten und ihrem üblen Unternehmen muß ein Ende bereitet werden.« T'hosjer sprach leise, nachdenklich. »Doch wie ist das zu schaffen, wenn sie diese magischen Lichtwaffen besitzen, von denen ihr gesprochen habt?«

»Wir hoffen, daß sie nur eine von diesen besonders mächtigen Lichtwaffen hatten, und die sahen wir im Bauch von etwas verschwinden, das man rücksichtsvollerweise beim Essen nicht beschreiben würde.« September überreichte dem faszinierten Landgrafen seinen Handstrahler. »Wenn sie nur noch diese haben, gibt es eine Chance für uns. Nicht sie zu besiegen, aber sie zu beschäftigen, bis aus Brass Monkey ernstzunehmende Hilfe eintrifft.«

Ethan nickte. »Milliken wird zurückkehren und die Planetarische Kommission vor die Tatsachen stellen, erklären, was vorgeht und darauf hinwirken, daß von der nächstgelegenen Basis ein Polizeikreuzer hergeschickt wird, um diese Leute und ihre Anlage ein für allemal auszuschalten.« Er sah den Lehrer an. »Er ist besser im Erklären, Skua und ich sind besser im Kämpfen.«

»Das schnellste Schiff Poyolavomaars wird euren Gelehrten eiligst zu eurem Außenposten bringen«, versicherte ihnen T'hosjer und erhob sich. »Und ihr tapferen Freunde werdet nicht allein zurückkehren. Ich werde die Flotte mobilisieren. Doch das braucht eine gewisse Zeit.«

»Allein zu wissen, daß Ihr kommt, wird denen, die wir zurückließen, schon Mut machen«, versicherte Hunnar ihm.

»Ich bitte um Verzeihung«, meldete sich Williams. »Ich möchte das großzügige Angebot nicht schmälern, aber ich glaube nicht, daß das eine gute Idee ist.« Alle Blicke richteten sich auf ihn.

»Wenn ihr allein zurückkehrt, könnt ihr euch vielleicht unbemerkt in den Hafen und an Bord der *Slanderscree* schleichen. Wenn ihr mit der ganzen Flotte Poyolavomaars im Schlepptau ankommt, wird Bamaputra wissen, daß wir mindestens bis hierher gekommen sind. Er wird gezwungen sein anzugreifen, und sei es nur, um herauszufinden, was los ist. Ich schlage vor, wir lassen sie weiter vermuten, daß es uns genau wie ihren vermißten Skimmer nicht mehr gibt. So werden sie nicht versucht sein, alles auf uns zu werfen, was sie haben, um das Schiff zu übernehmen. Sollen sie doch weiter glauben, daß sie nichts Schlimmeres als ein Patt erreicht haben. Das wird eine Menge Leben retten.«

September nickte. »Es wird noch mehr tun als das, verdammt. Wenn sie uns zur *Slanderscree* zurückhumpeln sehen, werden sie als erstes glauben, daß wir nirgendwohin gekommen sind. Warum sollten wir sonst zurückkommen? Wir werden nicht mit ihnen sprechen, und sie werden nicht die Gelegenheit gehabt haben — falls sie nicht das Schiff geentert haben, was ich bezweifle — die Köpfe zu zählen, außer mit Ferngläsern. Sechs weg, fünf zurück. Ich glaube, wir können sie täuschen.« Er wandte sich wieder an T'hosjer.

»Wie lange braucht Euer bestes Schiff nach Brass Monkey und zurück?«

Der Landgraf diskutierte Zahlen mit Williams, der sie in metrische Maße umrechnete. Bei den Ergebnissen nickte Ethan zufrieden.

»Nicht so schlecht, wie ich gedacht hatte. Währenddessen, wenn es Euch beliebt, Landgraf, Eure Truppen zu mobilisieren, tut es! Wir wissen nicht, wie Bamaputra auf unsere Rückkehr reagieren wird, und Ihr solltet immerhin bereit sein, Euch zu verteidigen.«

»Dann ist alles abgemacht.« Sie erhoben sich zum Gehen.

September trat vor den Lehrer. Er überragte die meisten der Männer; Williams ließ er zwergenhaft erscheinen.

»Du wirst ein Weilchen ganz allein sein, mein Freund. Nur du und die Tran.«

Der kleine Mann lächelte zu ihm auf. »Ich fühle mich unter den Tran nicht unwohl. Wir haben jetzt fast zwei Jahre mit ihnen gelebt. Und was menschliche Gesellschaft angeht: Ich habe einen großen Teil meines Lebens in mir selbst verbracht. Ich werde keine Probleme haben.«

»Nun, also, verschwende keine Zeit und halt nicht an, um die Schönheiten der Gegend zu bewundern.«

»Ich habe nicht die Absicht, überhaupt Halt zu machen.«

Sie drei waren solange zusammengewesen, daß es Ethan unnatürlich vorkam, am Ende eines Docks zu stehen und Williams zum Abschied zuzuwinken. Das nämlich taten er und September am nächsten Morgen, als das schnittige, schlanke Eisschiff, mit den besten Matrosen Poyolavomaars an Bord, nach Norden aus dem Hafen eilte. Nicht, daß einer von ihnen irgendwelche Illusionen in Richtung auf so etwas Archaisches wie die ›Drei Musketiere‹ hegte. Sie waren zufällig gemeinsam auf diese Welt geworfen worden und durch die Umstände beieinander geblieben, nicht aus freier Entscheidung. Aber der Lehrer war ein munterer, angenehmer Gefährte gewesen; leise, unaufdringlich, sensibel und schweigsam, solange er nichts Wesentliches zum Gespräch beizutragen hatte. Sie würden seinen klugen Rat vermissen.

Skua September hatte es eilig, nach Yingyapin zurückzukehren. Seine Ungeduld wurde nur von Hunnars übertroffen, der, obwohl er es nicht zugegeben hätte, sich offensichtlich heftig nach seiner Elfa sehnte. Ethan versicherte dem Ritter mehrfach, daß ihre Widersacher, selbst, wenn sie die *Slanderscree* irgendwie wieder in ihre Gewalt gebracht hatten, höchstwahrscheinlich kein Massaker begehen würden.

In gegenseitigem Einvernehmen diskutierten sie nicht, was sie tun würden, falls Williams wider Erwarten den Außenposten nicht erreichte. Tran-ky-ky warf für Fernreisende schon ohne die Behinderung durch abtrünnige Menschen eine Menge Probleme auf. Stavanzer, wandernde Barbarenhorden, Droome, plötzliche, unberechenbare Stürme von schrecklicher Wucht — all das und viel mehr konnte ein Schiff und seine Besatzung auslöschen. T'hosjer versuchte, sie zu beruhigen. Williams reiste auf dem besten Eisschiff, das dieser Teil der Welt zu bieten hatte, unterstützt und beschützt von der besten Besatzung, die Poyolavomaar aufstellen konnte. Er würde gesund und vor der Zeit in Brass Monkey eintreffen.

»Das hoffe ich wirklich«, bemerkte September, »sonst wird im Hafen Yingyapins das Eis mit Toten bedeckt sein und nicht nur mit totem Eis.«

Ethan sah ihn überrascht an. »Ich dachte, du magst Kämpfe, Skua?«

»Wenn sie einem Zweck dienen. Ein kleiner Krieg zwischen unseren Leuten und den Bürgern Yingyapins wird niemandem nützen. Die Tran wären es, deren Blut vergossen würde — und wofür? Weißt du, wir sind angeblich die fortgeschrittenere Gattung auf dieser Welt. Es würde uns zur Ehre gereichen, wenn wir dieses Problem bereinigen, ohne mehr einheimisches Blut zu vergießen als unbedingt nötig.«

13

NACH DEN BLICKEN ZU URTEILEN, die er auf sich zog, als er zum Verwaltungskomplex stapfte, mußte er selbst wie ein Tran aussehen, überlegte Williams. Wochen auf dem Eisozean konnten so etwas fertigbringen. Sein Überlebensanzug war verschlissen und verfärbt, das hinter dem Visier sichtbare Gesicht hager und unrasiert.

Seine Begleiter aus Poyolavomaar zogen in ihrer für die hiesigen Tran exotischen Kleidung entsprechend neugierige Blicke auf sich. Die Matrosen aus Poyo wiederum mühten sich heldenhaft, aber vergeblich, die seltsamen, fremden Bauten möglichst unauffällig zu bestaunen. Sie waren fasziniert von dem entfernten Shuttlehafen und den glatten, nahtlosen Gebäuden.

Das erste, was sie bei ihrer Ankunft bemerkt hatten, war ein Shuttle auf der Landebahn. Es wurde gerade in den unterirdischen Hangar abgesenkt. Er hätte seine Geschichte am liebsten sofort an dessen Piloten weitergegeben, damit dieser sie dem interstellaren Raumer übermitteln konnte, der Tran-ky-ky umkreiste, doch er entschied sich, dem Protokoll zu folgen und zuerst mit der Kommissarin zu sprechen. Sie würden früh genug mit den zuständigen Leuten in Kontakt kommen.

Wenn irgend jemand das Recht hatte zu erfahren, was los war, dann die Angehörigen der wissenschaftlichen Körperschaft des Außenpostens. Doch was recht und was notwendig war, stimmte im Augenblick nicht überein. Er mußte mit der Kommissarin sprechen, damit sie die entscheidenden Informationen über Tiefraumstrahl verbreiten konnte. Freunde würden auf Nachrichten über ihre Kameraden warten müssen, bis das Recht seine Kräfte in Bewegung gesetzt hatte.

Im Gegensatz zu Ethan glaubte Williams nicht, daß sie einen Polizeikreuzer brauchen würden, um Bamaputra und seine Leute vom Planeten zu vertreiben. Der bloße Umstand, daß ihre Anwesenheit und ihre Absichten im gesamten Commonwealth bekannt waren, sollte genügen, um die Sintflut-Macher ihre Koffer packen zu lassen. Er sah Bamaputra und Antal vor sich, wie sie sich aufgescheucht darum bemühten, belastende Aufzeichnungen zu vernichten und verzweifelt nach einem Schiff riefen, um die Anlage zu evakuieren. Er genoß das Bild. Trotzdem war er bereit, auf das Vergnügen zu verzichten, ihre Gesichter wiederzusehen. Es war gut, in das zurückgekehrt zu sein, was auf dieser Welt als Zivilisation durchgehen mußte, gut, sich in dem Wissen entspannen zu können, daß Tran-ky-ky und seine Bewohner, was von jetzt an auch geschehen mochte, gerettet waren.

Der Posten vor dem Aufzug wußte nicht recht, wie er Williams einschätzen sollte, als dieser in das Gebäude stiefelte und die Kapuze seines Überlebensanzugs zurückschlug. Er empfand die auf menschliche Bedürfnisse abgestimmte Temperatur fast als unerträglich heiß. Vielleicht hatte er mehr als nur das Aussehen der Tran angenommen. Er ging zu dem kleinen Schreibtisch mit seiner Girlande komplexer Elektronik hinüber, stützte beide Fäuste auf das synthetische Holz und beugte sich vor.

»Ich *muß* sofort die Planetarische Kommissarin sprechen. Es geht um Leben und Tod.«

Der Posten musterte ihn, als sei er irgendeine sonderbare, vom Eis hereingewanderte exotische Lebensform — was nicht einmal sonderlich weit von der Wahrheit entfernt war, überlegte Williams.

»Ich werde sehen, ob Ms. Stanhope abkömmlich ist.«

»Tun Sie das.« Williams trat vom Tisch zurück, ein wenig verblüfft über sein uncharakteristisches Ungestüm. Das Ergebnis von fast zwei in Gesellschaft eines gewissen Skua September verbrachten Jahren, sagte er sich. Wenn das hier vergangen und vergessen war, würde er von neuem zivilisiertes Verhalten lernen müssen.

Der Posten sprach in ein Mikrophon, lauschte einen Moment lang schweigend und legte dann den Ohrhörer beiseite. »Marquel sagt, es ist in Ordnung, wenn Sie direkt hinaufkommen.«

»Marquel? Wer ist Marquel?«

»Der Sekretär der Kommissarin. Sie ist gerade in der Klinik. Er wird sie herrufen und sagt, daß Sie schon hochkommen sollen.«

»Danke.« Er drehte sich um und ging, die Blicke des Postens im Rücken spürend, zum Aufzug.

Ich bin wohl ein ziemlich seltsamer Anblick, überlegte er, während der Lift nach oben stieg. Als er die Spitze des pyramidenförmigen Baus erreicht hatte, wünschte er sich, Skua und Ethan wären da, um ihn zu unterstützen; Skua mit seiner imposanten physischen Erscheinung und Ethan mit seiner gewandten Zunge. Er fühlte sich bei Leuten wie Stanhope nicht wohl, Bürokraten und Machtausübenden. Er kam viel besser mit Cheela, Blanchard und den anderen Wissenschaftlern zurecht. Sie behandelten ihn als Gleichen, obwohl seine akademischen Grade lange nicht so beeindruckend waren wie ihre. Sie waren auf ihn angewiesen, und hier verschwendete er schon wieder Zeit mit nutzlosen Überlegungen, wie so oft in der Vergangenheit. Rede einfach, sagte er sich. Er war schließlich Lehrer, oder nicht? Es war Zeit für eine Privatstunde. Zeit, eine Kommissarin zu unterrichten. Es würde ihr nicht gefallen, was er zu sagen hatte.

Hart. Ein wenig aufrechter betrat er den Empfangsbereich. Dort erwartete ihn ein Mann. Marquel, kaum größer als Williams, hatte offenbar nicht hinter seinem Schreibtisch auf ihn gewartet, sondern war im Raum auf und ab gegangen. Jetzt eilte er auf ihn zu und überhäufte ihn mit schnellen Fragen.

»Miss Stanhope wird jeden Augenblick hier sein. Was

ist dort draußen passiert? Wo sind Ihre Begleiter? Was ist los?«

So dringend er auch die Kommissarin sprechen wollte, sah er keinen Schaden darin, ihrem Sekretär einen raschen Überblick seiner Erfahrungen zu geben und damit zu schließen, daß Ethan und Skua mit Hunnar und Ta-hoding zurückgekehrt waren, um möglichst zu vermeiden, daß die abtrünnigen Menschen und ihre Tran-Verbündeten die *Slanderscree* angriffen.

»Sie werden verstehen, wie zwingend es ist, daß diese Information sofort zur nächsten Militärbasis übermittelt wird, damit zur Unterstützung bewaffnete Kräfte auf den Weg gebracht werden können.«

»Natürlich, natürlich.« Der Sekretär überlegte angestrengt. »Eine schreckliche Situation. Niemand hier hatte die leiseste Ahnung, daß etwas Derartiges im Gange ist. Wissen Sie, als Sie alle in diesem Eingeborenenschiff wegsegelten, glaubten eine Menge Leute, wir würden Sie nie wiedersehen, und diejenigen, die meinten, Sie würden zurückkehren, glaubten nicht, daß Sie irgend etwas finden würden.«

Williams wies mit dem Kopf zum Büro der Kommissarin. »Würde es Ihnen etwas ausmachen, wenn wir dort drin warteten? Ich erinnere mich, daß es dort einige weiche Sessel gibt, und ich hätte nichts dagegen, mich zu setzen, während wir warten.«

»Nein, natürlich nicht. Bitte verzeihen Sie.« Marquel öffnete die Flügeltür und führte Williams hinein. »Ich war nur so gefesselt von Ihrer Geschichte.« Die Tür schloß sich hinter ihnen.

»Nachdem ich der Kommissarin alles berichtet habe, was Sie gerade von mir erfahren haben, muß ich die Leiter der verschiedenen wissenschaftlichen Abteilungen sprechen, um sie davon zu unterrichten, was vorgeht. Und dann werde ich erst mal zwei Tage schlafen, denke ich.«

Marquel nickte verständnisvoll. »Sie sehen aus, als

könnten sie eine längere Erholung vertragen.« Er öffnete eine kleine Tür, die in einen Nebenraum führte. »Machen Sie es sich bequem. Ich bin gleich zurück.«

Williams setzte sich in einen der Sessel, die dem Schreibtisch der Planetarischen Kommissarin gegenüberstanden. Durch dicke, isolierte Fenster sah man auf den Außenposten. Dahinter lag der Hafen von Brass Monkey mit seiner Tran-Gemeinde und den an den drei Docks vertäuten Eisschiffen.

Marquel blieb nicht lange weg. Als er das Büro wieder betrat, hatte er die Kleidung gewechselt. Williams riß die Augen auf. Er mußte nicht nach dem Grund für den Wechsel fragen. Die neue Kleidung war selbsterklärend.

Er wirbelte herum und stürzte zur Flügeltür. Sie war abgeschlossen. Er begann dagegen zu hämmern und zu schreien.

»Das wird Ihnen nichts helfen, wissen Sie«, sagte Marquel.

Williams drehte sich um und entfernte sich vorsichtig, die Wand im Rücken und den Blick auf den anderen gerichtet, von der Tür. »Wie haben Sie sie abgeschlossen?«

»Fernsteuerung im Schreibtisch.« Der Mann lächelte dünn. »Ich werde Ihnen nicht zeigen, wo.«

Williams wußte, daß es Marquel war, der sich hinter der schwarzen und karmesinroten Kapuzenmaske verbarg; er erkannte die Stimme. Im übrigen bedeckte das engsitzende schwarze Gewand den Mann von Kopf bis Fuß. Es war ein wenig theatralisch, aber Williams lachte nicht über seinen Träger. An dem, was es bedeutete, war nichts Komisches. Außerdem hatte das glatte, schwarze Material einen praktischen Aspekt. Es war stark wasserabweisend. Es würde auch Blut abperlen lassen.

»Wissen Sie«, bemerkte Marquel im Plauderton, während Williams fieberhaft nach einem anderen Weg aus dem Büro suchte, »als Sie und Ihre Freunde Jobius Trell kaltstellten, war das eine wundervolle Gelegenheit für meinen Auftraggeber, jemanden wie mich in eine Position einzuschleusen, der ihre Interessen hier wahrnehmen konnte. Bis jetzt hatte ich allerdings nichts zu tun, außer als Sekretär zu fungieren. Ich hatte gehofft, das Leben würde so weitergehen, aber ...« — er zuckte die Achseln — »manchmal entwickeln sich die Dinge eben nicht so, wie wir es gerne hätten; unsere Ausbildung lehrt uns jedoch, geduldig zu sein. Ich hatte nicht erwartet, während meines Aufenthalts auf dieser Welt meinen wahren Job ausüben zu müssen.«

Williams hatte nie zuvor einen Qwarm gesehen, ein Mitglied der Mördergilde, aber wie fast jeder, hatte er von ihnen gehört. Sie erschienen so oft in den Unterhaltungsmedien, daß sich Mythos und Realität vermischt hatten. Die Taten berufsmäßiger Killer wurden oft hochgradig romantisiert — was die Qwarm gern förderten. Je weniger ernst man sie nahm, desto leichter fiel es ihnen, ihre Kunst auszuüben. Ihre Dienste waren sehr teuer, es gab nicht viele von ihnen, sie waren über das gesamte Riesengebiet des Commonwealth verstreut, und in zweihundert Jahren war es Regierung und Kirche nicht gelungen, sie auszumerzen. Es war schwierig, die Öffentlichkeit gegen Übeltäter aufzubringen, die nur höchst selten in Erscheinung traten und immer gleich wieder verschwanden.

Einer war jetzt in Erscheinung getreten, hier, auf der anderen Seite des Raums.

»Ich bin zusammen mit der neuen Kommissarin hier eingetroffen. Sie ist sehr zufrieden mit meiner Arbeit. Genau wie meine wirklichen Geldgeber. Ich hätte Sie und Ihre Gefährten töten können, bevor Sie abreisten, doch wäre das nur eine unnötige Komplikation gewesen, wenn Sie Yingyapin nicht gefunden hätten, und falls doch, so würden Antal und seine Leute sich um Sie kümmern, nahm ich an. Ihre Rückkehr ist eine unbedeutende Komplikation und leicht gelöst. Es war sehr bedacht von Ihnen, direkt hierherzukommen, ohne jemand anderem Ihre Geschichte zu erzählen.«

»Der Posten unten hat mich hereinkommen sehen.«

»Das ist seine Aufgabe, mehr aber auch nicht.«

»Die Tran, die mich herbrachten, werden mit mir sprechen wollen.«

»Sie glauben, die Kommissarin wird auf Anraten einiger leicht erregbarer Eingeborener einen Polizeikreuzer anfordern?« Wieder lächelte Marquel humorlos. »Warum, glauben Sie, hat Antal nicht seinen verbliebenen Skimmer und jedes verfügbare Eisschiff hinter Ihnen hergeschickt, als der erste nicht zurückkam? Weil er wußte, daß ich hier bin, um mich um die Angelegenheit zu kümmern.«

»Mich umzubringen wird Bamaputras Unternehmen nicht retten.«

»Natürlich wird es das. Falls Ihre Freunde zurückkommen, werde ich sie ebenfalls töten. Ich bin momentan etwas aus der Übung, aber das Töten gehört nicht zu den Dingen, die man verlernt. Es bleibt erhalten, wie Fahrradfahren.« Er knackte mit den Knöcheln, das Geräusch hallte laut im Raum. »Durch Sie werde ich wieder in Übung kommen. Wären Sie dieser September, wäre ich vielleicht etwas nervös, weil ich so lange nicht gearbeitet habe, aber Sie werden kein Problem darstellen, Lehrer.«

Dies war ohne Zweifel das verrückteste Gespräch, das er je geführt hatte, schoß es Williams durch den Kopf. Gleichzeitig war er sich auf kühle Weise bewußt, daß es auch sein letztes sein mochte.

Doch solange er sprach, starb er nicht. Vielleicht würde zufällig jemand hereinplatzen. Mit Stanhope rechnete er nicht. Das war offensichtlich eine List gewesen.

»Was ist mit den anderen Wissenschaftlern hier? Sie werden sich Sorgen machen, wenn Cheela Hwang und ihre Kollegen nicht zurückkehren.«

»Das ist Antals Problem. Er ist einfallsreich, er wird sich etwas ausdenken.« Marquel kam um den Schreibtisch herum, die Bewegungen beiläufig, selbstsicher.

»Auf dieser Welt sind tödliche Unfälle nicht unbekannt. Der wissenschaftliche Stab hier wird eine vernünftige Erklärung akzeptieren, ein wenig trauern und sich dann wieder an die Arbeit machen.«

»Wenn Sie für Bamaputra arbeiten, müssen Sie eine ungefähre Vorstellung davon haben, worum es geht. Ich nehme nicht an, daß es etwas nützen würde, wenn ich an Ihre Moral appelliere, vorausgesetzt Sie haben eine.«

»Oh, aber die Qwarm sind sehr moralisch, mein wißbegieriger Freund! Wie alles im Leben ist Moral jedoch biegsam.«

»Nicht, wo ich herkomme. Also ist es Ihnen egal, daß Zehntausende von Tran sterben werden, wenn Bamaputras Plan Wirklichkeit wird.«

Marquel zuckte die Achseln. »Tod ist mein Geschäft. Zahlen schrecken mich nicht. Ganz unter uns: Mir gefällt die Vorstellung nicht, nein. Aber da ich selbst Mörder bin, bin ich kaum in der Position, die Motive anderer für die Morde, die sie vielleicht begehen, in Frage zu stellen. Im Fall der Tran, die den rapiden Klimawechsel nicht überleben, werden diese ihren Tod nie mit einem bestimmten Mörder in Verbindung bringen. Es wird keinen Kontakt von Angesicht zu Angesicht geben, keine persönliche Übernahme der Verantwortung. Es wird ihnen als Akt der Natur erscheinen, und das ist eine Schande. Man sollte wissen, wer für das eigene Ableben verantwortlich ist. Hier wird die Tat keine Intimität haben. Als Professioneller finde ich das traurig.

Bei Ihnen und mir wird das ganz anders sein. Sie werden wissen, wie Sie sterben werden und von wessen Händen. Sie gehen ins Grab, ohne daß Sie sich auch noch nach der Ursache dafür fragen müssen. Meinen Sie nicht, daß es so am besten ist? Viel besser, als in irgendeiner anonymen Klinik dahinzuschwinden wie ein Lied, oder auf dem Nachhauseweg von einem Herzanfall niedergestreckt zu werden. Ein Mord von Angesicht zu Angesicht ist ein positiver Tatbestand. Wir gehen alle von genügend anderen, unbeantworteten und unbeantwortbaren Fragen belastet in den Tod.«

»Wie werden Sie es tun?« Williams drückte sich weiter an der Wand entlang. Zumindest wollte er kein unbewegtes Ziel sein.

»Es gibt viele Methoden. Ich bin gern so einfallsreich wie möglich. Doch Ihr unerwartetes Auftauchen schließt das aus. Außerdem ist dies eine sehr direkte Situation. Es gibt keinen Grund, sie komplexer zu machen als nötig. Für mich wäre es natürlich das beste, es wie einen Unfall aussehen zu lassen, für den Fall, daß ich Schwierigkeiten haben sollte, Ihren Körper aus der Verwaltung zum Verbrennungsofen zu schmuggeln.«

Seine Hand tauchte in eine schmale Beintasche des engen Anzugs. Als sie wieder auftauchte, sah Williams das winzige Klappstilett, das zwischen den geschlossenen Fingern hervorragte. Wie Marquels Gewand waren Klinge und Griff obsidianschwarz.

»Das wird nicht gerade nach einem Unfall aussehen.«

Marquel nickte zustimmend. »Ich bemerke mit Freude, daß Sie es im rechten Geist aufnehmen. So viele können das nicht. Sie brechen zusammen, heulen, jammern und bitten, obwohl sie wissen, daß das nur Zeitverschwendung ist. Es ist eine angenehme Abwechslung, jemanden zu töten, der das Unabwendliche wie ein Erwachsener hinzunehmen weiß.« Er hielt das Stilett gegen das Licht und bewunderte es.

»Sie haben recht. Das würde nicht sehr nach einem Unfall aussehen. Aber dafür ist es Tradition. So gern ich es auch benutzen möchte, wird es für uns beide einfacher sein, wenn Sie einfach das hier schlucken.« Er hielt Williams eine Kapsel hin. Sie war zur Abwechslung hellblau anstatt schwarz oder rot.

»Warum sollte ich es für Sie einfacher machen?«

»Weil die hier in weniger als einer Minute lautlos und ohne Blut tötet. Es wird genauso sein, als ob Sie einschlafen. Kein Schmerz. Wirksam. Wenn Sie sie nicht nehmen, werde ich Sie verletzen müssen. Das wird langsamer sein, schmutziger und für Sie weit unangenehmer. Das Ergebnis wird dasselbe sein. Dieses Büro ist zwar schallgedämmt, aber ich werde vorsichtshalber als erstes ihre Stimmbänder durchtrennen müssen. Manche Leute können beim Sterben sehr laut werden.«

Er bewegte sich jetzt gezielt auf den Lehrer zu, mehr gleitend als gehend. »Widerstand ist zwecklos. Ich bin weit kräftiger als ich aussehe, viel kräftiger als Sie und erheblich schneller. Töten ist mein Beruf. Wissen Sie, ich habe noch nie einen Lehrer getötet. Ich bin nicht sicher, daß irgendein Qwarm je die Gelegenheit hatte, einen Lehrer zu töten. Es gibt da keine große Nachfrage.«

»Sind Sie sicher, daß nichts, was ich sage, Sie umstimmen könnte? Nicht so sehr um meinetwillen, sondern wegen all der anderen, deren Leben hier auf dem Spiel steht.«

»Nobel. Das gefällt mir. Man sieht heutzutage nicht viel davon. Nein, ich fürchte, es gibt da nichts. Kontrakt ist Kontrakt. Gleichgültig, welche persönlichen Gefühle ich hegen mag — es gibt Gildenregeln, denen ich zu gehorchen habe.«

»Seltsamerweise begreife ich Ihre Lage.« Milliken seufzte. »Nun ja, ich bin dort draußen während der vergangenen Monate ein halbes Dutzend Mal fast getötet worden.« Er streckte eine Hand aus. »Geben Sie mir die Pille. Ich mag keinen Schmerz. Sie sind sicher, daß es nicht schmerzt?«

»Überhaupt nicht.« Marquel reichte ihm die blaue Kapsel. »Tatsächlich beneide ich Sie fast. Das ist Trofanin, ein hochpotentes Narkotikum. Sie werden das großartigste High Ihres Lebens erleben, auch wenn es nicht lange dauert. Sie werden nicht nur keine Schmerzen haben, sondern von Freude überwältigt werden. Sie sehen, wir sind ganz geschäftsmäßig, überhaupt nicht grausam — falls nicht jemand dafür bezahlt, natürlich. Wir unternehmen jede Anstrengung, um ...«

Verblüffung breitete sich über Marquels Gesicht. Das schwarze Stilett kam hoch und stieß zu. Williams duckte sich und rollte sich ab, die Klinge stieß in ein Bücherregal und die dahinterliegende Wand. Als er sich wieder aufrichtete, drehte der Qwarm sich um und wankte steifbeinig auf ihn zu.

Das Büro der Kommissarin war an einer Wand mit Werkzeugen und Kunsthandwerk der Tran dekoriert. Sehr hübsch, sehr völkerkundlich. Darunter war eine Dornschleuder, eine winzige, unscheinbare Vorrichtung aus Knochen und Horn. Mit Hilfe einer kleinen Feder aus fischbeinähnlichem Material konnte sie einen fünfzehn Zentimeter langen Dorn katapultieren. Williams hatte sie, während er im Plauderton mit Marquel sprach, die ganze Zeit mit seinem Körper abgeschirmt und geladen.

Der Winkel war schlecht, aber er wußte, daß er nicht die Zeit haben würde, die Dornschleuder vom Haken zu nehmen und mit ihr zu zielen. Als er den Kopf zurückgelegt und die Kapsel gehoben hatte, als wollte er sie schlucken, hatte Marquels Aufmerksamkeit sich auf Millikens rechte Hand konzentriert. Genau vor dem Schlukken hatte Williams sich nach rechts gedreht, die Schleuder hervorgeholt und mit der Linken den kleinen Abzug betätigt.

Marquel war auf Armeslänge entfernt gewesen. Die nadelscharfe Spitze des Knochens, aus dem der lange Dorn geschnitzt war, hatte den schwarzen Anzug durchschlagen und sich zwischen Nabel und Leiste in den Körper gebohrt. Die Verletzung war nicht tödlich, aber der Schock war mehr als ausreichend, um den Meuchler wanken zu lassen. Trotz des unerwarteten Schmerzes hatte er schnell reagiert und mit dem Messer zugestoßen. Der Schmerz hatte seine Reaktionen jedoch soweit verlangsamt, daß Williams sich abducken konnte.

»Lehrer.« Der Qwarm kam auf ihn zu, Blut tropfte aus der Wunde auf den Boden. Williams ging weiter rückwärts und versuchte dabei, soviel Mobiliar wie nur möglich zwischen sich und den verletzten Qwarm zu bringen.

Ja, er war nur ein Lehrer — ein Lehrer, der nahezu zwei Jahre damit verbracht hatte, unter manchmal feindseligen Eingeborenen zu überleben, auf einer öden, unbewohnbaren und tödlichen Welt namens Tran-ky-ky. Zwei Jahre des Kampfes gegen lebensbedrohende Elemente und räuberische Fauna. Zwei Jahre auf einem Gelegenheitskriegsschiff namens *Slanderscree*. Zwei Jahre im Kampf gegen Barbaren, doppelzüngige Menschen und ihre Freunde. Ja, er war ein Lehrer — zäh und hart geworden in dem Klassenzimmer namens Realität. Seine Erfahrungen hatten ihn stärker, schneller und — wie die Tran — verschlagen gemacht.

Trotz des langen Stachels, der aus seinen Eingeweiden ragte, stapfte Marquel weiter auf ihn zu, das Stilett immer noch mit der rechten Hand umklammernd. Durch die Lage des Dorns hatte der Qwarm fast keine Kontrolle über seine Beinmuskulatur; reine Willenskraft trieb ihn weiter.

Das dauerte einige Minuten, bis Marquel klar wurde, daß Williams ihn einmal rund durch den Raum manövriert hatte, so daß der Lehrer sich wieder vor der Wand mit den Tranerzeugnissen befand.

Das Schwert, das er aus seiner Halterung entfernte, war aus Stavanzerknochen. Er hielt es mit beiden Händen und wartete. Keine Verfolgung um den Schreibtisch mehr. »Komm, komm her!« Er versuchte die Waffe zu wiegen, wie er es bei Hunnar Rotbart und anderen gesehen hatte. Hunnar führte es mit einem Arm, aber für Williams war es dafür zu schwer.

Marquels Gesicht war zu einer schmerzvollen Grimasse verzerrt. »Macht es interessant. Viel besser.« Seine Aussprache wurde undeutlich, wie Williams bemerkte. »Besser.«

Der Qwarm sprang.

Williams wich mit einem Schritt zur Seite aus und hieb mit dem Schwert nach unten. Obwohl durch den Schmerz in seinen Eingeweiden langsamer geworden, war Marquel immer noch schnell genug, um seine Linke vorschnellen zu lassen, die Handgelenke des Lehrers zu umklammern und so beide Hände an den Schwertgriff zu pressen. Der Aufprall fuhr schmerzhaft Williams' Unterarme hinauf. Es war, als hätte ihn eine Eisenstange getroffen. Die Kraft in den Fingern des kleinen Mannes war unglaublich.

Seine rechte Hand kam hoch, über die flache Seite des Stiletts fuhr Licht. Dieses Mal, schien es Williams, war das Lächeln seines Angreifers echt. Seine Augen glitzerten durch die Sichtöffnungen der Maske.

»Sehr gut, Lehrer, sehr gut. Viel mehr, als ich erwarten durfte.«

Williams versuchte, seine Hände zu entwinden, aber der Griff des Qwarm war stählern. Gleichzeitig brachte Milliken sein rechtes Knie hoch und rammte es in den Unterbauch des Mörders, genau unter die Stelle, wo der Dorn immer noch herausragte.

Ein Beben lief durch den verwundeten Meuchler. Irgendwie gelang es ihm trotzdem noch, mit dem Dolch zuzustoßen. Er schnitt durch Williams' Überlebensanzug, die unglaublich scharfe Klinge drang in seine rechte Schulter. Marquel versuchte, sie in Millikens Brust herunterzuziehen, bis er die Waffe mit seinem Gewicht in das Herz des Opfers treiben konnte, doch der Blutverlust und der anhaltende Schmerz überwältigten ihn schließlich.

Williams' Handgelenke immer noch mit einem Todesgriff umklammernd, brach der Qwarm in die Knie und fiel dann, sein Opfer mit sich ziehend, auf den Rücken. Seine rechte Hand fiel kraftlos auf den Boden. Das Stilett blieb in Williams' Schulter stecken. Der Mörder blinzelte; nicht wegen Williams, sondern wegen der Lampen an der Decke.

»Verdammt.«

Mit Hilfe seines Fußes gelang es Milliken schließlich, seine Hände vom Schwert und aus dem Griff des Qwarm zu lösen. Er stand auf und stolperte zurück. Die Zähne zusammenbeißend schloß er die Finger um den Griff des Stiletts und riß es mit einem Ruck heraus. Schmerz zuckte durch seinen Körper. Er strauchelte, fiel aber nicht.

Unter dem toten Mann bildete sich eine stetig größer werdende Pfütze aus Blut. Er starrte weiter zur Decke, sein Gesicht zeigte eher Staunen und Überraschung als Schmerz.

Williams stolperte zum Schreibtisch. In einem Schubfach fand er ein hochklappbares Pult mit mehreren Schalterreihen. Welcher öffnete die verriegelte Tür, welcher alarmierte den Wachdienst?

Er suchte noch, als die Türflügel sich unerwarteterweise teilten, um die elegant gekleidete Planetarische Kommissarin einzulassen. Sie sah ihn einen Moment lang verständnislos an, bevor ihr Blick auf den Leichnam in der Mitte des Raums fiel. Ihr Gesicht versteinerte sich, und sie wich einen Schritt zurück.

»Was, zum Teufel, ist hier los? Wer sind — halt, ich erinnere mich an Sie. Sie sind einer von diesen dreien, die ...«

»Williams. Milliken Williams.« Er verzog das Gesicht und umklammerte seine pochende Schulter. Hätte Marquel ihn ernster genommen, das Stilett, daran hegte er nicht den geringsten Zweifel, wäre vergiftet gewesen. »Dürfte ich Sie bitten, einen Arzt zu rufen?« Er wies auf das Schaltpult. »Ich weiß nicht, welcher von denen wozu dient.«

Sie kam zu ihm herüber. Ihre Finger flogen über eine Reihe von Schaltern. Williams war sich trübe eines irgendwo ausgelösten Alarms bewußt. Nicht imstande, noch länger zu stehen, ließ er sich auf ihrem Sessel nieder.

»Ein Qwarm. Ich habe über sie gelesen, aber nie erwartet, tatsächlich je einen zu sehen. So bedeutend bin ich nicht«, sagte sie.

»Was glauben Sie, wie ich mich fühle?«

»Warten Sie!« Sie aktivierte eine andere Schaltung. »Krankenstation? Wo ist dieser Arzt, nach dem ich geläutet habe? Schickt mir *sofort* ein paar Leute herauf! Ich habe einen Mann mit einer Stichwunde hier.« Sie wies auf Marquel. »Er war immer schlecht im Diktatübertragen, aber ich hatte nicht das Herz, ihn zu entlassen. Ist mir nie gewalttätig vorgekommen. Nun, da kann man mal sehen. Ist er tot?«

»Das hoffe ich aufrichtig.«

»Worum geht es denn überhaupt?«

»Am Rand des Südkontinents arbeitet eine große, illegale, von Menschen errichtete Anlage. Die Betreiber nahmen uns gefangen; wir flohen. Ethan, Skua und die anderen gingen zurück, um denen zu helfen, die nicht weg konnten. Ich kam hierher, um Ihnen zu berichten … zu berichten …« Plötzlich wurde ihm das Sprechen schwer.

Sie beugte sich über das Interkom. »Wo bleibt dieser Mediziner, verdammt?«

Ein Knacken, dann antwortete eine Stimme. »Hier ist die Krankenstation. Welcher Mediziner, Miss Stanhope?«

»Der, den ich gerade — einen Augenblick, wer spricht?«

»Marianne Sanchez, Kommissarin. Haben Sie einen Arzt gerufen?«

»Ja, verdammt, das habe ich. Wer hat den Anruf entgegengenommen? Wer war vor einem Augenblick in der Station?«

»Keiner der Mediziner. Josef, glaube ich. Josef Nilachek. Er gehört zur Verwaltung. Einer von Ihren Leuten.«

»Einer von …« Sie sah Williams an.

Der Lehrer hatte eine tiefe Abneigung gegen das Fluchen. Er ignorierte sie. »Scheiße. Marquel war also nicht allein.«

Das Shuttle war entladen und zur Wartung in den Hangar gebracht worden. Nilachek drückte sich im Schatten herum, bis das letzte Mitglied der Besatzung das Schiff verlassen hatte. Er wußte, was er zu tun hatte.

Marquel hätte die Klarmeldung senden und einen Körpersack für sein Opfer anfordern müssen. Daß sich statt dessen die Kommissarin gemeldet hatte, ließ an viele Möglichkeiten denken, keine davon war gut. Es war eigentlich unmöglich, daß der Qwarm versagt hatte, aber andererseits schien in der letzten Zeit alles schiefzugehen. Irgendwie würde er sich entweder mit der Gesellschaft oder mit Bamaputra in Verbindung setzen müssen.

Aber vorher mußte er sicherstellen, daß die Enthüllungen des Lehrers auf Tran-ky-ky blieben. Das bedeutete sowohl den Subraumstrahl als auch die Normalfunkverbindungen zum Schiff unbrauchbar zu machen. Der Strahl und die angeschlossene Funkanlage des Außenpostens waren unbeweglich, also würde er sich zuerst um den Sender des Shuttles kümmern. Es sollte nicht schwierig sein, und wenn das kleine Päckchen konzentrierten Sprengstoffs im Innern des kleinen Fahrzeugs explodierte, würde das soviel Aufmerksamkeit auf sich lenken, daß er sich ungehindert um die Kommunikationseinrichtungen des Außenpostens kümmern konnte.

Er mußte schnell sein. Erst die Kommunikationseinrichtungen ausschalten und sich dann diesen vorwitzigen Lehrer vornehmen, bevor dieser Einzelheiten seiner Geschichte berichten konnte. Ohne genaue Koordinaten würden die hier in Brass Monkey isolierten Leute die Anlage nie finden.

Niemand sah ihn an Bord huschen. Ein schneller Blick

zeigte, daß das Shuttle leer war. Er eilte durch den Gang zwischen den Sitzreihen. Die Tür zum Frachtraum war unverschlossen. Er trat vorsichtig in die gähnende Leere, bereit, sich mit jedem Stauer zu befassen, der vielleicht noch an Bord herumtrödelte. Es waren keine zu sehen. Das Entladen wurde größtenteils durch Maschinen erledigt, die von draußen gesteuert wurden.

Er brachte gerade den Sprengstoff an, als eine Stimme fragte: »Was machen Sie da?«

Seine Hand bewegte sich zu seinem Strahler im Schulterholster, er entspannte sich, als er sah, wer gesprochen hatte. Eine Frau, eine von den Passagieren, nach ihrer Kleidung zu urteilen.

»Ich könnte Ihnen die gleiche Frage stellen.« Er vergewisserte sich, daß das Päckchen durch seinen Körper verdeckt war. »Ich gehöre zum Personal. Eine kleine Reparatur.« Er wies auf den Durchgang zum Passagierabteil. »Sie sollten nicht hier sein.«

»Irgendwelche Schwachköpfe haben Teile von meinem Gepäck verloren. Ich dachte, ich seh mal selbst nach. Wie, zum Teufel, verliert man Gepäck im Weltraum?«

»Ich weiß nicht, aber Sie müssen jedenfalls gehen. Es ist gegen die Vorschriften.« Nilachek wurde nervös. Jeden Moment konnte einer der Wartungstechniker auftauchen. Er ging auf die Frau zu. »Wenn Sie einfach mit mir kommen wollen, ich bin sicher, wir können Ihr fehlendes Gepäck finden. Vielleicht hat es auch schon irgend jemand gefunden.« Er nahm sie am Arm und drehte sie zur Tür.

Sie schüttelte ihn verärgert ab. »Diese Trottel könnten mit beiden Händen nicht mal ihren Hintern finden. Warum, glauben Sie, bin ich selbst nachsehen gekommen?« Sie drehte sich wieder dem Frachtraum zu und runzelte die Stirn. »Was ist das da drüben?«

»Was ist was?« Wieder schob er seine Hand auf den versteckten Strahler zu.

»Das Päckchen dort drüben, zwischen den zwei Rohrleitungen.«

»Das deckt nur ein kleines Leck ab. Soll ich Ihnen erklären, wie es funktioniert? Ich zeige es Ihnen gern.«

»Ja, das kann ich mir vorstellen. Besonders, warum eine Abdichtung eine Schaltuhr braucht.«

Er wollte den Strahler ziehen. Mit unerwarteter
Schnelligkeit rammte die Frau ihre linke Handkante gegen seinen Ellbogen, zog gleichzeitig ihr rechtes Bein in
einem weiten Bogen herum und schlug ihm die Füße unter dem Körper weg. Er landete hart auf dem Metall-
deck, versuchte immer noch, seinen Strahler zu ziehen.
Sie sprang auf ihn, und ihm pfiff die Luft aus der Lunge.
Vor seinen Augen tanzten Sterne, er rang nach Atem.
Alles falsch, das war alles falsch. Er hörte, wie sie mit
voller Kraft nach Hilfe schrie und versuchte verzweifelt,
unter ihr hervorzurutschen, aber sie wog mehr als er.
Ganz erheblich mehr.

Williams saß geduldig da, während ihm der Arzt einen
gerinnungsfördernden, epidermalen Film auf die Schulter sprühte und dann ein rechteckiges Stück schnellhaf-
tender Kunsthaut über die Wunde legte. In der Nähe
sprach Millicent Stanhope mit ihren Sicherheitsleuten,
während der Leichnam ihres ehemaligen Sekretärs zum
Abtransport auf eine Bahre gelegt wurde. Als Marquel
das Büro zum letzten Mal verlassen hatte, wandte sie
sich dem Besucher zu, der auf ihrem Sessel saß.

»Wie haben Sie das gemacht?« Sie wies zur offenen
Tür. »Mit ihm fertig zu werden, meine ich. Das sind Pro-
fessionelle. Was sind Sie?«

»Lehrer, wie ich Ihnen sagte. Ich war nie etwas anderes als Lehrer. Aber ein guter Lehrer ist immer auch ein
guter Schüler. Man lernt eine Menge dort draußen.« Er
wies mit dem Kopf auf die gefrorene Landschaft jenseits
der Fenster.

»Ihre Sammlung, oder vielleicht sollte ich sagen, Jobius Trells alte Sammlung, hat mich gerettet. Marquel wußte vielleicht alles über zeitgenössische Waffen, aber er wußte nichts über Tran-ky-ky. Mir war klar, daß er mich nicht in die Nähe von irgend etwas Offensichtlichem wie einem Schwert oder einer Axt kommen lassen würde. Aber die Dornschleuder dort ist klein und sieht mehr nach einem Werkzeug als einer Waffe aus. Wäre er *kein* professioneller Killer gewesen, hätte ich es nicht geschafft, glaube ich. Ein Nichtprofessioneller wäre dafür nicht entspannt und selbstsicher genug gewesen.«

Stanhope nickte nachdenklich. An ihrem Schreibtisch ertönte ein Summer. Die Frau, die im Empfangsbereich vorübergehend den Sekretär ersetzte, meldete sich, sie klang leicht erschüttert.

»Es möchte Sie jemand sprechen, Kommissarin. Sie ist sehr hartnäckig. Sie — he, das können Sie nicht.«

Die Tür hatte sich gerade hinter dem Untersuchungsbeamten geschlossen. Jetzt glitten die Flügel wieder auf und ließen zwei junge Männer herein. Sie trugen Seitenwaffen, und ihre Augen durchsuchten sofort jeden Zentimeter des Büros. Einer von ihnen schleifte einen kleineren Mann mit, dessen rechter Arm bandagiert und dessen Gesicht unter Blutergüssen angeschwollen war.

Eine große, außergewöhnlich gut gekleidete Frau schlenderte herein und blieb zwischen ihren Leibwächtern stehen. Sie wies mit einem verächtlichen Wink aus dem Handgelenk auf den übel zugerichteten Nilachek.

»Soviel ich weiß, gehört der zu Ihnen.« Sie sah die Kommissarin durchdringend an.

Milliken Williams richtete sich abrupt auf und staunte die Frau an, hinter der die Tür zuglitt. Im gleichen Augenblick bemerkte sie ihn, und ein ironisches Grinsen breitete sich über ihre Züge.

»Hallo, Milliken. Lange nicht gesehen. Was unterrichtest du denn dieses Jahr?«

14

DER OBERHERR VON GANZ TRAN-KY-KY blickte über die Brustwehr seiner Burg und war nicht erfreut. Er hatte den Rat seiner menschlichen Verbündeten befolgt und darauf gewartet, daß die von dem großen Schiff angekrochen kamen, um ihn um Nahrung und Schutz zu bitten. Viel zu viele Wochen waren verstrichen, ohne daß auch nur ein Stöhnen vom Schiff gekommen wäre.

Schließlich hatte er beschlossen, nicht länger zu warten, sondern anzugreifen. Während der vergangenen Tage waren seine Streitkräfte wiederholt gegen die Unverschämten vorgegangen, die in seinem Hafen festsaßen. Seine Soldaten hatten vergeblich versucht, den Segler mit Katapulten in Brand zu setzen. Sie waren mit Pfeilen gegen ihn vorgegangen, nur um zu sehen, wie die Verteidiger hinter den festen Holzplanken des Schiffes Schutz suchten. Sie hatten es sogar mit den kleinen magischen Lichtwaffen der Himmelsleute versucht und erfahren müssen, daß mindestens zwei an Bord auch solche Geräte besaßen und in ihrer Anwendung weit geschickter waren.

Als sei das noch nicht ärgerlich und bitter genug, verfügten die unaussprechlichen Tran des Eisschiffes über seltsame, quergelegte Bogen, die kurze, schwere Bolzen verschossen, welche die dickste Hessavarpanzerung glatt durchschlugen.

Jetzt konnte er nur frustriert zusehen, wie eine weitere Attacke abgeschlagen wurde und seine schnell demoralisierten Truppen sich über das Eis zurückzogen. Er wandte sich wutentbrannt den beiden Himmelsleuten zu, die ihm soviel versprochen und bis jetzt so wenig gehalten hatten. Corfu ren-Arhaveg stand schweigsam in der Nähe.

Obwohl hauptsächlich der größere der beiden Himmelsleute das Wort führte, wenn sie zusammenkamen, wußte Massul sehr gut, wer wirklich das Sagen hatte. Er richtete seine Wut auf den kleineren, dunkelhäutigen Menschen, dessen Gesicht hinter dem Visier seines Anzugs deutlich zu erkennen war.

»Wo ist der große Sieg, den Ihr mir versprochen habt? Wann kommt meine Herrschaft über die Welt? Ich habe nicht einmal Gewalt über den Hafen meiner Hauptstadt.«

»Worüber macht Ihr Euch Sorgen?« fragte Bamaputra über seinen Translator. »Die sitzen hier fest. Von den Geflohenen waren anscheinend alle zur Rückkehr gezwungen. Falls nicht, haben wir dafür gesorgt, daß man sich um sie kümmert, sobald sie zu den anderen Himmelsleuten zurückkehren. Es ist aber wahrscheinlicher, daß sie ertrunken sind.« Der verfolgende Skimmer hatte noch gemeldet, das Rettungsboot versinke langsam in offenem Wasser, bevor die Verbindung unerklärlicherweise abgerissen war. Bamaputra bedauerte den offenbaren Verlust des Skimmers genauso wie den der großen Energiewaffe, die dieser trug, doch mit solchen Verlusten mußte man rechnen, wenn man es mit streitsüchtigen Primitiven wie den Tran zu tun hatte. Wichtig war, daß die meisten, wenn nicht sogar alle der Flüchtlinge gezwungen gewesen waren, nach Yingyapin zurückzukehren.

Bei Ausrüstung der Anlage hatte man entschieden, daß diese wohl nicht mehr als eine schwere Energiewaffe benötigen würde. Diese Entscheidung schien im nachhinein kurzsichtig, wenn auch nicht unkorrigierbar.

Das endlose Schwadronieren und Wüten ihres Oberherren wurde langsam ermüdend.

»Wenn ich meine Untertanen befehligen soll, ganz zu schweigen von denen, die noch kommen, muß ich mindestens Gewalt über meinen eigenen Staat beweisen können.« Er wies mit einer heftigen Bewegung dorthin, wo die *Slanderscree* direkt vor der Hafensperre lag. »Warum war es uns nicht möglich, die zu besiegen, die meiner spotten?«

»Weil sie gut organisiert, gut geführt und entschlossen sind; weil sie über einige gestohlene Handstrahler verfügen; und weil ihre Leute bessere Kämpfer sind als Eure.«

Massul wandte sich wütend ab und starrte über die Brustwehr. »Ihr sagtet, Ihr würdet meine Soldaten ausbilden, Ihr würdet sie zu einer unbesiegbaren Streitmacht machen.«

»Solche Dinge brauchen ihre Zeit und mehr als nur bessere Waffen.« Antal wies zum Eisklipper. »Wer immer die Verteidigung des Schiffes unter sich hat, weiß, was er tut. Ich nehme an, dieser Riese hat was damit zu tun. Er gefiel mir von Anfang an nicht. Wir hätten ihn gleich erschießen sollen. Die Wissenschaftler sind kein Problem. Dann ist da noch dieser andere, der nach überhaupt nichts aussieht. Der sich als Handelsreisender vorgestellt hat. Komischer Typ. Durchtrieben. Den mag ich auch nicht. Wie hieß er noch?«

»Fortune«, murmelte Bamaputra. »Ethan Fortune, glaube ich.«

»Ja, der. Aus dem werd ich überhaupt nicht schlau. Gerade wenn man meint, man hätte ihn festgenagelt, sagt er irgendwas Unerwartetes. Hätten ihn auch erschießen sollen.«

»Warum könnt ihr nicht mit euren Himmelsbooten über sie fliegen und auf sie hinunterschießen?«

»Erstens, weil wir nur noch einen Skimmer haben«, erwiderte Antal. »Zweitens, weil ihre Handstrahler dieselbe Reichweite haben wie unsere. Ich riskiere den Skimmer nicht, solange ich mir nicht sicher bin, daß es sich lohnt.«

»Es ist eine Beleidigung meiner fürstlichen Person«, erwiderte Massul zutiefst empört. »Welche Gründe braucht Ihr noch?«

Antal wandte sich zu Bamaputra, schaltete den Translator ab und sagte: »Neunzig Prozent von dem, was dieser Clown sagt, ist dummes Zeug, und die restlichen zehn Prozent sind Eitelkeit.«

»Was mir Sorgen macht«, sagte Bamaputra, »ist, daß einer oder mehrere von denen, die sich auf dem kleinen Boot davongemacht haben, es bis nach Brass Monkey geschafft haben könnten. Ich wünschte, wir hätten Klarheit darüber.«

»Spielt keine Rolle. Sollte jemand durchkommen, werden Marquel und Nilachek sich darum kümmern.«

»Ich teile dein Vertrauen in allerletzte Notbehelfe nicht.«

»Und was willst du also tun?«

»Ich habe mich gefragt, ob wir die Anlage nicht soweit hochfahren können, daß die Erwärmung der Atmosphäre und der Tauprozeß um das Zehn- bis Zwölffache gesteigert werden. Selbst wenn der Außenposten alarmiert ist, könnten wir hier eine Weile durchhalten. Wenn wir genügend Eis schmelzen können, wird der Prozeß selbsterhaltend, da die Sonne das offene Wasser soweit erwärmt, daß das Eis weiter taut.«

Antal leckte sich die Lippen. »Ich würde das nicht probieren. Fährt man die Reaktoren mit einer derartig hohen Rate, läuft man leicht Gefahr, daß die Einschlußfelder zusammenbrechen. Eine derartige Leistungsabgabe war nicht vorgesehen.«

Bamaputra zeigte zur *Slanderscree*. »Das war auch nicht vorgesehen. Wir müssen so handeln, als sei das Schlimmste passiert, bis wir Anderslautendes hören.«

»Du wirst den technischen Stab nie dazu bringen, dabei mitzumachen.«

»Sie haben keine Wahl. Sie können nirgendwohin, und sie sind ebenso tief in die Sache verwickelt wie du und ich. Selbst wenn Leute von dem Rettungsboot nach Brass Monkey gekommen sind, und selbst wenn sie den Aufmerksamkeiten unserer Leute dort entgehen konn-

ten, werden die Behörden Zeit brauchen, um zu reagieren. Sie werden erst versuchen, die Geschichte eines Zi-
vilisten zu bestätigen, dann werden Besprechungen abgehalten und Abstimmungen durchgeführt. Stellung-
nahmen werden eingeholt und Ermächtigungen erteilt
werden müssen.

Während sie trödeln, können wir unsere Verteidigung
verbessern, uns tiefer eingraben und uns mit entsprechender Bewaffnung versorgen.«

Der Werkleiter lachte ihn nicht direkt aus. »Das ist
keine Militäreinrichtung hier, Shiva, und unsere Leute
sind keine Soldaten. Ein Polizeikreuzer könnte uns einfach aus dem Berg pusten, ohne daß wir ihn überhaupt
zu Gesicht bekommen.«

»Ich bin mir dessen bewußt. Aber sie werden zuerst
reden, werden versuchen, Blutvergießen zu vermeiden.
Bis sie dann endlich hierher kommen und wir endlich
aufgeben, könnten wir soweit vorangekommen sein,
daß es für die Behörden einfacher ist, sich mit dem ver-
änderten Klima abzufinden, anstatt zu versuchen, es
wieder rückgängig zu machen. Wir müssen es jedenfalls
versuchen.« Er wandte sich an Massul und erklärte, was
sie tun würden.

Der Oberherr reagierte nicht wie erwartet. »Nein, Ihr
irrt Euch in einem Punkt. Wir haben eine Wahl. Ihr Himmelsleute vielleicht nicht, aber wir Tran. Ich kann gegen
Tran kämpfen, aber nicht gegen Himmelsboote und
Lichtschwerter, nein. Ihr verlangt zuviel.«

»Willst du Oberherr sein oder nicht?« blaffte Bamaputra verärgert.

»Besser ein lebender Landgraf als ein toter Oberherr.
Ich bin bereit, gegen Leute meines Volks zu kämpfen,
aber ich werde nicht gegen Himmelsleute und magische
Waffen antreten. Wir werden uns ergeben.«

»Verzeihung, verstehe ich recht?« fragte Bamaputra
mit falscher Höflichkeit. »Ergeben?«

»Haltet Ihr mich für einen Narren? Wenn diese Himmelsleute« — er zeigte mit seinem kurzen Arm zur *Slan-derscree* — mächtiger sind als Ihr, warum sollte ich mich nicht mit ihnen verbünden? Meint Ihr, daß sie mich nicht akzeptieren werden? Ich glaube, sie werden. Ying-yapin ist heute noch klein, aber aus Dörfern entstehen oft große Städte. Wir können immer noch der Hafen und die Zuflucht für die Enttäuschten, Entwurzelten und Ausgestoßenen sein.« Er schwenkte eine Tatze. »Ich verstoße euch. Tut in eurem Berg, was ihr wollt, aber zukünftig werdet ihr das nicht mehr mit meiner Unterstützung tun.«

Antal baute sich vor ihm auf. »Hör zu, du pelzige Mißgeburt, du hast weder die Fähigkeiten oder das Wissen noch die Möglichkeit, ohne uns irgend etwas zu befehlen! Hast du vergessen, ›Euer Majestät‹, wer dich auf den Scheißthron hier gesetzt hat?«

»Ihr seid nicht die einzigen Himmelsleute, die willens sind, den Tran zu helfen. Ich erkenne das jetzt. Wahrscheinlich seid ihr nicht einmal die besten. Ich glaube euren Geschichten nicht mehr.« Wieder wies er auf den Eisklipper. »Die dort Seite an Seite mit den Himmelsleuten kämpfen, handeln und reagieren nicht wie Ausgebeutete und Betrogene. Ich beginne mich zu fragen, was sie mir über eure Absichten zu sagen versuchten. Ja, ich beginne mich das zu fragen. Ich habe entschieden. Wir werden uns ihnen ergeben. Ich bin hier immer noch der Oberherr.«

»Das ist richtig, du bist es.« Antal trat zurück und gestikulierte knapp. Corfu nickte und flüsterte zwei Soldaten der Ehrenwache etwas zu. Dann packte er mit ihnen Massul fel-Stuovic, und die drei trugen ihn zum Rand der Brustwehr.

»Laßt mich runter! Laßt mich augenblicklich runter!« Der Wind verfing sich in den Dan des kleinen Tran und blähte sie flatternd auf. »Ich bin der Oberherr. Ich bin der Oberherr von ganz Tran-ky-ky, Landgraf von Ying-yapin! Ich befehle euch …«

Im nächsten Augenblick trat Antal vor und spähte über den Rand der Brustwehr. Unten hatten sich ein paar neugierige Tran um den roten Fleck auf dem Eis versammelt. Sie legten die Köpfe zurück und blickten herauf. Dann wandten sie sich ab und chivanierten in verschiedenen Richtungen davon.

Der Werkleiter trat zurück. »Soviel zu diesem Problem.«

»Ich wünschte, alle unsere Probleme wären so einfach zu lösen.« Bamaputra wandte sich an den Händler. »Corfu ren-Arhaveg, ich ernenne dich hiermit zum Landgrafen von Yingyapin und Oberherren von ganz Tran-ky-ky. Laß es dir nicht zu Kopf steigen.«

»Zu Euren Diensten, Ihr Herren.« Corfu vollführte leicht ironisch die seltsame seitliche Verbeugung der Tran. »Es könnte einigen Widerstand unter den Mitgliedern von Massuls Hof geben.«

»Wir werden uns darum kümmern«, versicherte Bamaputra ihm. »Du begreifst, was wir tun werden? Wir werden versuchen, die Erwärmung zu beschleunigen.«

»Ich verstehe. Ich halte es für das Beste. Warum warten, bis man alt und krumm ist, um den Erfolg zu genießen?«

»Ja, warum warten?« murmelte Bamaputra.

Antal legte Corfu eine Hand auf die Schulter. »Versuche weiter, das Schiff zu nehmen. Riskiere nicht zu viele von deinen Leuten. Wir wollen sie dort draußen beschäftigen, damit sie keine Chance haben, sich hinauszuschleichen. Letzten Endes wird ihnen die Nahrung ausgehen, und sie werden aufgeben. Währenddessen müssen wir zurück an unsere Arbeit. Wir lassen dir ein Funkgerät hier, einen von den ›Windsprechern‹, damit du dich mit uns in Verbindung setzen kannst, falls etwas Unerwartetes passiert.«

Corfu richtete sich auf. »Freund Antal, mache dir keine Sorgen. Ihr könnt Euch auf mich verlassen.«

»Ja, ich weiß. Deshalb haben wir dich zum Oberherren gemacht. Hätten das schon vor Monaten tun sollen, anstatt uns mit diesem verrückten kleinen Bastard abzugeben.« Er wandte sich zum Gehen.

»Einen Augenblick.« Bamaputra sprach mit weicher Stimme.

Antal runzelte die Stirn und drehte sich zu seinem Boss um. »Stimmt was nicht?«

»Ganz und gar nicht sogar. Hört hin!«

Das taten sie, bis Corfu schließlich fragte: »Der Wind?«

»Nein. Nein, nicht der Wind.« Bamaputras Lippen waren verspannt, sein Gesicht erstarrt. »Nicht der dreimal verfluchte Wind.«

»Wie lange können wir noch durchhalten?« Cheela Hwang lehnte sich über die Reling und sah zur entfernten Stadt hinüber. Ethan stand neben ihr.

»Eine Woche«, antwortete er. »Hunnar meint, vielleicht zwei oder drei.«

»Und was dann?«

»Dann werden wir versuchen, mit unseren ›Freunden‹ irgendeinen Handel abzuschließen.« Er wies mit dem Kopf zur Hafenfront.

»Mit solchen Leuten kann man nicht handeln.«

»Man kann sich auch nicht zu Tode hungern. Außerdem gehen uns langsam die Armbrustbolzen und Strahlerladungen aus.«

Sie seufzte, drehte sich zu ihm und musterte ihn eindringlich. »Dann ist Milliken nicht durchgekommen.«

»Das wissen wir nicht. Noch nicht. Milliken ist sehr findig und klug. Man bemerkt es nur nicht gleich. Es gibt immer noch eine Chance.«

»Ja, er ist fähig und auf stille Weise tüchtig.«

Jetzt war es an Ethan, sie nachdenklich zu mustern. »Du magst unseren Freund Milliken irgendwie, nicht wahr?«

Sie sah an ihm vorbei zu der Barriere, die der *Slanderscree* den Weg versperrte. »Irgendwie.«

Er wandte sich ab, damit sie sein Lächeln nicht sah. Und dann runzelte er die Stirn. »Hörst du was, Cheela?«

Sie sah über den Bug. »Etwas hören? Nur den Wind.«

»Nein, etwas anderes als nur der Wind. Hochtönender.«

Andere hörten es gut. Die Soldaten und Matrosen, die keine Verteidigungspositionen besetzten, eilten zum Bug. Ethan und Cheela folgten, das komplette menschliche Kontingent des Eisklippers im Schlepptau.

»Skimmer!« schrie Ethan schließlich, als er sich sicher war. »Es muß ein Skimmer sein!«

»Deine Aufregung ist verfrüht, Jungchen.« September stand hinter ihm. Heftig atmend, versuchte er angestrengt, über das Hafentor hinauszuspähen. »Ein Skimmer ist es ohne Frage, aber wessen?« Er stützte sich mit beiläufiger Eleganz, die Beine überkreuzt, auf die gewaltige Schlachtaxt, die ein Geschenk des Landgrafen von Wannome war.

»Könnten die bösen Himmelsleute von irgendwoher ein weiteres Himmelsboot zu Hilfe gerufen haben?« fragte Hunnar besorgt.

»Das ist möglich.« Schon verlor Ethan etwas von dem anfänglichen Enthusiasmus, den der herankommende Skimmer hervorgerufen hatte. »Falls das der Fall ist, gibt es nicht viel, was wir tun könnten. Es könnte sein, daß sie in regelmäßigen Abständen von Skimmern versorgt werden. Wesentlich ist: Wie ist er bewaffnet? Ich kann mir nicht vorstellen, daß sie eine zweite Kanone haben. Für zwei schwere Waffen gibt es hier keinen Bedarf. Vielleicht hatten sie einen weiteren Skimmer für Vermessungen draußen und haben ihn jetzt zurückgerufen, als der andere, der uns verfolgte, nicht wieder auftauchte. Was meinst du, Skua?«

»Ich weiß nicht, was ich meinen soll, Jungchen. Hätte unser Freund Antal Zugriff auf weitere schwere Artillerie, wäre uns das schon lange vorgeführt worden. So kann ich mir nicht erklären, warum dieser da plötzlich auftaucht.« Er sah zurück zur Stadt. »Wäre dies ein Angriff, würden sie uns von beiden Seiten in die Zange nehmen.«

»Aus denselben Gründen kann er auch nicht aus Brass Monkey sein«, erklärte Cheela Hwang. »Es gibt keine Skimmer dort, nur Eisgleiter. Die Anwesenheit von Skimmern wäre gegen die ...«

»Wissen wir, wissen wir«, unterbrach Ethan sie ungeduldig. »Es ist gegen die Bestimmungen, hochtechnische Transportmittel in unterentwickelten Welten zu benutzen. Ein zu großer Schock für die Eingeborenen. Diese Bestimmung hängt mir langsam zum Hals raus.«

Das Summen wurde beständig lauter. »Ich glaube nicht, daß es der ist, auf den wir zuerst stießen, der später mit dem zweiten und der Kanone im Schlepptau zurückkam«, erklärte September zögernd. »Klingt viel größer, eher wie ein Lastentransporter.« Sein gewelltes weißes Haar flatterte im Wind wie ein Heiligenschein um seinen mächtigen Schädel, als er in die Ferne starrte. Dann streckte er einen Arm von der Größe einer Vormastspiere aus.

»Da kommt er!«

»Kannst du erkennen, wer an Bord ist?«

September konnte es nicht, dafür aber die Tran. »Viele eurer Art«, informierte Hunnar sie. »Es ist wirklich ein größeres Himmelsboot als das, das versuchte, unser Rettungsboot zu vernichten.«

»Kanonen, Waffen«, dröhnte September besorgt. »Was siehst du?«

»Ich sehe keine so großen Waffen, keinen Blitzwerfer.« Hunnar beugte sich über die Reling. »Ich sehe ... — beim Bart meines Großvaters!«

»Was, was ist?« drängte ihn Ethan.

»Es ist der Gelehrte!«

»Der Gelehrte?«

»Williams, er sieht Williams«, frohlockte September. »*Unseren* Gelehrten.«

»So ist es. Der Respektierte ist mit Hilfe zurückgekehrt.«

»Aber das ist unmöglich.« Hwang mußte sich auf die
Zehenspitzen stellen, um an ihnen vorbeizusehen. Sie
konnte einzelne Gestalten erkennen, die sich auf dem
Deck des mächtigen Luftkissenfahrzeugs bewegten,
aber keine Gesichter. »In Brass Monkey sind doch keine
Skimmer stationiert.«

»Und wenn der alte Bücherwurm ihn aus seinem Stie-
fel hervorgezaubert hat, soll's mir auch recht sein!« September tanzte und wirbelte wie ein Verrückter über das
Deck, Menschen wie Tran spritzten auseinander, um
sich in Sicherheit zu bringen. »Der Lehrer ist zurückgekommen, und jetzt werden Lektionen erteilt!«

»Ich verstehe das nicht.« Es gelang Ethan, in seiner
Reaktion auf Williams' Rückkehr etwas zurückhaltender
zu sein. »Woher hat er den Skimmer?«

»Das werden wir sehr bald wissen«, sagte Hunnar,
»denn das Himmelsboot kommt direkt auf uns zu.«

September hatte sich nicht geirrt: es war ein schweres
Industriefahrzeug, gut ein Drittel so groß wie die *Slanderscree*. Die in Überlebensanzügen seine Reling säu-
menden Gestalten trugen Waffen, die in der Sonne auf-
blitzten. Keine Laserkanone, aber Lasergewehre, mit
größerer Reichweite und Energie als der modernste
Handstrahler, und mit Sicherheit tödlicher als alles in
Bamaputras eingeschränktem Waffenarsenal.

Der Skimmer setzte mühelos über das Hafentor und
hielt neben dem Eisklipper. Williams mußte dessen Lenker angewiesen haben, wo er genau in der Luft stehen-
bleiben sollte.

Dann schritt der zartgebaute Lehrer vorsichtig über
die Rampe, die die Matrosen der *Slanderscree* zum Himmelsboot hinübergeschoben hatten.

Er hatte die schwierige Hin- und Rückreise in guter
Verfassung überlebt, nur um von den überschwengli-
chen Begrüßungen und Gratulationen beinahe erdrückt

zu werden. Cheela Hwang brachte es ganz allein fertig, ihn fast zu ersticken.

»Aus dem werden wir erstmal nichts herausbekommen.« September taxierte grinsend die ausgedehnte Umklammerung. »Kommt, gehen wir rüber und lassen uns erzählen, wo er diese Leutchen getroffen hat.«

Ethan folgte seinem Freund. »Vielleicht bekommt jeder Außenposten nach einer gewissen Zeit sein eigenes militärisches Kontingent. Vielleicht sind sie während unserer Abwesenheit eingetroffen, genau rechtzeitig, um Millikens Bitte um ihre Dienste nachkommen zu können. Sie könnten mit dem letzten Versorgungsschiff gekommen sein.«

»Vielleicht.« September hüpfte von der Rampe auf das Deck des Skimmers. Ethan folgte ihm.

Männer und Frauen unterschiedlichen Alters musterten sie gelassen. Viele plauderten miteinander und ignorierten die Neuankömmlinge. Alle wirkten tüchtig und professionell. Das war keine Freiwilligentruppe, die Williams in Brass Monkey rekrutiert hatte. Diese Leute waren im Umgang mit Waffen vertraut.

Ethan hielt weiter an seiner Theorie fest, dem Außenposten sei aus irgendeinem Grund ein kleines Militärkontingent zugewiesen worden, bis jemand unter Deck hervorkam. Das Gesicht konnte er anfänglich nicht erkennen, da ihn von einem Fenster reflektiertes Licht blendete, die Stimme aber sofort. Einen Augenblick später sah sie ihn.

»Hallo Ethan. Gut, dich wiederzusehen. Ich war mir nicht sicher, daß ich diese Worte je sagen würde.«

»Na, das schlägt doch dem Faß den Boden aus«, grunzte September.

Das war beredter als alles, was Ethan zu sagen hatte. Er war sprachlos.

Sie zog eine niedliche Schnute. »Kannst du nicht den Mund aufmachen? Ich lasse alles stehen und liegen und komme zurück zu diesem Eisball, gerade noch rechtzeitig, um deinen eingefrorenen Hals zu retten, und bekomme nicht mal einen Begrüßungskuß?«

Eine kräftige Hand schob Ethan energisch auf sie zu. Er warf September einen bösen Blick zu. Der grinste nur. »Du hast die Lady gehört, Jungchen, küß sie endlich!«

Ethan berührte die Lippen der Frau, die aus dem Innern des Skimmers aufgetaucht war, behutsam mit seinen. Sie fuhr stirnrunzelnd zurück.

»Wenn das das beste ist, was du zustande bringst, nehme ich meine Leute und kehre schnurstracks nach Brass Monkey zurück! Dann kannst du hier draußen rumsitzen und mit Eiswürfeln spielen, bis deine Finger blau werden.«

»Tut mir leid, Colette. Ich stehe immer noch ein wenig unter Schock.« Er legte beide Arme um soviel von ihr, wie er konnte, und knutschte sie gut und kräftig. Sie antwortete mit Leidenschaft, während die Soldaten auf dem Skimmer interessiert zusahen.

September war zu einem hochgewachsenen, hageren Burschen hinübergeschlendert, der aussah, als sei er der Verantwortliche. »Ethan und Miss du Kane kennen sich von früher.«

»Ach was?« Der Soldat besah sich beiläufig die fortdauernde Umklammerung. »Ich hatte mich schon gefragt, was uns an einen Ort wie diesen führt. Miss du Kane sagte, sie hätte hier noch eine unerledigte Angelegenheit. Es sind immer unerledigte Angelegenheiten, aber niemand von uns ahnte, daß sie so etwas meinte.« Er sah zu September hoch, »Sie kennen sie also auch?«

»Haben Sie von der Zeit gehört, als sie und ihr alter Herr entführt wurden?«

»Oh. Dann müssen Sie Skua September sein. Alle haben davon gehört. Irgendeine Produktionsgesellschaft wollte eine Drei-D-Serie daraus machen, aber die Chefin wollte nicht, und sie hat eine starke Rechtsabteilung. Es stimmt also alles?«

»Ja. Jedes Wort.«

»Es überrascht niemanden von uns, daß sie durch-kam.« Er blickte zu dem sich umschlingenden Paar. »Ich bin seit zwanzig Jahren bei den du Kanes. Sie ist hart wie Duralum, aber kein schlechter Boss.« Er streckte eine behandschuhte Hand aus. »Ich heiße Iriole, Roger Iriole. Ich bin verantwortlich für die Truppen des Hauses, die meisten Leute würden aber wohl Leibwächter sagen.«

Septembers riesige Hand umschloß die etwas kleinere. »Dachte mir schon sowas. Ihr Leutchen hättet zu keinem besseren Zeitpunkt auftauchen können. Wie habt ihr die am Zoll vorbeigekriegt?« Er wies auf die Energiegewehre.

Iriole hob vielsagend die Schultern. »Miss du Kane bekommt gewöhnlich das, was sie will. Anscheinend weiß sie, wie diese Welt ist, und wollte nicht unvorbereitet kommen.« Er drehte sich um und sah zur Stadt. »Würde es Ihnen was ausmachen, mir zu sagen, was hier eigentlich los ist? Was tun Sie hier alle und warum sind Sie so froh, einen Haufen Gewehre zu sehen? Ihr Freund hat uns auf dem Weg hierher einen kurzen Überblick gegeben, aber ich muß bekennen, daß das alles ziemlich wirr für mich war.«

»Ist nicht wirklich kompliziert. Nur der übliche Fall von Genozid für maximalen Profit.« September schilderte das Wesentliche mit so wenig Worten wie möglich.

Währenddessen waren Ethan und Colette an die Reling des Skimmers herangetreten und sahen zur *Slanderscree* hinüber.

»Sie sieht nicht viel anders aus, als ich sie in Erinnerung habe.«

»Es hat sich insgesamt nicht viel geändert. *So lange* warst du ja nun auch nicht weg.«

»Kommt mir vor wie Jahre. Da ist Hunnar Rotbart, oder? Und Elfa Kudrag ...«

»Kurdagh-Vlata« verbesserte er sie. »Sie sind jetzt verheiratet.«

»Wie kommt diese Union, die du mit mir aufbauen wolltest, voran?«

»Ziemlich gut. Mehrere wichtige Stadtstaaten sind formell verbündet und andere diskutieren darüber, sich anzuschließen.«

»Klingt vielversprechend.« Unvermittelt lag ein dunklerer Unterton in ihrer Stimme. »Milliken hat mir erzählt, was sich hier abspielt. Wir werden dem sofort ein Ende machen.«

»Es ist nicht dein Problem. Warum überläßt du es nicht den Behörden?«

»Milliken macht sich Sorgen wegen der Zeit, die das brauchen würde und dem Schaden, den diese Unaussprechlichen inzwischen anrichten könnten. Ich lebe nicht nur für das Geschäft, Ethan. Ich kenne höhere Werte, wie jeder andere auch. Wir werden diese Leute in Bürgergewahrsam nehmen und die Anführer zum Außenposten schleppen. Dann kann sich die Regierung darum kümmern.« Sie wies zu der übervölkerten gegenüberliegenden Reling. »Die Tran waren gut zu meinem Vater und mir. Wir sind ihnen etwas schuldig.«

»Wie geht es deinem Vater?«

»Hellespont du Kane starb vor vier Monaten. Du wirst dich erinnern, daß es Vater schon seit Jahren nicht gut ging. Sein Verstand war nicht das einzige von ihm, was versagte, und die strapaziöse Reise über Tran-ky-ky ist ihm gar nicht gut bekommen. Er war zu verbraucht, als daß irgendeine Transplantation noch etwas genützt hätte, aber ich glaube, er hätte es auch nicht mehr gewollt. Er war müde. Sein Ableben kam nicht unerwartet. Die täglichen Geschäfte des Unternehmens habe ich ohnehin schon seit Jahren geführt. Ich erzählte dir schon davon.«

»Ich erinnere mich. Du hast aus dem Hintergrund die Fäden gezogen.«

»Jetzt geschieht das alles öffentlich. Seit Monaten nun. Anders gefiel es mir besser. Es war viel einfacher

mit dem alten Herrn als Galionsfigur. Er war viel takt-
voller als ich. Du wirst dich vielleicht auch daran erinnern.«

Er versuchte, nicht zu grinsen. »Ich erinnere mich, daß
du immer genau das gesagt hast, was du denkst.«

»Exakt. So kann man aber keinen führenden Handels-
konzern leiten. Ich brauche jemanden, der für mich
spricht, jemanden, der Erfahrungen mit Geschäftsleuten
hat, der verletzte Gefühle besänftigen und die Wogen
glätten kann.«

Er schluckte. »Du hast dich inzwischen nicht an irgend jemanden gebunden?«

»Gebunden? Das hört sich an, als würde ich nach einem Seil suchen.« Sie sah an sich herunter. »Hätte ich
hundert Pfund weniger, würde ich jeden einzelnen dieser Soldaten brauchen, um mir die Männer vom Hals zu
halten. Es gibt immer noch genug, die es versuchen,
aber ich weiß, daß sie nur am Geld interessiert sind.
Geld und Macht. Das sind schrecklich wirksame Aphro-
disiaka, Ethan, aber sie erzeugen keine Ehrlichkeit.« Die
durchdringend grünen Augen suchten seinen Blick und
ließen ihn nicht mehr los.

»Ich konnte mir ihrer nie sicher sein. Nicht so, wie ich
mir deiner sicher bin. Wegen dem, was wir vor über einem Jahr gemeinsam durchgemacht haben. Du hast mir
damals gesagt, du könntest mich nicht heiraten, Ethan.
Du würdest Zeit brauchen. Zeit, um zu überlegen, Zeit,
um nachzudenken. Deshalb bin ich zurückgekommen.
Du hattest eine Menge Zeit zum Nachdenken.«

»Tatsächlich gab es im vergangenen Jahr bei all dem
Kämpfen, Vereinigen und Forschen kaum Zeit für längere Betrachtungen.«

»Sag mir nicht, daß ich diese Reise vergeblich gemacht
habe, Ethan! Ich meine, ich bin froh, daß ich gerade
rechtzeitig aufgetaucht bin, um zu helfen, euch und den
Planeten zu retten und all das, aber deshalb bin ich nicht
hier. Ich bin jetzt auch offiziell das Oberhaupt der Fami-

lie du Kane. Ich muß niemanden für irgend etwas um Erlaubnis bitten. Ich weiß, was ich will.«

»Du hast immer gewußt, was du willst, Colette.« Er lächelte liebevoll. »Du wirst kurz nach deiner Geburt den Ärzten gesagt haben, wie sie dich behandeln sollen.«

Ihre Augen blitzten. »Ich mußte. Einer allein konnte mich nicht tragen. Ethan, ich brauche jemanden, der mein Leben mit mir teilt. Du bist der einzige Mann, der mich als das akzeptiert hat, was ich bin. Ob das nun die Umstände waren oder nicht, ist egal. Du mochtest mich um meiner selbst willen. Ich brauche einen Kameraden, einen Gefährten ... jemand, der mir hilft ... Ich brauche ... ich brauche dich. Sonst habe ich in meinem Leben nie etwas gebraucht.

Also unterbreche ich alle meine Geschäfte und durchquere einige hundert Parsec, um dir dieselbe Frage zu stellen, auf die du vor einem Jahr mit nein geantwortet hast. Ich dachte mir, daß du nach einem weiteren Jahr auf dieser Welt vielleicht für ein wenig Erholung und etwas Luxus bereit bist. Ich werde nicht zu viele Ansprüche an dich stellen.« Sie senkte den Blick, und zum ersten Mal mußte er sich anstrengen, um zu verstehen, was sie sagte. »Ich liebe dich immer noch, auch wenn du mich nicht liebst. Aber wenn du mir eine Chance gibst, verspreche ich dir, alles zu tun, damit es zwischen uns beiden klappt. Wenn du eine unterwürfige Frau willst oder auch nur eine völlig gleichrangige, dann geht es nicht. So wurde ich nicht aufgezogen. Gib meiner Familie die Schuld, meinem Vater, wenn du möchtest.« Sie hob das Gesicht und sah ihn an.

»Aber wenn du ja sagst, garantiere ich dir, daß du nie wieder auch nur einen Taschenkommunikator verkaufen mußt und ein Leben führen wirst, von dem die meisten Leute nur träumen.«

»Colette, ich ...«

»Was immer du sagen willst, warte noch eine Minute. Es hat mich eine Menge gekostet, sowohl finanziell als auch emotional, dies zu tun. Ich werde nicht betteln. Wenn du diesmal nein sagst, verspreche ich dir, wirst du mich nie wiedersehen. Aber wenn du ja sagst ... wenn du ja sagst, sollte es dir besser ernst sein. Ich ertrage nichts Dürftiges oder Halbherziges. Es heißt alles oder nichts, Ethan. Keine Teilverpflichtungen.«

Er drehte sich um und sah an der *Slanderscree* vorbei auf die endlose Weite des Eisozeans. Gab es hier noch etwas, das er tun konnte? Irgend etwas Wesentliches, womit er den Tran helfen konnte? Falls er akzeptierte, würde er seine Freiheit verlieren, aber Maxim Malaika hatte das sowieso schon entschieden, indem er ihn auf einen Dauerposten in Brass Monkey gesteckt hatte. Wenn er so besorgt um seine Freiheit war, warum hatte er dann diesen Posten angenommen? Weil er die Möglichkeit bot, sich in zehn anstatt in zwanzig oder dreißig Jahren zur Ruhe zu setzen? Verdammt, Colette bot ihm die Möglichkeit, genau wie Malaika Leute zu kaufen und zu verkaufen.

Wäre er als nominelles Oberhaupt einer der mächtigsten Handelsfamilien des Commonwealth nicht in einer besseren Position, die Tran und ihre Entwicklung zu unterstützen?

Nun gut, was war daran, daß Colette keine berauschende Schönheit war? Sie mochte stattlich sein, aber sie war nicht unattraktiv. Und was hatte körperliche Schönheit überhaupt damit zu tun, den Rest des Lebens mit einem anderen Menschen zu verbringen? Er war selbst kein Drei-D-Star. Das Leben war das, was man selbst und die Partnerin daraus machten — man konnte und sollte es nicht im voraus danach beurteilen, was andere für gut und schlecht, für anziehend und häßlich hielten.

Als er sich wieder zu ihr umdrehte, fand er den erwartungsvollen Blick dieser bemerkenswerten Augen auf sich gerichtet. Es lag eine stumme Bitte darin. Er sah zu September hinüber, der ihn väterlich anlächelte und langsam nickte.

»Ach, zum Teufel, natürlich heirate ich dich.«

Sie warf sich ihm in die Arme. Der Aufprall hätte sie beide beinahe über die Reling geworfen. »Sehr vernünftig«, sagte sie. Dann gab sie ihm einen schnellen, heftigen Kuß und drückte ihn so fest an sich, daß er glaubte, seine Rippen würden brechen.

Einige ihrer Soldaten lächelten und blickten schicklich beiseite. Die Tran auf dem Eisklipper litten nicht unter solchen zivilisatorischen Zwängen. Sie ergingen sich in einer lautstarken Mischung aus zustimmendem Grunzen und Rufen.

Schließlich ließ sie ihn los und richtete den Blick auf Yingyapin. »Dann sind wir uns einig.«

»Unter einer Bedingung.«

Sie sah ihn scharf an. »Welcher?«

»Es darf keine Tran-Zeremonie sein.«

Sie blickte ihn verständnislos und verblüfft an, während Skua September loslachte.

»Einverstanden. Und jetzt wollen wir uns um diesen Auswurf kümmern, der glaubt, er könne eine bewohnte Welt zu seinem privaten Spekulationsobjekt machen. Will sonst noch jemand mit uns kommen?«

»Cheela Hwang sollte als Vertreterin des wissenschaftlichen Stabs dabei sein. Und Hunnar und Elfa. Auch eine junge Tran namens Fernblick, die es verdient, zu sehen, daß wir nicht alle durch Eigeninteresse motiviert sind, denke ich.« Er löste den Strahler von seinem Gürtel. »Ich laß den hier bei Ta-hoding. Bei der Feuerkraft, die du mitgebracht hast, werde ich ihn nicht brauchen.«

»In Ordnung.« Sie sah an ihm vorbei. »Roger!«

Iriole kam herüber und salutierte.

»Sie sind ausreichend über die Vorgänge hier unterrichtet?«

Er zeigte mit dem Daumen auf September. »Ich wurde nochmals kurz instruiert.«

»Was halten Sie davon?«

»Wenn ich das so sagen darf, Chefin, es stinkt.«

»Sie dürfen es so sagen, und Sie haben völlig recht. Wir werden einige Leute in Bürgergewahrsam nehmen. Wir werden die Anlage stillegen. Da sie in Brass Monkey endlich über Tiefraumkommunikation verfügen, werde ich von dort ins Horn blasen. Ich kenne den Staatsanwalt für den Raumbereich hier. Wir werden einen Polizeikreuzer anfordern, der den Rest dieser Maden in gemütliche Zellen bringt.« Sie stieß eine geballte Faust in die Luft.

»Tran-ky-ky den Tran!« Dann fügte sie mit leiserer Stimme hinzu: »Das tat wirklich gut. Bei Geschäften kann man sich nicht immer sicher sein, daß man das Richtige tut. Solche Unsicherheit gibt es hier nicht. Ein angenehmes Gefühl.«

Hunnar, Elfa, Fernblick und Cheela Hwang wurden an Bord gebracht; die Aussicht, nicht über das Eis, sondern durch die Luft zu fliegen, versetzte die Tran in erwartungsvolle Erregung.

»Roger und seine Leute werden sich hier oben um die Sache kümmern«, informierte Colette sie. »Warum geht ihr nicht unter Deck, bis der Streit vorbei ist?«

»Ich bleibe lieber draußen«, erwiderte Ethan.

»O nein. Ich lasse doch nicht den Kopf meines künftigen Ehemannes wegschießen, gerade nachdem er meinen Antrag angenommen hat.«

»Das geht schon in Ordnung. Sie haben nur ein paar Handstrahler. Wenn sie unsere Waffenüberlegenheit erkennen, wird es keine großartigen Kämpfe geben, denke ich. Du könntest mehr Schwierigkeiten mit ihren Tranverbündeten haben. Die sind stur.«

»Daran erinnere ich mich.« Sie sah Hunnar und Elfa an. »Seid nicht beleidigt«, sagte sie durch ihren Anzugtranslator.

»Die Wahrheit kann keine Beleidigung sein«, erwiderte der Ritter. »Wir *sind* stur.« Er lächelte und entblößte seine spitzen Fänge.

15

BAMAPUTRA SAH NICHT ZUM HAFEN, als er in eine weitere der steilen Serpentinen einbog, die zu der Yingyapin abgewandten Bergflanke führten. Es war nicht nötig. Antals Fernrohr hatte bereits die unerwartete Anwesenheit schwerer Waffen an Bord des ungekennzeichneten Skimmers enthüllt. Die Neuankömmlinge waren offensichtlich mit seinen Feinden auf dem Eisschiff im Bunde. Sein Werkleiter hatte ihm versichert, daß es keine Möglichkeit gab, eine offene Schlacht gegen disziplinierte, mit Gewehren bewaffnete Kämpfer zu gewinnen. Sie konnten sich jetzt nur noch in die Anlage zurückziehen und im Innern des Berges verbarrikadieren.

Corfu begleitete ihn, er jammerte und wütete gegen ein ungnädiges Schicksal und fragte, warum sie nicht blieben und kämpften.

»Es ist besser, für das zu sterben, woran man glaubt, als wegzulaufen und sich in einem Loch in der Erde zu verkriechen!« Er hatte Schwierigkeiten, mit den Menschen Schritt zu halten, deren Füße viel besser zum Klettern geeignet waren als seine.

»Eine dumme und primitive Bemerkung.«

»Sie sind uns durch ihre Waffen überlegen«, informierte Antal ihn. Er gestikulierte mit seinem Handstrahler. »Ich erkläre es dir noch mal: Unsere Lichtschwerter sind nicht so mächtig wie ihre.«

»Und was tun wir nun?«

»Erstmal sorgen wir dafür, daß sie nicht an uns herankommen.« Der Werkleiter wies zum Eingang der Anlage, der noch eine Windung entfernt war. »Wir verbarrikadieren uns. Dann verhandeln wir. Sie könnten sich wahrscheinlich ihren Weg hineinsprengen, aber das würde Verluste auf beiden Seiten bedeuten. Ich glaube, sie werden lieber reden.«

»Reden.« Bamaputra schien das Atmen überhaupt nicht schwer zu fallen. »Was gibt es da zu reden? Sie sind keine Regierungsvertreter. Ich weiß zwar nicht, was sie sind, aber *das* sind sie jedenfalls nicht. Nicht, daß das wichtig wäre. Sie sind Freunde derjenigen, deren Schicksal wir einmal kontrollierten. Ihr Schicksal war unser Schicksal, und jetzt ist uns diese Kontrolle entglitten.«

»Wir könnten immer noch versuchen, einen Handel mit ihnen zu machen«, widersprach Antal. »Wir können durchhalten, bis das reguläre Versorgungsschiff eintrifft.«

»Red keinen Unsinn!« Sie hatten den freigeräumten Bereich vor dem Eingang der Anlage erreicht. Die mächtige Tür schwenkte nach oben in den massiven Fels und ließ sie in den dahinterliegenden Komplex ein. »Wir sind hier erledigt. Dieses Projekt ist erledigt. Sie werden die Behörden informieren. Sie werden uns nicht die Zeit geben, unser Schiff zu erreichen. Allerdings, wenn es eine Möglichkeit gäbe, ihren Skimmer unbrauchbar zu machen ...«

»Keine Chance. Sie haben Gewehre. Sie können einfach sitzen bleiben und jeden — Mensch oder Tran — abschießen, der versucht sich zu nähern.«

»Das habe ich befürchtet.« Sie befanden sich im Innern der Anlage. Ingenieure und Techniker blickten neugierig von ihrer Arbeit auf, als ihre Vorgesetzten an ihnen vorübergingen. Corfu wurde es bereits heiß, aber er folgte ihnen weiter. Er konnte nirgendwo anders hin.

»Es muß etwas geben, das wir tun können«, murmelte Antal. »Wenn sie uns mitnehmen, bedeutet das mindestens Gedächtnislöschung.«

»Besser sterben. Der Körper lebt weiter, aber die Seele vergeht.«

Antal musterte ihn neugierig. »Was meinst du mit

›Seele‹? Gedächtnislöschung entfernt nur, was die Psychotechniker als kriminelle Tendenzen identifizieren. Wenn sie vorbei ist, bist du noch dieselbe Persönlichkeit wie vorher.«

Bamaputra schüttelte den Kopf. »Bist du so leichtgläubig, daß du der Regierungspropaganda glaubst? Sie lassen soviel übrig, daß du funktionieren kannst, aber du bist eben *nicht* mehr dieselbe Persönlichkeit. Etwas Wesentliches wurde entfernt.«

»Sicher. Der kriminelle Teil. Nur der kriminelle Teil.«

»Aber wir sind keine Kriminellen, du und ich. Wir sind Visionäre. Ich könnte es nicht ertragen, den visionären Teil von mir zu verlieren.«

Der Werkleiter runzelte die Stirn, doch Bamaputra schien sich völlig unter Kontrolle zu haben. »Nun ... äh ... ich werde mich um die Sicherung der Anlage kümmern und eine Durchsage darüber machen, was passiert ist und was wir zu erwarten haben. Wir müssen nur den Personenzugang und das Frachtdock sperren. Gleichgültig, wieviel bewegliche Feuerkraft sie einsetzen können, werden wir sie doch solange fernhalten, glaube ich, daß wir irgendwie mit ihnen verhandeln können. Währenddessen kannst du damit beginnen, alles herunterzuschalten.«

»Herunterschalten, ja, natürlich«, murmelte Bamaputra leise. »Es müssen Akten vernichtet, Aufzeichnungen gelöscht, Leute geschützt werden.« Er drehte sich so abrupt zu Antal um, daß dieser zusammenzuckte. »Was immer du tust, verhandle nicht mit diesem September. Versuche mit den Wissenschaftlern zu reden. Wenn wir Glück haben, ist vielleicht ein offizieller Regierungsvertreter unter ihnen. Solche Typen gehen sehr weit, wenn sich dadurch Blutvergießen vermeiden läßt. Ich werde mich um die Pumpen und Reaktoren kümmern, während du die Leute informierst.«

»Gut.« Sie trennten sich und ließen einen verwirrten und keuchenden Corfu ren-Arhaveg zurück.

Erst viel später dachte Antal über die Worte seines Vorgesetzten nach. Sich um die Pumpen und Reaktoren zu kümmern bedeutete nicht notwendigerweise, diese Systeme abzuschalten.

Es gab einigen vereinzelten Widerstand durch die armseligen Streitkräfte Yingyapins. Er dauerte nicht lange. Speere und Schwerter konnten es nicht gut mit Strahlern und Energiegewehren aufnehmen. Colette folgte dem Verlangen Hunnars und Elfas nicht; sie wies ihre Leute an, nur zu verletzen, aber nicht zu töten. Schließlich waren die Bürger Yingyapins, wie Hwang ihr erklärte, genauso Opfer der Tücke der Anlagenbauer, wie alle an Bord der *Slanderscree*. Sobald man ihnen die Wahrheit erklärt hatte, würden sie bestimmt nützliche Mitglieder der wachsenden Union werden.

Als der letzte Soldat geflohen war, überlegte man auf dem Skimmer, was als nächstes zu tun war. Iriole studierte den Eingang der Anlage durch ein Fernrohr.

»Die Tür sieht ziemlich stabil aus. Ich bin mir nicht sicher, ob wir uns den Weg freisprengen können.«

»Das sollte auch nicht nötig sein«, bemerkte September. »Sie wissen, daß es zu ihrem Besten ist, wenn sie sich friedlich ergeben. Sie können nirgendwohin. Die Drohung zu sprengen sollte genügen, zumindest die unteren Chargen dazu bewegen, mit hochgestreckten Händen herauszukommen. Schafft der Skimmer die Steigung?«

Obwohl Skimmer keine Flugzeuge und nicht dazu gedacht waren, höher als dreißig Meter zu steigen oder Steilhänge zu bewältigen, glaubte Iriole doch, daß sie es vielleicht schaffen konnten. Er sah seine Chefin fragend an.

»Versuchen wir es!«

Ethan legte seinen Arm um sie. Irgendwie schien das jetzt richtig. Fühlte sich auch gar nicht schlecht an.

»Alles Platz nehmen und anschnallen«, sagte Iriole.

»Wir werden uns um einiges schrägstellen, und ich möchte nicht, daß jemand rausfällt.«

Als die schwierige Kletterpartie bewältigt war und sie vor der massiven Tür landeten, wollte Grurwelk Fernblick, daß sie kehrtmachten und den vergnüglichen Aufstieg wiederholten.

»Mister Antal, Sir?«

Der Werkleiter wandte sich zu der jungen Technikerin um, die auf ihn zukam. »Was ist? Ich bin beschäftigt.«

»Ich glaube, es wäre besser, Sie kommen mit mir, Sir.«

»Geht nicht. Ich versuche gerade, ein Dutzend Sachen auf einmal zu machen. Haben Sie nicht gehört, was ich über das Kommunikationssystem mitgeteilt habe? Wissen Sie nicht, was los ist?«

»Doch, Sir. Aber ich glaube trotzdem, daß Sie besser mitkommen sollten. Es ist Mister Bamaputra, Sir.«

Er nahm die rechte Hand vom Sensorschirm und blickte sie an. »Was ist mit Mister Bamaputra?« fragte er leise.

»Sie kommen besser schnell, Sir.« Da bemerkte er, daß sie vor Angst zitterte.

Vor dem Hauptkontrollraum hatte sich eine Menschenmenge versammelt. In ihm befanden sich die Zentralschaltungen zur Programmierung der Reaktorleistung. Er war an allen vier Seiten von Panzerglas umgeben, ein normaler Schutz für das empfindliche Gehirn der Anlage. Bis auf Bamaputra war niemand im Raum. Er war außerdem von innen verschlossen.

Direkt neben der transparenten Tür war in das Glas eine kleine Sprechanlage eingelassen. »Shiva, was tust du da?«

Der kleine Mann drehte sich lächelnd um. »Eine Vision retten, vielleicht. Sicher erinnerst du dich an unsere Diskussion über eine rasche Beschleunigung des Tauprozesses?«

Die Technikerin, die Antal geholt hatte, wies in den

Raum. Als dieser sich die Anzeigen ansah, auf die sie deutete, sträubten sich ihm die Haare. Solche Zahlen gehörten allenfalls in Bedienungsanleitungen für den Katastrophenfall, nicht auf Monitore. Sie stiegen weiter, während er zusah.

»Shiva, du wirst das System überlasten! Du hast wahrscheinlich jetzt schon einige Grenzwerte überschritten. Du mußt uns hineinlassen, damit wir das System mit der Notschaltung stillegen können.«

»Wenn wir das jetzt tun, werden wir es wieder anlaufen lassen können«, erklärte Bamaputra ruhig. »Ich habe hier drin ausreichend Nahrung und Wasser. Ich kann es wirklich nicht erlauben, daß der Prozeß an diesem Punkt unterbrochen und das System stillgelegt wird. Das würde die Vision zerstören.

Ich denke, du unterschätzt die Verläßlichkeit und Belastbarkeit des Systems. Es wird auf diesem Niveau stabil bleiben, und wir werden in wenigen Monaten die Arbeit von fünfzig Jahren vollbringen. Ich zähle darauf, daß du mit diesen Leuten verhandelst und mir diese Zeit erkaufst.«

»Du wirst den gesamten Komplex hochjagen!«

»Werde ich nicht. Sprich mit den Ingenieuren.«

Verzweifelt suchte sich der Werkleiter eine der Cheftechnikerinnen der Anlage aus und bat sie um eine vorurteilslose Einschätzung.

»Er hat recht«, sagte die Frau. »Nichts wird explodieren. Es wird schmelzen. Nicht nur die Reaktorkerne — alles. Wenn die Einschlußfelder nachgeben, wird es zu einer kurzen, heftigen Freisetzung von Hitze kommen. Sie wird sich rasch verflüchtigen.«

»Wieviel Hitze?«

Sie zuckte mit keiner Wimper. »Mehrere Millionen Grad.«

»Wie groß sind die Chancen, daß die Einschlußfelder halten?«

Die Ingenieurin drehte sich zu dem älteren Mann um,

der hinter ihr stand. Sein Kiefer und sein Hals zeigten die Male eines Süchtigen. »Ich würde sagen: eins zu zehn.«

Antal wirbelte zu der Sprechanlage herum. »Hast du das gehört? Deine Chancen, das zu Ende zu bringen, stehen eins zu zehn.«

»Eine bessere Chance, als sie ein Commonwealth-Gericht uns geben würde.«

»Die andere Seite der Medaille ist«, brüllte der Werkleiter in ohnmächtiger Wut, »daß du das Innere dieses Berges mit neunzigprozentiger Wahrscheinlichkeit in Lava verwandeln wirst!«

»Dann solltet ihr euch besser beeilen zu verschwinden, meinst du nicht?« Bamaputras Ton war eisig.

»Er ist verrückt.« Antal trat von der durchsichtigen Wand zurück. »Er ist verrückt geworden.« Er wandte sich an die Ingenieure. »Was, meint ihr, sollen wir tun?«

Der ältere Mann schwitzte heftig. »Ich meine, wir sollten hier schnellstens verschwinden, verflucht.«

Der Werkleiter zögerte noch einen Moment, dann rammte er einen in der Nähe befindlichen roten Alarmknopf in seine Fassung.

Bamaputra sah gelassen vom Bedienersessel aus zu, wie der panikerfüllte Exodus begann. Er war nicht überrascht. Er konnte ihnen keinen Vorwurf machen. Keiner von ihnen, nicht einmal Antal, war ein Visionär. Im Laufe der Geschichte hatten jene, die die großen Entdeckungen gemacht und die erinnernswerten wissenschaftlichen Taten vollbracht hatten, auch keine größere Chance als eins zu zehn gehabt. Die meisten hatten ihre Experimente sogar unter noch schlechteren Bedingungen begonnen.

Das war der einzige Weg. Die Berechnungen mußten an den erheblich verkleinerten Zeitfaktor angepaßt werden. Er drehte sich zu den Anzeigen um. Die Eisschicht würde jetzt rasch zu schmelzen beginnen. Sehr rasch. Gleichzeitig würde die Menge des in die Atmosphäre abgegebenen Wasserdampfs und Kohlendioxids um das Zwanzigfache steigen. Das System würde stabil bleiben. Ein magnetisches Einschlußfeld war keine Stein- oder Metallwand.

Sollten sie doch alle gehen. Er konnte allein durchhalten, wenn nötig. Trotz der Behinderung würde er alles erreichen, was er sich vorgenommen hatte. Wenn man eine Vision hatte, mußte man hin und wieder etwas wagen. Träume zu verwirklichen, verlangte immer ein gewisses Risiko.

Besser von Maschinen abhängen. Die Geräte um ihn herum funktionierten lautlos und ohne zu klagen, erfüllten ihre Aufgaben auf vorhersagbare und verläßliche Weise. Er hatte andere Leute nie besonders gemocht. Und was das anging, auch sich selbst nicht.

Besser bei der Suche nach dem abstrakten Ideal das Leben riskieren als flüchtigen Versuchungen nachzugeben. Er mochte sterben, aber seine Vision würde in Gestalt eines verwandelten Tran-ky-ky weiterleben. Geld hatte ihm noch nie etwas bedeutet. Erkenntnis lag nur in der großen Tat.

Der Skimmer schwebte dicht über dem Boden und setzte eine Abteilung von Colettes Leibwächtern ab. Die an Bord Gebliebenen hielten ihre Waffen weiter auf den Eingang gerichtet.

Ethan untersuchte den Fels neben der Tür. »Hier müßte irgendwo eine Sprechanlage sein. Sie haben doch bestimmt irgendwas eingebaut, das es ihnen ermöglicht, mit den Tran zu sprechen, die hinein möchten.«

Bevor sie die Sprechanlage finden konnten, öffnete sich die getarnte Tür.

»Zurück zum Skimmer!« rief Iriole. Die Abteilung zog sich zurück. Finger spannten sich um Abzüge.

Es gab keinen Kampf. Die Techniker und Ingenieure, die Angehörigen des Wartungs- und Dienstpersonals, die in ihren Überlebensanzügen aus dem Tunnel stolperten, waren nicht bewaffnet. Sie hielten ihre Hände sichtbar ausgestreckt oder über den Kopf. Ohne zu zögern rannten sie den zum Hafen führenden Pfad hinunter.

Von Shiva Bamaputra war nichts zu sehen, aber Hwang machte in der Menge sofort Antal aus. Von seiner Keckheit war nichts mehr zu bemerken.

»Wir müssen hier sofort weg!« erklärte er erregt.

»Warum? Weshalb so eilig?« September verschränkte die Arme und nahm die Haltung eines Mannes ein, der alle Zeit der Welt hat. »Wir haben einiges zu erledigen.«

»Tut, was immer ihr wollt, aber tut es nicht hier. Bamaputra ist wahnsinnig geworden.« Er deutete in den dunklen Tunnel. »Er läßt das gesamte System absichtlich unter Überlast laufen, weit über den vorgesehenen Belastungsspitzen. Hat sich im Hauptkontrollraum eingeschlossen. Ihr könnt ihn da nicht rausholen, nicht mal mit euren Gewehren. Das ist eine fünf Zentimeter starke Plexalloyverkleidung, molekularverschweißt.«

»Warum sollten wir das überhaupt tun wollen?«

»Er versucht, die Umformung des Planeten zu beschleunigen. Wir haben häufig darüber gesprochen, aber nicht in diesem Maßstab. Er hat eine geringe Chance, es zu schaffen. Sehr gering.«

»Was passiert, wenn das System zusammenbricht?«

»Schmelze«, meldete sich die junge Technikerin. »Es kommt zu einer Schmelze in großem Maßstab. Die Einschlußfelder in den Fusionsreaktoren brechen zusammen.«

»Sie meinen, die Anlage schmilzt?« fragte Ethan.

Sie sah ihn an. »Ich meine, der Berg schmilzt. Vielleicht auch noch mehr, ich weiß es nicht. Und ich habe nicht vor, hierzubleiben, um das zu berechnen. Und Ihnen würde ich es auch nicht empfehlen.«

»Rechts um! Zurück auf die Positionen«, befahl Iriole. Die Kämpfer zogen sich auf den Skimmer zurück.

»Warten Sie!« Antal stürzte vor und sah sich der Mündung eines Gewehrs gegenüber. »Was ist mit uns?«

»Ihr habt alle Überlebensanzüge«, erwiderte September, als der Skimmer langsam über die Kante des steilen Hangs trieb und seine Abwärtsfahrt begann. Er zeigte auf den gewundenen Pfad. Einige der Leute aus der Anlage hatten bereits die Hälfte des Weges hinter sich. »Lauft besser nicht zu schnell, sonst fallt ihr hin und zerreißt sie.«

Antal starrte dem Skimmer nach. Dann drehte er sich um und schloß sich seinen ehemaligen Untergebenen bei deren überstürztem Abstieg an.

Auf dem zum Hafen hinuntertreibenden Skimmer verfolgte man die wilde Flucht.

»Was meinst du?« fragte September ihren Lehrer.

»Ich weiß nicht. Wir haben nicht die kleinste Information darüber, wie leistungsfähig diese Energieanlage ist, beziehungsweise wo ihre Grenzen liegen. Offensichtlich meint Bamaputra, daß er noch innerhalb davon operiert.«

»Da scheint er aber der einzige zu sein«, stellte Ethan fest.

»Was nicht bedeutet, daß er nicht recht hat.«

»Mir gefällt die Vorstellung nicht, daß wir uns absetzen und er sich dort oben verkriecht«, brummte September. »Würde uns nicht viel nützen, diese Bande nach Brass Monkey zu eskortieren, wenn wir nicht abschalten, was sie zurückgelassen haben.«

»Kehren wir zum Schiff zurück und entscheiden wir dort«, schlug Ethan vor. »Roger, wie schätzen Sie unsere Chance ein, diesen Kontrollraum aufzusprengen und ihn zu schnappen?«

»Nicht gut, wenn dieser eine Bursche die Wahrheit gesagt hat. Plexalloy ist ein zähes Zeug.«

»Er hat jedenfalls auf eins schon zu Recht hingewiesen«, erinnerte Williams sie. »Was *tun* wir denn nun mit ihnen, da sie sich ergeben haben?«

»Laßt sie eine Weile in Yingyapin herumstolpern«, meinte September. »Laßt die Tran erkennen, wie ihre allmächtigen Freunde wirklich sind. Bis sie dann am Hafen sind, werden wir uns wohl keine Gedanken mehr darüber machen müssen, wie sie zu bewachen sind. Vielleicht können wir ein paar Eisschiffe zusammenbinden und den ganzen Verbrecherhaufen darauf nach Brass Monkey schleppen. Es wird ihnen viel zu kalt sein, um uns irgendwelchen Ärger zu machen. Die Rückreise wird vielleicht nicht aus allen Geständnisse herausholen, aber sie wird sie mit Sicherheit verdammt kleinlaut machen.«

Sie befanden sich auf dem Eis und eilten auf die *Slanderscree* zu, als Ethan auf den Berg zeigte.

»Irgendwas passiert da oben. Irgendeine Aktivität.«

September kniff die Augen zusammen und fluchte verhalten. »Kann nichts erkennen. Die Augen werden alt, wie alles andere. Hunnar! Kannst du da oben irgendwas sehen?«

Der Ritter kam zu ihnen herüber. »Das kann ich wahrhaftig, Freund Skua. Aus dem Berg kommen Wolken. Ich glaube, euer wahnsinniger Vetter macht vielleicht einen Rifs.«

Es war kein Rifs im üblichen Sinn, der sich mit unglaublicher Geschwindigkeit über dem höchsten Gipfel bildete. Blitze zuckten in der kochenden Wolkenmasse auf und Donner grollte über den Hafen. Die Wolkenbank wuchs und verdichtete sich, bis sie den ganzen Himmel bedeckte. Und dann geschah irgend etwas anderes, etwas so Außergewöhnliches, daß es bei den Wissenschaftlern erregte Diskussionen hervorrief und ehrfürchtige Scheu bei den Tran.

Zum ersten Mal seit vierzigtausend Jahren regnete es auf Tran-ky-ky!

»Freies Wasser.« Warme Tropfen prasselten auf den Skimmer. »Fallendes Wasser.« Elfa starrte voller Staunen auf den winzigen See, der sich in ihren zu einer

Schale geformten Tatzen sammelte. »Wer hätte je geglaubt, so etwas je zu sehen?«

Ein Ruf vom Ausguck auf dem Hauptmast der *Slanderscree* veranlaßte sie alle, zum Schiff zu blicken. Die schwere Metallbarriere, die die Flucht des Eisklippers unmöglich gemacht hatte, schwenkte langsam auf. Tahoding sah das weichende Hindernis einen Moment lang verblüfft an, dann brüllte er Befehle. Segel wurden gesetzt, Spieren ausgerichtet, Wanten gestrafft.

»Was ist mit den Menschen, die aus dem Berg kamen?« fragte Ethan den Ritter.

»Sie sind ...« Der Ritter hielt einen Moment lang inne, um sich zu vergewissern. »Sie laufen durch die Stadt. Die Stadtleute sehen ihnen nach. Jetzt beginnen einige, Steine zu werfen.«

Ein neuer Laut, tiefer und unheilvoller als das Donnern. Rufe und Schreie sowohl vom Eisklipper als auch aus der Stadt waren deutliche Reaktionen auf seine Gewalt. Das Rumpeln stieg tief aus dem massiven Fels des Kontinentalschelfs auf, ein immenses, gigantisches Zischen. Es war, als erwache im Innern der Erde etwas Monströses.

»Seht euch das an! Das kann sogar ich erkennen.« September zeigte zu den Docks. In wirrer Hast strömte das Personal der Anlage auf das Eis. Prompt rutschen die Menschen auf ihren Stiefeln aus und schlitterten in alle Richtungen. Ihre wiederholt fehlschlagenden Versuche veranlaßten sie nur dazu, ihre verzweifelten Anstrengungen zu verdoppeln.

»Irgendwelche Waffen?« fragte Colette du Kane.

Iriole spähte durch ein Militärteleskop. »Keine zu sehen, Chefin.«

»Ach, zur Hölle! Lest sie auf und bringt sie an Bord des großen Schiffs, würde ich sagen. Die Anklagebehörde wird so viele Zeugen wie möglich haben wollen.« Sie wandte sich an Ethan. »Vorausgesetzt, das findet deine Zustimmung, mein Schatz?«

Er zweifelte keine Sekunde, daß die Frage rein rhetorisch war, aber er freute sich trotzdem darüber.

»Du hast meine Einwilligung«, erwiderte er großspurig.

»Danke.« Sie blinzelte ihm zu. Er grinste sie an.

Er kam zu dem Schluß, daß es letzten Endes ganz und gar keine schlechte Ehe werden würde.

Der Skimmer mußte mehrere Fahrten unternehmen, um alle Flüchtlinge vom Eis zur *Slanderscree* zu transportieren, die glücklicherweise über ausreichend freien Raum verfügte, da sie nicht mit voller Besatzung gesegelt war. Durchsuchungen ergaben, daß die Leute unbewaffnet waren. Die meisten waren so erschöpft, daß sie keinen Widerstand leisten konnten, selbst wenn sie es gewollt hätten.

Antal befand sich beim letzten Transport. Er sah nicht so aus, als habe er irgend etwas — einschließlich sich selbst — unter Kontrolle, als er in verzweifelter Hast auf das Deck des Skimmers krabbelte.

»Fahrt, fahrt! Wir müssen hier raus!«

»Noch nicht«, sagte Ethan.

»Warum? Was hält euch auf?« Der Werkleiter sah besorgt auf den Sturm, der über dem Berg wütete.

Ethan deutete auf das Eis. Geführt von Hunnar und Elfa, chivanierte eine Gruppe vom Eisklipper mit voller Geschwindigkeit nach Yingyapin.

»Wir müssen die Leute warnen, die ihr benutzen wolltet.« Er musterte Antal vorwurfsvoll. »Ihr hättet das auf Eurem Weg auf das Eis tun können.«

»Keine Zeit, wir haben überhaupt keine Zeit. Verstehen Sie das nicht?«

»Sehr gut«, erwiderte Ethan sanft. »Wir haben mit den Ingenieuren gesprochen. Wenn die Anlage durchgeht und schmilzt, wird das keine Auswirkung auf uns haben.«

»Die Anlage nicht, nein.« Antal befand sich an der Grenze zur Hysterie. »Haben sie Ihnen auch gesagt, wieviel Hitze dort auf einmal freigesetzt wird? In diesem Berg arbeiten drei industrielle Fusionsreaktoren unter Überlast, um Himmels willen!«

»Das wissen wir.«

»Nein, Sie wissen nichts. Wenn die Einschlußfelder zusammenbrechen, wird mehr als die Anlage schmelzen. Der Fels wird schmelzen. Und das Eis wird erheblich schneller schmelzen.«

»Oh, Hölle!« murmelte Colette. Gemeinsam mit Ethan sah sie zur *Slanderscree* hinüber, die mit ihrer Ladung aus Tran, Wissenschaftlern und geflüchteten Menschen aus dem Hafen segelte. Sie beschleunigte unter Ta-hodings erfahrener Führung, aber beschleunigte sie schnell genug?

»Sie werden es schaffen«, murmelte Ethan. »Wir werden hier auf Hunnar, Elfa und die anderen warten.« Er bedachte Antal mit einem angewiderten Blick. »Worüber machen Sie sich Sorgen? Sie sind in Sicherheit. Ein Skimmer reist genauso gut über Wasser wie über eine feste Oberfläche. Währenddessen können wir bestimmt irgendwo einen tragbaren Recorder finden. Warum erzählen Sie nicht Ihre Geschichte? Für die Akten?«

Der Werkleiter zögerte, leckte sich die Lippen.

»Oder vielleicht«, sagte Colette, »möchten Sie lieber zu Fuß gehen?«

»Oder schwimmen, wie es der Fall sein könnte.« September sah ihn mit hartem Blick an. »Kommen Sie, Mann, der Wut Ihrer ehemaligen Geldgeber können Sie nur in Schutzhaft entgehen! Berichten Sie jetzt alles freiwillig, und Sie können vielleicht sogar der Gedächtnislöschung entrinnen!«

Antal sah ihn an und nickte dann Ethan zu. Iriole stellte Aufzeichnungsmaterial, eine Wache und einen abgeschiedenen Raum unter Deck zur Verfügung.

»Leute tun alles für Geld.« Colette du Kane lehnte mit starrem Gesicht an der Reling. »Ich weiß das. Mein Vater war so. Aber er hatte Glück, er überwand es, bevor er starb.« Sie zeigte auf die Stadt, als aus dem Berg ein weiteres heftiges Rumpeln aufstieg. »Hunnar und seine Leute sollten sich besser beeilen. Sie können zwar höllisch gut chivanieren, aber ich bezweifle, daß es einen unter ihnen gibt, der schwimmen kann.«

Innerhalb weniger Minuten eine Massenevakuierung zu organisieren, war auch unter den besten Umständen nicht leicht. Glücklicherweise machte es die panikerfüllte Flucht Antals und seiner Leute Hunnar und Elfa leichter, die Bürger Yingyapins davon zu überzeugen, daß es zumindest für den Augenblick sicherer war, ihre Häuser zu verlassen und über das Eis zu fliehen. Einmal überzeugt, beeilten sich die Stadtbewohner. Yingyapin war so arm, daß es nur wenig gab, das mitzunehmen sich lohnte.

Sobald einige der bekannteren Familien auf das Eis hinauschivanierten, waren auch die anderen nicht mehr zu halten. Männer und Frauen trugen ihre kleinen Kinder zwischen sich. Sie bewegten sich in einer breiten, langgezogenen Kolonne auf die Hafenöffnung zu.

Als letzter kam ein reuiger Dritter Maat, Kilpit Vya-Aqar. »Wenn es eine Gefahr gibt, sollte sie mich treffen«, sagte er zu Elfa. »Ich habe keine Entschuldigung für das, was Mousokka und ich getan haben, und kann nur sagen, daß wir von den Zwillingsdämonen Heimweh und Einsamkeit getrieben wurden.«

»Ihr habt nicht aus Heimweh gemeutert«, erwiderte sie, während sie über das Eis rasten, um die *Slanderscree* einzuholen. »Wenn auch nur ein Bürger zurückgeblieben ist, büßt du mir mit deinem Leben dafür. Später werden wir vielleicht eine Möglichkeit finden, deinen Verrat zu vergessen.«

»Ja, Fürstin.« Die Freude und die Erleichterung im Gesicht des Maats waren überwältigend.

Das Rumpeln und Donnern im Innern des Berges dauerten an, als Eisklipper und Skimmer die gesamte Bevölkerung Yingyapins auf den Ozean hinausführten.

»Wir werden eine Insel oder eine zweite Bucht an der Küste finden müssen, wo sie sich vorübergehend niederlassen können«, erklärte Hunnar. »Dort können sie schlafen, reden und auf Hilfe aus Poyolavomaar warten.«

»Wir können Vorräte befördern«, informierte Colette ihn. »Notzelte, Nahrung, Medikamente und so weiter. Später können wir ...«

Sie wurde von einem titanischen Ausbruch superheißen Dampfs unterbrochen, der aus der dem Ozean zugewandten Bergflanke hervorstieß. Der Druck schleuderte Felsen und Trümmer einen Kilometer hoch in den Himmel. Steinblöcke von der Größe eines Skimmers wurden wie Kiesel verstreut. Ta-hoding versuchte Platz für noch mehr Segel zu finden.

Der ersten Eruption folgte eine zweite, die ein Loch in die Klippe stanzte, die den Rand des Kontinentalschelfs bildete. Der mächtige Sturm löste sich ebenso rasch auf, wie er sich gebildet hatte. Es hörte auf zu regnen.

»Seht!« sagte Hunnar, als er sich auf den Skimmer zog, »die Erde blutet.«

Es schien, als würde der halbe Berg in hellem Blutrot glühen. Das periodische Rumpeln war einem stetigen Flüstern aus der Tiefe des Felsens gewichen.

Sie waren jetzt weit draußen auf dem Eis, Ta-hoding ließ die *Slanderscree* langsamer werden, um die Bevölkerung Yingyapins nicht zu überanstrengen. Stadt und Hafen waren achtern außer Sicht; sie konnten aber immer noch die Klippen erkennen, die den Rand des Südkontinents markierten, bis diese zusammenzufallen begannen. Gemeinsam warteten sie auf die letzte Explosion, die jedoch nicht kam.

Das Plateau sackte langsam in sich zusammen wie ein zu früh aus dem Ofen geholtes Soufflé. Die ungeheure Hitze der drei Fusionsreaktoren breitete sich als Welle von der eingeäscherten Anlage aus. Der Fels absorbierte sie und schmolz.

Grurwelk Fernblick stellte erneut unter Beweis, daß sie ihren Namen nicht zufällig trug. Vom Ausguck des Hauptmastes rief sie zum Deck hinunter:

»Das Eis schmilzt! Seine Leiche marschiert auf uns zu!«

»Eine Flutwelle!« murmelte Ethan. In der Transprache gab es kein Wort für ›Welle‹.

Ein lautes Krachen ließ alle an die Relings stürzen. Klein zuerst, erschien ein Spalt unter der rechten Vorderkufe der *Slanderscree*. Breiter werdend, erzeugte er weitere, kleinere. Dunkles Wasser blubberte aus äonenalten Tiefen hervor.

Von den chivanierenden Bürgern Yingyapins stiegen Schreie und furchterfüllte Rufe auf. Zwischen ihnen und dem vom Kontinent heranschießenden Schrecken lag kein stabiles Deck. Es war weit furchteinflößender als ein Erdbeben.

Die Meere Tran-ky-kys versuchten die Rückkehr.

Doch die *Slanderscree* trudelte nicht in das flüssige Zentrum der Welt hinunter, genau so wenig wie die entsetzten Flüchtlinge. Die Mischung aus Wasser und zerbrochenem Eis, die ihnen folgte, wuchs kurz an und stoppte dann. Noch als Ethan sie durch eines der Teleskope des Skimmers beobachtete, begann sie wieder zu frieren. Langsam blieben die Spalten hinter ihnen zurück. Der Eisklipper schlingerte einmal nach Backbord, fing sich ab und blieb auf der Oberfläche.

Die Energie der überlasteten Anlage hatte sich verbraucht. Hatte Bamaputra wirklich geglaubt, er habe eine Chance von eins zu zehn, oder hatte er von vornherein gewußt, daß die Einschlußfelder unter der Belastung zusammenbrechen würden? Sie würden es nie erfahren. Sie hatten nie viel über den unnachgiebigen, unauffällig größenwahnsinnigen kleinen Mann gewußt. Seine Bestandteile waren nun unauflöslich mit den Mineralien der Welt vermischt, die er umgestalten wollte. Er war seiner ureigenen Vision gefolgt, und nun war er darin begraben.

Schließlich wurden sie langsamer, um den Kindern Gelegenheit zur Rast zu geben. Segel wurden aufgerollt, und den Jungen und Kranken wurde erlaubt, an Bord der bereits überfüllten *Slanderscree* zu kommen.

Es gab nicht genug Platz für alle, aber Ta-hoding hatte nicht vor, nach Poyolavomaar zurückzuschleichen. Also wurden lange Trossen über das Heck gehängt. Die Bürger Yingyapins ergriffen sie, entspannten alle Muskeln bis auf die der Arme, und das große Eisschiff zog sie mühelos über den gefrorenen Ozean.

Bis auf das riesige Feld menschenerschaffener Lava hinter ihnen, das langsam auskühlte, zeigte nichts mehr an, daß die Anlage je existiert hatte.

Eine geeignete unbewohnte Insel wurde ausgemacht, und die Bevölkerung des nun verschwundenen Yingyapin richtete sich so bequem wie möglich ein. Die *Slanderscree* und der Skimmer machten sich wieder auf den Weg und ließen die Heimatlosen mit dem Versprechen zurück, Hilfe zu schicken, sobald sie Poyolavomaar erreicht hatten.

T'hosjer T'hos, Landgraf dieses hervorragenden Stadtstaates, lauschte interessiert ihrer Erzählung und brachte sofort ein halbes Dutzend großer Eisschiffe auf den Weg, die unter den Vorräten für die heimatlosen Wanderer Yingyapins fast platzten. In früheren Zeiten hätte er vielleicht statt dessen plündernde Soldaten geschickt. Die Union stellte bereits ihren Wert unter Beweis.

Auf der langen Reise von Poyolavomaar nach Asurdun bewies Colette du Kane ihrem Zukünftigen, daß Fusionsreaktoren nicht das einzige in diesem Teil Tran-ky-kys waren, das erstaunliche Mengen an Hitze erzeugen konnte.

Millicent Stanhope, Planetarische Kommisarin Tran-ky-kys, beobachtete in ihren Überlebensanzug gehüllt, wie die etwa hundert Gefangenen aus der Anlage bei Yingyapin in einen oberirdischen Lagerschuppen getrieben wurden. Sie wurden mit nur minimaler Kleidung in einem einzelstehenden, beheizten Gebäude untergebracht. Das würde sie davon abhalten, der Polizeitruppe des Außenpostens Ärger zu bereiten, die aus genau fünf Personen bestand.

Am Morgen hatte sie bereits über Tiefenraumstrahl einen Friedenswahrer angefordert, der dieses lästige Kontingent von Gesetzesbrechern aufnehmen konnte. Es würde eine Weile dauern, bis selbst ein schnelles Schiff die Leere zwischen seiner Basis und dem fernen Tran-ky-ky überwinden konnte. Währenddessen mußten die Gefangenen verpflegt, versorgt und beaufsichtigt werden. Diese Geschichte warf all ihre sorgfältig ersonnenen Pläne für ihre sechsmonatige Restdienstzeit über den Haufen. Sie drehte sich zu Ethan und Skua September um.

»Ich dachte, ich hätte Ihnen gesagt, daß ich keine Überraschungen erleben möchte?«

»Nun, ich schätze, wir hätten sie den Planeten zerstören lassen können«, erwiderte September. »Dann wäre alles ruhig geblieben.«

»Bis nach dem Ruhestand. Meinem Ruhestand.« Sie seufzte tief. »Sie haben natürlich das einzige getan, was zu tun war. Aber ich *hoffe*, es gibt keine weiteren Überraschungen.«

»Nur eine«, sagte Ethan zögernd. Sie sah ihn drohend an. »Vielleicht ist dies nicht die rechte Zeit und der rechte Ort, aber ich wüßte nicht, warum das nicht in Ihrem Büro passieren muß.«

»Was muß nicht in meinem Büro passieren, junger Mann?«

Hunnar sah Ethan an, der nickte und beiseite trat. Der Ritter nahm Elfas Pranke, und die beiden traten feierlich vor. Sie überragten die Kommissarin, die aber nicht zurückwich.

Elfa räusperte sich, ein einschüchternder Laut, und re-

343

zitierte die Worte, bei deren Vorbereitung Ethan und September ihr geholfen hatten.

»Als ranghöchste Vertreter der Union des Eises von Tran-ky-ky, wenden wir uns hiermit an Sie, die Planetarische Kommissarin, um im Namen aller Tran die assoziierte Mitgliedschaft in dem Bündnis der Völker und Systeme zu beantragen, die als das Commonwealth bekannt ist.«

Colette klatschte höflich, aber die Handschuhe ihres Anzugs erstickten das Geräusch. September grinste breit.

»Nun«, sagte Stanhope schließlich, »nehmen denn die Überraschungen des Tages kein Ende? Sie sind sich bewußt, welche Anforderungen Sie erfüllen müssen? Um als planetarische Regierung anerkannt zu werden, müssen Sie die Oberhoheit über einen wesentlichen Teil der Bevölkerung nachweisen.«

»Mit Wannome, Asurdun, Poyolavomaar, Moulokin und vielen kleineren Stadtstaaten, die jetzt unter denselben Artikeln der Zusammenarbeit vereint sind, glaube ich, können wir von Tran-ky-ky Ihren Bestimmungen sehr wohl entsprechen.«

»Sie sind ohne weiteres geeignet«, erklärte September, »und bis die Sektorregierung mit ihrem Papierkrieg fertig ist, wird diese Union hier auf doppelte Größe angewachsen sein.«

»Kann ich sicher sein, daß alles, was diese Tran mir erzählen, wahr ist? Schließlich bin ich immer noch neu hier. Ich wäre über eine Täuschung nicht besonders erfreut.«

»Milliken Williams kennt Tran-ky-ky genau so gut wie Ethan oder ich. Warum berufen Sie ihn nicht als Ihren persönlichen Berater für Eingeborenenfragen? Er wird ehrlich und offen zu Ihnen sein.«

Stanhope dachte nach. »Der Lehrer? Er reist nicht mit Ihnen ab?«

September und Ethan grinsten sich an. Diesmal antwortete Ethan! »Unser Freund und ein Mitglied des wissenschaftlichen Stabs hier, Cheela Hwang, haben eine ziemlich starke Zuneigung füreinander entwickelt. Seien Sie nicht überrascht, wenn Sie in naher Zukunft gebeten werden, eine Trauung zu vollziehen. Planetarische Kommissare sind dazu befugt, soviel ich weiß.«

»Ja. Du liebe Güte!« Sie schüttelte müde den Kopf. »Wird es mir denn nie erlaubt sein, zur Ruhe zu kommen? Ich werde gewiß Gebrauch von Mr. Williams' außergewöhnlichem Erfahrungsschatz machen. Das ist ein exzellenter Vorschlag, junger Mann.« Sie wandte sich wieder an die geduldig wartenden Tran.

»Was Ihren Antrag angeht, so werde ich ihn entgegennehmen und an diejenigen Spezialisten weiterreichen, die einen tieferen Einblick in Ihre Situation haben. Wenn diese zustimmen, werde ich dafür Sorge tragen, daß der Rat des Sektors eine befürwortende Stellungnahme erhält.« Zu Ethans Überraschung drehte sie sich um und blinzelte ihm zu.

Da wurde ihm klar, daß es keine anderen Spezialisten für die Situation auf Tran-ky-ky gab — als die drei Reisenden namens Fortune, September und Williams. Er blinzelte zurück. Sie wollte, daß sie ihr eigenes Gesuch guthießen.

»Wir werden Waffen brauchen«, sagte Elfa aufgeregt, »und Himmelsboote und Windsprecher und all die anderen wundervollen Vorrichtungen, die wir gesehen haben, und . . .«

»Langsam! Langsam!« bremste Stanhope sie. »Zuerst muß Ihr Gesuch schriftlich abgefaßt und weitergegeben werden. Dann muß es gelesen und analysiert, diskutiert, besprochen und abgestimmt werden — oh, Gott, dieser Papierkrieg, diese Formulare!« Sie schüttelte den Kopf, schon von der Aussicht auf die bevorstehende Arbeit erschöpft. »Und ich dachte, das würden ein paar einfache, entspannte Monate werden.«

»Bedenken Sie doch folgendes«, sagte Colette. »Mit

Eintritt in den Ruhestand werden Sie eine komplette neue Welt in die Commonwealth-Familie einbringen, eine neue intelligente Gattung. Das ist eine Ehre, von der nur wenige Diplomaten träumen können.«

»Das ist wahr. Ja, das ist wahr.« Stanhope richtete sich auf. »Anstatt lautlos in Vergessenheit zu geraten, wird es wohl meine Pflicht sein, im Ruhmesglanz aus dem Dienst zu scheiden. Nun, man muß wohl Opfer bringen, nehme ich an. Ich werde mich eben zwingen müssen, die Sache durchzubringen.

Wenn das dann jetzt alles ist — ich habe viel zu tun, und ich möchte damit beginnen, daß ich mich aus diesem infernalischen Wind entferne.«

»Infernalischer Wind?« September breitete weit die Arme aus. »Für Tran-ky-ky ist das doch nur eine leichte Brise.«

»Ich schenke sie Ihnen. Und meinem Nachfolger, wenn meine Dienstzeit beendet ist.« Sie murmelte vor sich hin. »Werde natürlich vorher für die offiziellen Zeremonien zur Feier der Aufnahme Tran-ky-kys in das Commonwealth sorgen müssen. Ja, eine Menge Papierkram zu erledigen.« Sie drehte sich um und ging zum Eingang des Verwaltungskomplexes, eine kleine, aber nichtsdestoweniger beeindruckende Gestalt. Ethan sah ihr nach und wußte, daß die unmittelbare Zukunft Tranky-kys in guten und fähigen Händen lag.

»Wir müssen uns jetzt um unser Schiff kümmern.« Hunnar legte ihm eine Pranke auf die Schulter. »Kannst du nicht mitkommen und uns Lebewohl sagen?«

Ethan hob den Blick zu dem Ritter, sah zum letzten Mal die Dan im Wind flattern, die scharfen Zähne, die großen, katzenhaften Augen und das dichte, rotbraune Fell. Die Tran würden für einige Aufregung sorgen, wenn ihre ersten Vertreter im Rat erschienen. Natürlich würde ihr Erscheinungsbild ein wenig durch die Spezialanzüge gemildert werden, die sie aus Bequemlichkeitsgründen würden tragen müssen. Überlebensanzüge, die kühlten anstatt zu heizen. Unter intelligenten Gattungen war Bequemlichkeit ein sehr relativer Begriff.

»Ich fürchte, wir können nicht«, antwortete ihm September. »Ethan und ich, also, wir waren zu lange weg von den Fleischtöpfen.«

Grurwelk Fernblick sah ihn mit großen Augen an. Sie reiste mit den Sofoldianern nach Wannome. Später dann würde sie als offizielle zwischenstaatliche Vertreterin nach Poyolavomaar zurückkehren. Das würde es ihr gestatten, viel zu reisen, was sie mehr als alles andere liebte.

»Ihr praktiziert Kannibalismus auf eurer Heimatwelt?«

September schluckte, hüstelte. Einige Begriffe vermittelten sich einfach nicht richtig.

»Begreift bitte«, sagte er, »daß wir keine Minute unseres Aufenthalts unter euch bereuen. Na ja, vielleicht eine oder zwei, aber insgesamt war es aufschlußreich, ja, aufschlußreich. Ich will verdammt sein, wenn nicht.«

»Ta-hoding wird bekümmert sein«, erklärte Elfa und klang selbst nicht so, als habe sie sich im Augenblick besonders gut unter Kontrolle.

»Vielleicht kommen wir eines Tages auf Besuch zurück«, erwiderte Ethan. »Wenn der Sommer uns dort, wo wir uns aufhalten, zu heiß wird. Oder vielleicht treffen wir uns auf einer anderen Welt wieder.«

»Einer anderen Welt.« Elfa legte den Kopf zurück und sah mit großen, gelben Augen in den stahlblauen Himmel. »Ein seltsamer Gedanke.« Dann packte sie ihn und umarmte ihn so heftig, daß er spürte, wie ihre Krallen in das Material seines Überlebensanzugs eindrangen. Zuerst Elfa, dann Colette du Kane. Was war nur an ihm, das ihn für die Amazonen zweier verschiedener Rassen so unwiderstehlich machte?

Dann waren keine Abschiedsgrüße mehr auszutauschen, keine Lebewohls mehr zu sagen. Die Tran wirbelten herum und chivanierten einen Eispfad hinunter, der zum Hafen führte und zu dem hochmastigen Eisklipper, der sie — endlich — nach Hause bringen würde.

»Wenn du so mit hochgeklapptem Visier weinst, Jungchen, wirst du gleich Eis auf den Wangen haben.«

Colette du Kane legte ihrem zukünftigen Gatten schützend den Arm um die Schultern. »Laß ihn doch weinen! Was bist du eigentlich, irgendein gefühlloser Mann?«

»Nicht gefühllos«, erwiderte der Hüne leichthin, »nur irgendeiner.«

Gemeinsam drehten die drei sich um und steuerten auf die Wärme des nächsten isolierten Gangs zu.

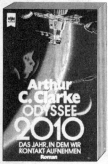